LE MERCATO D'HIVER

PHILIP KERR

LE MERCATO D'HIVER

Traduit de l'anglais
par Katalin Balogh et Philippe Bonnet

ÉDITIONS DU MASQUE
17, rue Jacob 75006 Paris

Titre original
January Window
publié par Head of Zeus Ltd., Londres

Couverture : © efks / iStock
Conception graphique : Louise Cand

ISBN : 978-2-7024-4157-2

Ce livre constitue une œuvre de fiction, et les erreurs qu'il contient ne sauraient être imputées à mon manager secret (merci de ne pas poser de questions). À son intention, je me sens obligé d'ajouter : tu as ma totale confiance et je promets de ne pas te virer si ce roman ne gagne rien.

Philip Kerr

Pour Paul Sidey

1

Janvier 2014

Je déteste Noël. À près de quarante ans, je l'aurai détesté, semble-t-il, pendant plus de la moitié de ma vie. Autrefois j'étais footballeur professionnel et maintenant j'apprends aux autres à faire de même. Noël est donc une période de l'année qui, pour moi, est associée à un calendrier de rencontres aussi bondé que Hamleys, le magasin de jouets dans Regent Street. Ce qui signifie des entraînements à l'aube sur des terrains givrés, des échauffements d'ischio-jambiers n'ayant pas eu le temps de suffisamment se reposer, des supporters éméchés attendant beaucoup plus de leur équipe qu'il n'est raisonnable — sans parler des exigences draconiennes d'un propriétaire ou d'un président de club impitoyable — et des matchs prétendument pépères joués contre des mecs de troisième zone qui peuvent finir par vous mordre le cul.

Cette année ne fait pas exception à la règle. Nous jouons à l'extérieur contre Chelsea le 26, le Boxing Day, ce qui fait que, le jour de Noël, tôt dans la matinée, alors que 99 % du pays est en train d'ouvrir ses cadeaux, d'aller à l'église, de regarder la télé au coin du feu ou de picoler bien gentiment, nous sommes à notre centre d'entraînement de Hangman's Wood, dans le Thurrock. Deux jours plus tard, le 28, nous repartons, cette fois à Newcastle, avant le match du Nouvel An, à domicile, contre Tottenham Hotspur.

Trois matchs en six jours. Ce n'est pas du sport, c'est un putain d'Ironman. Quand les gens liés au football professionnel parlent du « beau jeu », ils n'incluent pas les vacances de Noël, en général. Et chaque fois que je repense au fameux récit de *Boys Own*[1] sur un match amical dans un *no man's land* pendant la Première Guerre mondiale, entre soldats britanniques et allemands, je me dis : ouais, j'aurais bien aimé les voir se débrouiller sans un gardien de but en forme et avec une feignasse de milieu de terrain qui ne rêve que d'être transférée dans un autre club pour doubler son salaire déjà astronomique lors du mercato de janvier. C'est ainsi qu'on appelle la période de quatre semaines de transferts ayant lieu à la mi-saison, quand la FIFA autorise un club européen à enregistrer un nouveau joueur. Franchement, toute cette histoire de mercato de janvier est une idée stupide – mais bien dans le style de la FIFA –, parce qu'elle crée une mentalité de vide-grenier où les clubs essaient de se débarrasser de leur bois mort et paient des sommes ahurissantes pour récupérer un petit génie susceptible de leur conserver une chance de gagner quelque chose ou simplement de se maintenir. Cela dit, nul doute que tout manager cherche à acheter des joueurs ; la bonne affaire peut être décisive pour obtenir le titre de champion, ou pour vous éviter la relégation. Il n'y a qu'à voir quels joueurs ont été achetés pendant les derniers

---

1. Titre de divers magazines pour adolescents, célèbres en Angleterre, qui furent publiés de 1855 à 1967. *(Toutes les notes sont des traducteurs.)*

mercatos de janvier pour se rendre compte de l'utilité d'engager quelqu'un en milieu de saison : Luis Suárez, Daniel Sturridge, Philippe Coutinho, Patrice Evra, Nemanja Vidić sont tous arrivés dans leur club pendant cette période-là. Si vous vous êtes déjà trouvé dans la situation d'une kyrielle de gens qui ne peuvent pas acheter une nouvelle bicoque avant d'avoir vendu l'ancienne, alors vous pouvez imaginer la complication, à se cramponner à son siège, de ce qui se passe en janvier. Pour ma part, j'estime que c'était mieux autrefois, quand le mercato était ouvert toute l'année ; cela dit, je suis quelqu'un qui pense que presque tout était mieux dans le foot avant que Sky TV, les ralentis et le changement de la règle du hors-jeu par l'IFAB en 2005 ne le transforment en ce que c'est maintenant.

Mais il y a une autre raison, plus sombre, pour laquelle je n'aime pas beaucoup Noël. En 2004, le 23 décembre, j'ai été reconnu coupable de viol et condamné à huit ans de prison, et il n'y pas besoin d'être le fantôme de ce sacré Jacob Marley[1] pour comprendre que ça peut avoir un effet négatif sur le Noël passé, présent ou futur de n'importe qui.

Mais j'y reviendrai plus tard.

Je m'appelle Scott Manson et je suis l'entraîneur de l'équipe de London City. Comme j'aime montrer l'exemple aux gars que je fais travailler, cela signifie pour moi pas d'alcool du 22 décembre jusqu'au soir de la Saint-Sylvestre. C'est un peu comme être un témoin de Jéhovah au milieu du mariage fastueux d'une stupide WAG[2] du genre *Hellooo !* Pas d'alcool, pas de soirée tardive, régime équilibré et surtout pas de cigarettes ; que Dieu me préserve, moi – ou plus vraisemblablement Maurice McShane, le coordinateur du club –, de voir un de mes joueurs sur une photo de magazine au volant

---

1. Personnage du conte de Dickens *A Christmas Carol* (*Un chant de Noël*).

2. Acronyme de *Wives and Girlfriends* (« épouses et petites amies »), surnom propre aux compagnes de joueurs de foot.

de sa voiture, sortant d'une boîte de nuit lors du réveillon de Noël, une Silk Cut à la main. J'ai même passé un savon à un avant-centre pour s'être fait tatouer un dragon – cadeau de sa femme à la cervelle de piaf – la veille d'un derby de Nouvel An. Au cas où vous ne le sauriez pas, les tatouages font un mal de chien, sans compter que les encres et les pigments peuvent être contaminés et provoquer des nausées, des granulomes, des maladies du poumon, des infections des articulations et des problèmes oculaires. Vous connaissez ce texte de la Bible qui dit que votre corps est un temple ? Eh bien, c'est particulièrement vrai pour les footballeurs ; vous avez intérêt à prier pour ne pas bousiller le vôtre, de temple, si vous voulez continuer à être payé cent mille livres par semaine. Vraiment. Vous désirez acheter à un footballeur quelque chose de bien pour Noël ? Offrez-lui un coffret de DVD et une bouteille d'Aqua di Parma. Surtout pas de chèque cadeau pour couvrir son temple de graffitis – du moins, jusqu'à ce qu'on en ait fini avec les vacances et les matchs de début janvier.

Parmi les rencontres de London City : nul 0-0 face à Manchester United, défaite 4-3 contre Newcastle, victoire 2-1 face à Tottenham – ce qui nous vaut d'être neuvième de Premier League –, ainsi qu'un nul 0-0 avec West Ham en match aller de la Coupe de la Ligue. Mais en réalité, tout ça ne semblait pas avoir grande importance – en tout cas, pas pour moi –, parce qu'à la cinquième minute du match à Silvertown Dock contre Tottenham, Didier Cassell, notre gardien de but titulaire, s'est gravement blessé après s'être cogné la tête contre le poteau en essayant d'arrêter un tir puissant et enroulé d'Alex Pritchard.

Le choc fut terrible à voir. D'abord, tout le monde crut que le bruit transmis par le micro situé à côté du montant était celui du ballon heurtant le panneau de publicité. C'est seulement une fois que Sky Sports eut montré plusieurs fois l'incident au ralenti – ce qui dut ravir la famille de

Didier – qu'il apparut que le son mat était en fait le crâne du gardien se fracassant contre le poteau. Je ne sais pas qui fut le plus bouleversé, nos propres gars ou ceux de Tottenham.

Cassell s'évanouit, et il était toujours inconscient au moment où les ambulanciers de St John le transportèrent hors du terrain. Quatre jours plus tard, il n'avait toujours pas repris connaissance. Personne n'utilisa le mot coma – personne sauf les journaux, bien sûr, qui l'imaginaient déjà gardant les buts de l'équipe éternelle –, cependant, avec un troisième tour de la Coupe d'Angleterre contre Leeds United prévu le week-end suivant, nous cherchions déjà à faire signer le gardien du vieux club de mon père, les « Hearts of Midlothian » d'Édimbourg, dont les créanciers pensent que s'acquitter de ses dettes est plus important que de ne pas concéder de buts. À neuf millions de livres, soit presque les deux tiers de ce que les Jambos doivent apparemment aux banques, Kenny Traynor constituait une bonne affaire.

Notre manager récemment nommé, João Gonzales Zarco, fit une déclaration sur Didier Cassell, dans son style énigmatique habituel, face à la meute de journalistes et de caméras de télévision attendant sur le trottoir devant le Royal London Hospital lorsque nous allâmes le voir, lui et moi.

« Je me refuse à parler de gardien de but remplaçant. Ne me posez pas ce genre de questions, s'il vous plaît. À cet instant précis, toutes nos pensées vont à Didier et à sa famille. Bien entendu, nous lui souhaitons un prompt rétablissement. La seule chose que je peux dire sur ce qui s'est passé, c'est que, quelle que soit la quantité de projets que vous faites, ou la maîtrise que vous croyez avoir de votre équipe, c'est toujours la vie qui envoie la balle au fond des filets. » Volontiers sentimental, Zarco essuya une larme, puis poursuivit : « Écoutez, dans le football, vous ne pouvez pas jouer sous les projecteurs sans qu'il y ait également des ombres.

Savoir cela est primordial. Chaque joueur, chaque manager dans notre ligue comprend ce que c'est que de jouer dans l'ombre de temps à autre. Toutefois, j'aimerais ajouter ceci – et je m'adresse à présent à ceux d'entre vous qui ont écrit ou dit des choses qui n'auraient jamais dû l'être alors qu'un jeune homme courageux lutte pour sa vie : je suis comme un éléphant. Je n'oublie jamais qui dit quoi et quand. Non, je n'oublie jamais. De sorte que, une fois que tout ça sera derrière nous, je vous piétinerai, je me torcherai le cul avec votre prose et ensuite je vous pisserai dessus. Quant aux autres, ils doivent toujours se rappeler qu'à London City nous sommes une famille unie. Certes, un de nos fils préférés est malade. Mais nous allons nous en sortir. Je vous le promets, ce club marchera à nouveau dans la lumière. Et il en sera de même pour Didier Cassell. »

Je n'aurais pas pu mieux dire. J'ai particulièrement apprécié le passage où João Zarco se torchait le cul avec la prose de certains journalistes et leur pissait dessus. Mais il est vrai que j'en ferais moi-même autant, n'est-ce pas ? Je n'ai aucune raison d'aimer les journaux. Bon nombre de journaleux que je connais ne sont que des fouteurs de merde, seulement ils appellent ça tenir un sujet, comme si ça pouvait tout justifier. Eh bien non, ça ne justifie rien. Pas pour moi.

Naturellement, nous ne le savions pas à ce moment-là, mais nos ennuis à la Couronne d'Épines ne faisaient que commencer.

2

La Couronne d'Épines, c'est ainsi que les riverains surnomment le stade de City à Silvertown Dock, bien que l'expression ait été utilisée en premier par la sculptrice Maggi Hambling, consultante artistique du site auprès du cabinet d'architectes Bellew & Hammerstein. J'aime beaucoup ce qu'elle fait et je possède quelques magnifiques toiles d'elle représentant la mer. Oui, la mer. Je sais que ça paraît mièvre, mais, vous les verriez, vous comprendriez que ces œuvres sortent réellement de l'ordinaire.

Le stade n'est pas sans faire penser au Nid d'Oiseau de Pékin, construit pour les Jeux olympiques de 2008, dans la mesure où sont juxtaposées là aussi deux structures indépendantes : une cuvette en béton orange contenant les gradins (l'orange est la couleur de la tenue de City) et une structure en acier qui la surplombe et qui ressemble réellement à une couronne d'épines. C'est l'édifice le plus impressionnant de tout l'est de Londres, et il a coûté cinq cents millions de livres. Par chance, le propriétaire du club est un milliardaire ukrainien plein aux as. D'après le magazine *Forbes*, Viktor Semionovich Sokolnikov pèse vingt milliards de dollars, ce qui le met à la cinquantième place dans le palmarès des types les plus riches du monde. Ne me demandez pas de quelle manière il a amassé sa montagne de fric. Franchement, je préfère vivre dans l'ignorance de cet aspect des choses. Tout ce que je sais, c'est ce que M. Sokolnikov m'a dit lui-même, à savoir que son père travaillait dans une usine de pellicules photographiques d'une petite ville ukrainienne appelée Chostka, qu'il avait gagné son premier million dans le commerce du bois et du charbon, somme qu'il avait ensuite consacrée à des opérations à haut risque qui s'étaient révélées extrêmement juteuses. Et ne me demandez pas non plus comment il a pu convaincre la Football Association et le maire de Londres de le laisser racheter la dette d'une brochette de vieux clubs de foot de l'est de la capitale placés sous administration judiciaire, pour pouvoir les relancer en deuxième division en tant que London City FC. Il n'est pas impossible que quelques jolis paquets de pognon y soient pour quelque chose. Sokolnikov a dépensé une fortune pour rénover Silvertown Dock et le Thames Gateway, et le club – qui a réussi à se hisser en Premier League après tout juste cinq années d'existence – emploie aujourd'hui plus de quatre cents personnes, sans parler de l'argent qu'il rapporte à un quartier de Londres où le mot investissement était autrefois une injure. Hormis le stade, Sokolnikov a promis que sa société, Chostka Solutions AG, se chargerait de la construction du nouveau Thames Gateway Bridge – résolution annulée en 2008 par le maire, Boris Johnson, parce que trop onéreuse – ou du moins qu'il le ferait quand ces connards du Parti travailliste responsables de l'enquête d'urbanisme se réveilleraient et commenceraient à se bouger. À l'heure actuelle, le projet est la cible de critiques.

Comme je rentrais de l'hôpital à mon appartement de Manresa Road à Chelsea, Sonja, ma petite amie, vint immédiatement ouvrir. Les yeux écarquillés, elle dit à voix basse :

« Matt est là.

— Matt ?

— Matt Drennan.

— Bon sang, qu'est-ce qu'il veut ?

— Il n'a pas l'air de trop le savoir lui-même. Il est ivre et dans tous ses états, à mon avis.

— Tu m'étonnes.

— Ça fait une demi-heure qu'il est ici, Scott. Et je dois dire que j'ai eu un mal de chien à le tenir à distance du bar.

— J'imagine. »

J'embrassai sa joue fraîche tout en lui pinçant les fesses. Je savais qu'elle n'aimait pas Drennan et je ne pouvais pas lui en vouloir parce qu'elle n'avait jamais rencontré le Matt Drennan que j'avais connu jadis.

« Scott, promets-moi que tu ne le laisseras pas rester ; en tout cas, pas pour la nuit ! Il me fait peur quand il est ivre.

— Tu n'as rien à craindre, mon ange.

— Si. Ce type est un désastre ambulant.

— Laisse-moi me charger de ça, chérie. Va… faire autre chose. Tu as déjà donné. C'est mon tour de m'occuper de lui. »

Drennan était debout dans le salon – mais tout juste – en train de contempler une des toiles de Hambling : une gigantesque vague semblable à un tsumani, prête à s'écraser sur une plage du Suffolk non loin de là où vit et travaille l'artiste. M'approchant, je posai une main sur l'épaule de mon vieux camarade d'équipe, histoire de le calmer. Dans le bref intervalle entre le moment où Sonja avait quitté la pièce et celui où j'étais entré, il s'était servi un whisky au chariot à alcools. J'espérais le lui reprendre si jamais il le posait. La chemise déchirée et d'une propreté douteuse, il avait une grosse goutte de sang coagulé sur le lobe d'une oreille à la place de son clou en diamant.

« C'est exactement comme ça que je me sens », commenta-t-il.

Son haleine dégageait une odeur de poubelle pour le verre.

« Tu es sûr que tu ne vas pas vomir, Matt ? On vient de changer la moquette. »

Drennan se mit à rire.

« T'inquiète. Pour ça, il faudrait que j'aie mangé quelque chose.

— On pourrait aller chercher un kebab, si tu veux. Et après, je te ramènerai chez toi. »

Cela faisait longtemps que je n'avais pas mis les pieds au Kebab Kid dans Parsons Green ; ces derniers temps, je préférais les sushis, mais j'étais prêt à y aller si ça pouvait lui faire plaisir.

« Pas faim, répondit-il.

— Qu'est-ce que tu fais là ? Je croyais que tu passais la Saint-Sylvestre avec Tiffany. »

Drennan me regarda, les yeux troubles.

« Je suis venu prendre des nouvelles de ton gars français. Tu sais, celui qui s'est fracturé le crâne. Je suis allé à l'hôpital, mais ils m'ont fichu dehors parce que j'étais bourré.

— Ça m'étonne qu'ils ne t'aient pas proposé un lit. Regarde dans quel état tu es, Matt. Quelqu'un d'autre ne t'aurait pas fichu dehors avant, par hasard, ou le système de santé publique est aussi nul qu'on le prétend ?

— J'ai eu une prise de bec avec Tiff. »

Je l'avais déjà entendu dire ce genre de choses. Mais je n'aurais jamais pensé que c'était plus qu'un simple crêpage de chignon, que Tiff était dans le même hôpital que Didier Cassell et que c'était très probablement la vraie raison de la visite de Matt Drennan chez moi.

« Elle m'a jeté une saloperie de botte d'équitation à la figure. (Il se remit à rire.) Exactement comme Fergie[1]. On aurait pu l'employer dans les vestiaires de Highbury, hein ? Je te le dis, Scott, cette femme-là a une bouche, on croirait un chalumeau. Pas comme ta môme, Sandra, c'est ça ? Elle est canon. Qu'est-ce qu'elle fait, déjà ?

— Elle est psychiatre, Matt. Et elle s'appelle Sonja.

— Ouais, c'est ça. Une psy. Je me disais bien que sa façon de me regarder me rappelait quelque chose. Comme si j'étais un putain de cinglé.

— Mais tu es un putain de cinglé, Matt. Tout le monde le sait. »

Drennan sourit et secoua la tête comme le type affable qu'il était – la plupart du temps –, puis se gratta énergiquement la tête.

« Elle t'a encore flanqué à la porte ? repris-je.

— Ouais. Mais on a connu pire, elle et moi. Je pense que ça ira. Elle va me tirer l'oreille et je devrai dormir au garage.

— On dirait que c'est déjà fait. Pour ce qui est de te tirer l'oreille. Il y a du sang dessus. Je peux te mettre quelque chose, un pansement, un peu de crème antiseptique. Un photographe du *Sun*.

— Pas de problème. Ça ira. Tiff m'a esquinté avec une botte d'équitation, voilà tout.

— C'est donc normal.

— Assez, ouais. »

Gros et à moitié chauve, Matt Drennan avait triste mine. Comme moi, il était écossais, mais là s'arrêtait la ressemblance ; enfin, presque. En le regardant à ce moment-là, il m'était difficile de croire que, moins de dix ans auparavant,

---

1. Surnom donné à sir Alex Ferguson, célèbre manager de Manchester United de 1986 à 2013.

nous faisions tous les deux partie de la même équipe d'Arsenal. Une jambe cassée avait mis fin à la carrière de Drenno à l'âge de seulement vingt-neuf ans, mais pas avant qu'il ait marqué plus d'une centaine de buts pour les Gunners et ne soit devenu un des héros de Highbury. Aujourd'hui encore, il pouvait aller à l'Emirates[1] et faire hurler le public juste en se montrant sur le terrain. C'est plus que ce que ces enfoirés avaient jamais fait pour moi. Apparemment, même les fans des Spurs[2] l'aimaient bien, ce qui n'est pas peu dire. Cependant, depuis qu'il avait cessé de jouer, sa vie était devenue une série de catastrophes largement médiatisées : alcool, dépression, addiction à la cocaïne et au Nurofen, trois mois en taule pour agression sur la personne d'un officier de police – ce dont je ne pouvais certainement pas lui tenir rigueur –, un flirt avec la scientologie, une brève et humiliante carrière à Hollywood, une faillite, un scandale portant sur des paris, un divorce houleux d'avec sa première femme et un second mariage battant apparemment de l'aile. La dernière fois que j'avais eu de ses nouvelles, il s'était fait hospitaliser une nouvelle fois à la clinique Priory pour essayer de se reprendre en main. Non que quiconque lui donnât la plus petite chance de réussite. Il était de notoriété publique que Matt Drennan s'était mis au régime sec plus souvent qu'une serviette d'un Holiday Inn. Pour toutes ces raisons, Drennan était le seul footballeur qu'il m'ait été donné de rencontrer dont l'autobiographie se lisait comme un best-seller, ma propre histoire merdique incluse. Comparé à lui, Syd Barrett avait l'air du modérateur de l'Église d'Écosse. Mais je l'aimais quand même comme s'il était... non pas ma sœur, à qui je ne parlais plus beaucoup ces derniers temps, mais quelqu'un qui comptait dans ma vie.

---

1. Emirates Stadium : nouveau stade d'Arsenal.
2. Surnom de Tottenham Hotspur, l'autre grand club du nord de Londres.

« Et alors, comment va-t-il ? Tu ne me l'as pas dit.

— Didier Cassell ? Pas bien. Pas bien du tout. Il est à l'arrêt pour le reste de la saison, ça, c'est sûr. Et pour le moment, je dirais que tu as de meilleures chances que lui de te remettre à jouer. »

Drennan battit des paupières comme si ça ne lui semblait pas impossible.

« Bon Dieu, je donnerais ma vie pour jouer de nouveau toute une saison.

— Alors on est deux, mon vieux.

— Ou juste la finale de la Cup. Un jour ensoleillé, au mois de mai. Les supporters qui chantent *Abide with Me*. Nous contre un club sympa comme Tottenham ou Liverpool. Wembley et tout le tremblement. Comme au bon vieux temps, avant que la Premier League, les étrangers et la télévision ne transforment tout ça en un spectacle de foire.

— Je sais. C'est aussi mon opinion.

— En fait, j'ai l'intention de faire une dernière apparition en tête d'affiche à Wembley. Et après, je tire ma révérence.

— C'est ça, Matt, c'est ça. Tu peux encore faire chanter les foules.

— C'est pas une blague. »

Drennan porta le scotch à ses lèvres, mais avant qu'il n'ait eu le temps de le boire, je le lui arrachai et le mis prestement hors de sa portée.

« Allez, viens. La voiture est juste devant. Je te laisserais bien dormir ici, mais tu ne ferais que vider toute ma bibine et ensuite je devrais te flanquer dehors à coups de pied aux fesses. Donc la meilleure idée, c'est que je te ramène maintenant. Encore mieux, pourquoi ne pas t'emmener directement à la clinique Priory ? On peut y être en moins d'une heure. Tu sais quoi ? Je vais même te payer la première semaine. Un cadeau de Noël tardif de ton andouille de copain.

— J'irais bien, mais ils ne vous laissent pas lire et tu me connais, moi et les livres. Je m'ennuie à cent sous de l'heure quand je n'ai pas un truc à lire. »

Comme pour prouver ses dires, il jeta un coup d'œil au bouquin roulé en boule dans la poche de sa veste, histoire de vérifier qu'il était toujours là.

« Et pourquoi font-ils ça ? Vous interdire de lire ?

— Ces enfoirés pensent que si tu lis, tu ne vas pas sortir de ta coquille et parler de tes foutus problèmes. Comme si ça arrangeait les choses. J'essaie de m'évader de mes problèmes, pas de m'y jeter tête baissée. D'ailleurs, il faut que je rentre, ne serait-ce que pour récupérer mon clou en diamant. Il m'est tombé de l'oreille quand Tiff m'a frappé. Ce maudit clebs a cru que c'était un bonbon à la menthe et l'a avalé. Il adore les bonbons à la menthe. Alors je l'ai enfermé dans l'abri de jardin pour que la nature fasse son œuvre, si tu vois ce que je veux dire. J'espère seulement que personne n'a laissé sortir l'animal pour le promener. Ce clou en diamant m'a coûté six mille livres. »

Je ris.

« Et moi qui pensais que j'avais tous les boulots de merde à London City…

— Exactement. » Drennan sourit et lâcha un rot sonore. « Je l'aime bien, dit-il en montrant le tableau, avant de balayer le salon du regard avec un hochement de tête approbateur. J'aime bien tout ça. Ton appart. Ta copine. Tu as pas mal réussi, mon salaud. Je t'envie, Scott. Mais je suis aussi content pour toi. Après tout ce qui s'est passé, tu comprends ?

— Allez, espèce de débile. Je te ramène chez toi.

— Non, répondit Drennan, Je vais remonter King's Road et prendre un taxi. Si ça se trouve, le chauffeur me reconnaîtra et me fera cadeau de la course. C'est ce qui se passe généralement.

— Et c'est comme ça que tu finis dans les journaux pour t'être fait jeter une fois de plus d'un pub par le patron. » Je le pris par le bras. « Je te ramène, ne discute pas. »

24

De ses doigts étonnamment puissants, Drenno libéra son coude et secoua la tête.

« Tu restes ici avec ta jolie petite môme. Je prends un taxi.

— Tu rentres directement ?

— Promis, juré.

— Laisse-moi au moins faire un bout de chemin avec toi. »

Je l'accompagnai jusqu'à King's Road et lui appelai un taxi. Je payai le chauffeur d'avance et, tout en aidant Drennan à monter dans la voiture, je glissai deux cents livres dans la poche de son manteau. J'étais sur le point de fermer la portière quand il se retourna, saisit ma main et la tint serrée. Des larmes brillaient dans ses yeux bleu pâle.

« Merci, mon vieux.

— Merci pour quoi ?

— Pour être un copain, pardi. Qu'est-ce qui reste d'autre à des types comme toi et moi ?

— Tu n'as pas à me remercier pour ça. Surtout pas toi, Matt.

— Merci quand même.

— Maintenant, rentre chez toi avant que j'aille chercher mon violon. »

Un homme était assis sur le trottoir devant un distributeur automatique. Je lui donnai vingt livres, même si, franchement, il aurait mieux valu que ce soit à lui que je refile les deux cents livres. Lui, au moins, il était sobre. À l'instant même où j'avais fourré l'argent dans la poche de Drenno, je savais pertinemment que c'était une erreur, tout comme de ne pas le ramener moi-même, mais ainsi va la vie parfois ; on oublie ce que c'est que d'avoir affaire à des ivrognes, à quel point ils peuvent être autodestructeurs. Surtout un ivrogne comme Drenno.

3

De retour chez moi, je trouvai Sonja en train de préparer le dîner à la cuisine. C'était une excellente cuisinière, et elle avait confectionné une moussaka qui avait l'air délicieuse.

« Il est parti ? demanda-t-elle.

— Oui. »

Je humai l'odeur de la moussaka avec appétit.

« On aurait pu en donner à Drenno, un peu de nourriture dans l'estomac, c'est probablement juste ce qu'il lui fallait.

— Ce n'est pas de la nourriture qu'il lui faut. D'ailleurs, je suis contente qu'il soit parti.

— C'est toi qui es censée être compatissante.

— Qu'est-ce qui te fait dire ça ?

— Tu es psychiatre. Je pensais que ça faisait partie de ton boulot.

— Ce n'est pas de compassion dont mes patients ont besoin, mais de compréhension. Il y a une différence. Drenno ne veut pas de compassion. Et il est trop facile à comprendre, j'en ai peur. Il veut l'impossible. Remonter le temps. Ses problèmes seront résolus dès l'instant où il acceptera cette vérité et décidera d'adapter sa vie et son comportement en conséquence. Comme tu l'as fait. S'il refuse, on voit très bien comment tout ça finira. Chose rare, c'est une de ces personnalités autodestructrices qui veulent se détruire pour de bon. Un cas classique.

— Tu as peut-être raison.

— Bien sûr que j'ai raison. Je suis médecin.

— C'est ce que tu dis. (Je mis mes bras autour d'elle.) Mais, de mon point de vue, tu es la plus séduisante WAG que j'aie jamais vue.

— Je prends ça comme un compliment, même si l'idée de ressembler à Coleen Rooney est pour moi un anathème.

— Je ne pense pas que Coleen connaisse Anne Athème. »

On finissait de dîner au comptoir de petit déjeuner, prêts à nous coucher tôt, lorsque le téléphone se mit à sonner. D'après l'écran, il s'agissait de Corinne Rendall, la secrétaire de Viktor Sokolnikov. Je n'avais pas l'habitude de parler à celui-ci, ce dont il m'arrivait de me féliciter. Comme un tas de gens dans le milieu du football, j'avais regardé le Panorama qui lui avait été consacré récemment, et qui m'avait permis de prendre connaissance de la rumeur qui courait, comme quoi il avait hérité son entreprise d'un autre Ukrainien de Kiev, Natan Fisanovich, un parrain du crime organisé. À en croire la BBC, lui et trois de ses associés avaient disparu en 1996 avant d'être retrouvés quelques mois plus tard dans quatre tombes improvisées. Sokolnikov avait nié être pour quoi que ce soit dans la mort de Fisanovich, mais qui n'en aurait pas fait autant à sa place ?

« M. Sokolnikov aimerait savoir si vous pouvez prendre son appel dans dix minutes », déclara Corinne.

Instinctivement, je jetai un coup d'œil à ma nouvelle montre – une Hublot dernier modèle –, tout en songeant que je ne pouvais pas dire non à l'homme qui venait de dépenser dix mille livres dans mon cadeau de Noël. Zarco, les membres de l'équipe et moi avions tous reçu une Hublot comme celle-ci.

« Oui, bien sûr.

— On vous rappelle. »

Je raccrochai.

« Je me demande ce qu'il veut.

— Qui ?

— Sokolnikov.

— Quoi qu'il veuille, ne lui dis pas non. Je n'ai pas envie de me réveiller un matin pour m'apercevoir que je me réchauffais les orteils sur une tête de cheval ensanglantée.

— Il n'est pas comme ça, Sonja. » Je mis quelques assiettes dans le lave-vaisselle. « Pas du tout.

— Si tu veux mon opinion, ils sont tous comme ça », répliqua-t-elle. Elle me poussa vers le salon. « Va attendre ton coup de fil. Je m'occupe du rangement. D'ailleurs, tu dois être fatigué d'avoir porté cette montre toute la journée. »

Quelques minutes plus tard, Corinne rappela.

« Scott, c'est vous ?

— Oui.

— Je vous passe Viktor.

— Viktor, bonne année et merci encore pour la montre. C'était très généreux de votre part.

— Ça m'a fait plaisir, Scott. Je suis content qu'elle vous plaise. »

Elle me plaisait effectivement, mais Sonja avait raison, bien sûr : elle était lourde.

« Qu'est-ce que je peux faire pour vous ?

— Deux ou trois choses. D'abord, je voulais avoir des nouvelles de Didier. Vous l'avez vu aujourd'hui, n'est-ce pas ?

— Il est toujours dans le coma, hélas.

— Dommage. Je compte aller le voir dès mon retour. Mais en ce moment, je suis à Miami, en route pour le yacht dans les Caraïbes. »

Avec ses cent dix mètres, le yacht de Sokolnikov, le *Lady Ruslana*, n'était pas le plus grand du monde, mais il avait quand même la taille d'un terrain de football, ce qui n'avait pas échappé à la presse. J'étais monté à bord une fois et j'avais été stupéfait de constater que faire simplement le plein coûtait 750 000 livres… mon salaire annuel.

« C'est un garçon robuste. Si quelqu'un peut se rétablir, c'est bien Didier Cassell.

— Je l'espère.

— Et Ayrton Taylor ?

— Le coup de tête qui s'est révélé être une faute de main ?

— C'est ça. »

Durant le même match contre Tottenham, l'arbitre, Howard Webb, avait accordé un but à London City, notre avant-centre, Ayrton Taylor, ayant apparemment marqué d'un coup de tête sur corner. Mais presque aussitôt, alors que toute notre équipe exultait, Taylor avait discrètement avoué à Webb qu'en fait le ballon avait touché sa main. Là-dessus, Webb avait changé d'avis et accordé un coup franc aux Tots, à la suite de quoi nos fans s'étaient mis à injurier à la fois Webb et Taylor.

« Il a eu raison, à votre avis ? demanda Sokolnikov.

— Qui, Taylor ? Eh bien, ce qui s'est passé était parfaitement visible sur le ralenti télévisé. Et il a obtenu un dix sur dix en matière de comportement sportif pour avoir reconnu sa faute. C'est ce qu'ont dit les journaux. Il était peut-être temps qu'il y ait un peu plus d'esprit sportif dans le jeu. Comme lorsque Paolo Di Canio, sous les couleurs de West Ham, apercevant le goal adverse à terre et blessé, a arrêté le jeu au lieu de tirer, à Goodison Park en 2000. Je sais que João n'est pas d'accord, mais c'est comme ça. J'ai vu Daniel Sturridge marquer un but avec le bras pour Liverpool contre Sunderland en 2013, et il était évident, au regard furtif qu'il a lancé au juge de touche, qu'il savait très bien que le but n'était pas valable. Mais le but a été validé, et Liverpool a remporté la victoire. Et regardez ce qui est arrivé à Maradona lors du match de la Coupe du monde de 1986 contre l'Angleterre.

— La main de Dieu.

— Précisément. C'est l'un des plus grands joueurs à avoir jamais tapé dans une balle, mais cette histoire n'a certainement pas servi sa réputation dans ce pays.

— Très juste. Mais Webb avait déjà accordé le but, n'est-ce pas ? Et une faute de main accidentelle n'est pas la même chose qu'un geste délibéré.

— La loi n° 5 indique clairement que l'arbitre peut changer d'avis jusqu'à la reprise du jeu. Laquelle n'avait pas eu lieu. Par conséquent, Webb était absolument dans son droit de prendre cette décision. Remarquez, ça demande un arbitre ayant de l'estomac. N'importe qui d'autre que Webb aurait probablement maintenu le but en dépit de ce qu'avait dit Taylor. La plupart des arbitres n'aiment pas changer d'avis. Par chance, on a gagné le match 2-1. Je ne serais sans doute pas aussi content si tout ça nous avait fait perdre deux points. Mais vous savez, ça ne m'étonnerait pas que Taylor soit désigné meilleur joueur du mois grâce à son honnêteté. C'est le genre de fair-play que la FA aime placer sous les projecteurs.

— Très bien, vous m'avez convaincu. À présent, parlez-moi de ce gardien de but écossais, Kenny Traynor. Zarco dit que vous le connaissez depuis un certain temps et que vous l'avez vu jouer.

— C'est exact.

— João souhaite l'acheter.

— Et moi aussi.

— Neuf millions, c'est beaucoup d'argent pour un gardien de but.

— Vous serez content d'avoir dépensé neuf millions pour un gardien si on joue une finale européenne qui se termine aux tirs au but. C'est Manuel Neuer, le gardien bavarois, qui a arrêté le tir de Lukaku et apporté aux Allemands la Supercoupe de l'UEFA en 2013. Il leur avait presque fait gagner la Ligue des champions face à Chelsea l'année précédente. Bon Dieu, il a été jusqu'à en marquer un lui-même. Non, patron, quand ça se met à barder, vous ne tenez pas à vous retrouver avec Calamity James dans les buts. »

Calamity James était le surnom que les supporters de Liverpool avaient donné – un peu injustement – à David James quand il y jouait.

« Tel que vous le présentez, je suppose que vous avez raison.

— Traynor est le numéro un en Écosse. Non qu'il y ait tellement le choix là-bas, il faut bien l'avouer. Mais je l'ai vu faire face au Portugal à Hampden un plongeon dont les Écossais parlent encore. Cristiano Ronaldo a expédié un missile des seize mètres, en pleine lucarne, et, ma parole, Traynor a bien dû se détendre sur six mètres pour dévier du poing le ballon au-dessus de la barre. À le voir, on aurait dit qu'il volait. C'est sur YouTube, regardez-le. Les Écossais ne l'appellent pas Clark Kent pour rien. Un type gentil, calme. Pas du tout le genre aigri comme certains au nord de la frontière. Il travaille dur pendant les entraînements. Et il a les mains les plus grandes et les plus sûres de tout le football. Son père est boucher à Dumfries. Il tient ses paluches de lui. Grosses comme des jambons. Et sa coordination œil-main est absolument magnifique. Au challenge BATAK, il a fait 136. Le record est 139.

— Si seulement je savais ce que c'est…, dit Viktor.

— Sans parler de son coup de pied de dégagement. Ce garçon a de l'étoffe, sans l'ombre d'un doute.

— J'ai vu quelques vidéos et je suis d'accord, il est bon. Simplement, je me sentirais plus à l'aise pour l'acheter si son agent n'était pas Denis Kampfner. Ce type est un escroc, vous ne croyez pas ? »

Résistant à ma première impulsion, qui était d'évoquer l'histoire de la paille et de la poutre, j'acquiesçai.

« Les agents ? Ce sont tous des escrocs. Mais au moins, Kampfner est un escroc enregistré à la FIFA.

— Comme si ça faisait une différence.

— C'est comme l'évolution, Viktor. Il semble que les agents répondent à un besoin et je suppose qu'on doit s'en accommoder. À l'instar de ces oiseaux sur le dos des rhinocéros qui leur enlèvent les tiques des oreilles.

— Dix pour cent de neuf millions, c'est un peu plus qu'une tique.

— C'est vrai.

— Alors je vais peut-être prendre mon propre agent pour s'en occuper. Zarco pense que c'est ce que je devrais faire.

— Je pensais que c'était pour ça que nous avions un directeur sportif. Pour réaliser des transactions de ce genre.

— Trevor John est plus un ambassadeur qu'un négociateur. Il aide à promouvoir le club et à lui donner une bonne image quand, grâce à la BBC, la mienne est mauvaise. Mais entre nous, il serait incapable d'acheter un paquet de chips sans le payer trop cher.

— Je vois. Eh bien, c'est votre choix de décider à qui vous faites confiance pour conclure un marché, Viktor. Votre choix et votre argent.

— C'est sûr. À propos, avez-vous vu l'émission ? Panorama ?

— Moi ? À moins que ce ne soit du foot ou un bon film, je ne regarde jamais la télé. Surtout pas des inepties comme Panorama.

— Juste pour votre gouverne, je les poursuis en justice. Il n'y avait pas un mot de vrai dans cette émission. Ils ont même écorché mon patronyme : ce n'est pas Sergeievich, mais Semionovich.

— Oui, je comprends. Une bande de crétins. Ce n'est pas moi qui vous dirai le contraire. Vous serez à Elland Road pour voir le match contre Leeds dimanche ?

— Peut-être, je ne sais pas encore. Tout dépend comment sera la météo dans les Caraïbes. »

4

Le centre d'entraînement de City à Hangman's Wood était ce qui se faisait de mieux en Angleterre. Il comprenait plusieurs grands terrains, des installations d'entraînement intérieur, un espace médical et de rééducation, des saunas, des bains de vapeur, des gymnases, des salles de physiothérapie et de massage, un certain nombre de restaurants, un cabinet de radiologie et d'IRM, des piscines d'hydrothérapie, des bains glacés, une unité d'acupuncture, des terrains de basket et un vélodrome. Il y avait même un studio de télévision, où les joueurs et le personnel pouvaient être interviewés pour London City Football Television. Au quotidien, cependant, Hangman's Wood était strictement interdit à la presse et au public, ce qui n'était pas du goût des médias. De hauts murs et des clôtures de barbelés à lames entouraient les terrains de football pour éviter l'intrusion, durant les séances d'entraînement, de photographes de tabloïds armés d'une grande échelle et d'un téléobjectif. De cette façon, les disputes entre joueurs, ou même entre joueurs et entraîneurs, parfois inévitables dans le monde extrêmement stressant du sport moderne – comment oublier la bagarre hautement médiatisée entre Roberto Mancini et Mario Balotelli en 2012 ? –, pouvaient rester strictement privées.

Ce qui, à la lumière de ce qui se passa ce matin-là à Hangman's Wood, n'était pas plus mal.

Non qu'il y eût grand-chose à voir en général, dans la mesure où João Zarco préférait me laisser les séances d'entraînement. Comme beaucoup de managers, il avait l'habitude de suivre les opérations depuis la ligne de touche ou même parfois avec des jumelles de la fenêtre de son bureau. Les questions de condition physique et d'apprentissage des techniques du football se trouvaient sous ma responsabilité, ce qui me permettait d'avoir une relation plus personnelle avec l'ensemble des joueurs. Je n'étais pas l'un d'entre eux, mais presque.

João Zarco, lui, gérait la philosophie du club, la composition de l'équipe, la motivation de celle-ci les jours de match, les transferts, les stratégies ainsi que les licenciements et embauches. Aussi son salaire était-il beaucoup plus élevé que le mien – environ dix fois plus, en fait –, mais, que voulez-vous, avec son style, son charisme et son flair pur et simple en matière de foot, il était probablement le meilleur manager d'Europe. Je l'aimais comme si c'était mon grand frère.

On commençait à 10 heures. Comme d'habitude, on était dehors. Il faisait froid à pierre fendre ce matin-là, et du givre durci couvrait encore la pelouse. Certains des joueurs portaient des écharpes et des gants ; deux ou trois avaient même des collants de femme qui, de mon temps, vous auraient valu cent pompes, deux tours de terrain et des regards lourds de sous-entendus de la part du président. Cela dit, certains d'entre eux s'amenaient avec plus de crèmes de beauté et de produits capillaires dans leur sac de voyage

Vuitton que mon ex-femme n'en avait sur sa table de toilette. J'ai même connu des footballeurs qui refusaient de participer aux exercices de jeu de tête parce qu'ils tournaient une publicité pour Head & Shoulders l'après-midi. C'est le genre de truc qui peut faire ressortir le côté sadique d'un entraîneur ; une chance que je préfère arriver à quelque chose avec un coup de pied aux fesses et une blague plutôt qu'avec un coup de pied aux fesses seulement. Même si l'entraînement n'est pas de la rigolade, parce que le football professionnel l'est encore moins.

Je venais de faire une séance de *paarlauf* avec les gars, ce qui produit toujours beaucoup d'acide lactique et constitue un moyen rapide de voir qui est en forme et qui ne l'est pas. Il s'agit d'une course de relais à deux, une version en équipe du fartlek : un type pique un sprint de deux cents mètres autour de la piste pour en rejoindre un second, qui a parcouru le diamètre de celle-ci au pas de course et se met à sprinter à son tour pour toucher son partenaire, et ainsi de suite, ce qui à la longue laisse les gars hors d'haleine, surtout les fumeurs. Autrefois, je fumais, mais seulement quand j'étais en taule. Il n'y a rien d'autre à faire quand on est en taule. Je fis suivre le *paarlauf* d'un numéro de tête-à-queue, où un joueur court le plus vite possible avec le ballon en direction du but, puis tire, avant de se transformer aussitôt en défenseur et d'essayer d'empêcher le type suivant de faire la même chose. Ça a l'air simple, et ça l'est, mais quand c'est joué à toute vitesse et que vous êtes fatigué, ça met vraiment vos capacités à l'épreuve ; il est difficile de contrôler la balle alors que vous courez à fond de train et que vous êtes crevé.

Au fur et à mesure, j'expliquais pourquoi on faisait ce qu'on faisait. Une séance d'entraînement est plus facile quand on sait quelle idée il y a derrière.

« Si on est prêt, on peut s'ouvrir le terrain et se procurer de l'espace. Créer des espaces consiste tout simplement à briser l'élan et la volonté du gars qui essaie de vous marquer. Ayez des yeux derrière la tête et apprenez à voir qui se trouve dans cet espace et à lui passer le ballon, et non au joueur le plus proche. Passez-le rapidement. Leeds se défendra bec et ongles. Donc, avant tout, soyez patients. Tâchez de vous montrer patients avec le ballon. C'est l'impatience qui finit par faire perdre la balle. »

Zarco paraissait s'impliquer davantage que de coutume dans la séance d'entraînement, lançant des instructions de la ligne de touche et critiquant quelques-uns des joueurs qui ne couraient pas assez vite. Ce qui est déjà suffisamment éprouvant quand vous êtes à bout de souffle, mais quand vous avez envie de dégobiller d'épuisement, c'est encore pire.

Une fois les exercices terminés, Zarco s'avança sur le terrain, et les garçons l'entourèrent instinctivement pour écouter ses remarques. Grand et mince, il continuait à ressembler à l'arrière central, puissant et impétueux, qu'il avait été dans les années 1990 pour Porto, l'Inter de Milan puis le Celtic. Il était plutôt séduisant de surcroît, dans le genre taillé à la serpe et mal rasé, avec des yeux somnolents et un nez cassé épais comme un poteau de but. Son anglais était bon, et il parlait d'une voix sombre, lasse et monotone, mais quand il riait, c'était d'un ton de fausset, presque un rire de jeune fille, que la plupart des gens – moi excepté – trouvaient intimidant.

« Écoutez-moi, messieurs, dit-il doucement. Ma philosophie est simple. Vous jouez le meilleur football possible, aussi dur que vous pouvez. Maintenant et pour les siècles des siècles, amen. »

Je commençai à traduire pour nos deux joueurs espagnols, Xavier Pepe et Juan-Luis Dominguin ; je parle assez bien l'espagnol, de même que l'italien, mais mon allemand est presque parfait grâce à ma mère allemande. Je sentis illico que ça allait être une engueulade carabinée. Les pires savons de Zarco étaient toujours ceux qu'il vous passait calmement et de sa voix la plus triste.

« Ce genre de conceptions ne vous décevra jamais, contrairement à celles d'autres lascars comme Lénine, Marx, Nietzsche ou Tony Blair. Mais, sur la terre entière, il n'existe probablement pas de mystère philosophique plus profond et plus insondable que celui de la manière dont vous avez réussi à perdre 4-3 alors que vous meniez 3-0 à la mi-temps. Et ça, contre ce putain de Newcastle. »

Les plus naïfs se mirent à sourire de cette boutade, ce qui était une grosse erreur.

« Du moins, je croyais que c'était un mystère. » Il agita son doigt en l'air avec un vilain petit sourire. « Jusqu'à ce que j'assiste ce matin à ce spectacle pathétique qualifié de séance d'entraînement – Scott, ne le prends pas mal, mon vieux, tu as essayé, comme toujours, de tirer de la farine d'un sac de son – et que je comprenne soudain, comme si une pomme m'était tombée sur la tête, pourquoi c'est arrivé. Vous n'êtes qu'une bande de trous du cul paresseux, voilà pourquoi ! Vous savez pour quelle raison on dit d'un trou du cul qu'il est paresseux ? Parce qu'on ne peut pas chier avec ! Et un trou du cul qui n'est pas bon à chier ne sert à rien. »

Quelqu'un ricana.

« Tu trouves ça drôle, tête de nœud ? Je ne suis pas en train de plaisanter. Est-ce que tu me vois rire ? Tu crois peut-être que Viktor Sokolnikov me paie des millions de livres par an pour que je vienne vous raconter des blagues à la con ? Non. Les seuls à faire des blagues dans les parages, c'est vous, quand vous donnez un coup de pied dans une balle. 0-0 contre Manchester United ? Ça, c'était une blague. Je vais vous dire : ce n'est pas seulement la nature qui a horreur d'un match nul 0-0, moi aussi. On ne peut pas gagner sans marquer de buts, un point c'est tout, messieurs.

« Comme le savent la plupart d'entre vous, je lis beaucoup sur l'histoire pour que mon équipe puisse la faire. Ce qui est dingue, parce que vous autres n'êtes même pas capables de faire le thé dans l'autocar quand on rentre, alors l'histoire encore moins. Sérieusement. Je vous regarde tous et je me dis, mais pourquoi, bon Dieu, est-ce que je me suis donné la peine de venir diriger ce club alors qu'ils ne sont même pas foutus de se retrousser les manches ? Hier, un abruti de journaliste m'a posé une question débile, à savoir qu'est-ce qui fait un bon manager. Et je lui ai répondu : gagner, espèce d'andouille ! C'est gagner qui fait un bon manager. Maintenant, posez-moi une question qui ne soit pas aussi nulle ; demandez-moi quel doit être l'objectif d'un bon manager, et je donnerai une réponse plus substantielle à vos lecteurs. J'écrirai votre article pour vous, banane. Comme d'habitude, je me tapais son boulot à sa place, OK ? Parce que je suis un type serviable. Zarco fait toujours de l'excellente copie. L'objectif d'un bon manager de football, c'est de montrer à onze trous du cul la manière de jouer comme un seul homme. Pourtant, il semble aujourd'hui que, même moi, cette tâche me dépasse. Chaque manager dans cette ligue est le produit de son époque, mais, à mon avis, je suis le seul manager capable de se hisser au-dessus de la pensée ordinaire de son temps. Je peux faire arriver l'impossible, c'est vrai. Mais je ne suis pas le Christ et, en l'occurrence, je me sens incapable d'accomplir le miracle biblique de faire jouer onze trous du cul comme un seul homme.

« Les plus grands trous du cul que j'ai pu observer ce matin, c'est toi, Ron. Toi, Xavier. Et toi, Ayrton. Des paresseux, voilà ce que vous êtes, c'est-à-dire plus paresseux que les autres. Paresseux avec le ballon et paresseux quand vous ne l'avez pas. Si vous n'arrivez pas à trouver la balle, alors trouvez de l'espace. Vous vous souvenez de Gordon Gekko dans le film *Wall Street* ? L'avidité est une bonne chose. Telle est sa devise. Et je suis d'accord avec lui. Sois avide de reprendre le ballon à l'adversaire, Xavier. Par tous les moyens. Ron, tu dois vouloir la balle comme autrefois les tétons de ta mère.

— Oui, patron, répondit Ron Smythson.

— Ce qui ne remonte pas très loin pour toi, Ayrton. Tu joues comme un moutard stupide, pas comme un homme. Regarde-toi : lacets défaits, chaussettes en accordéon... Pourquoi ne suces-tu pas ton pouce comme ce blanc-bec de Jack Wilshere ? Tu n'es même pas essoufflé, mon pote. Je te regarde et ce que je vois, c'est un trou du cul qui n'est pas bon à chier. Un trou du cul qui ne vaut même pas la peine d'être ramoné. Et autre chose, Ayrton : jouer au football pour l'amour du sport et parce que tu as lu une fois un poème sur ce que c'est que d'être un gentleman anglais, c'est un luxe que même Viktor Sokolnikov ne peut pas se permettre. Si c'est ce foot-là qui te plaît, alors tu ferais mieux d'aller jouer pour Eton ou Harrow, ou une autre de ces équipes d'étudiants homos qui font les marioles et qui rêvent en réalité de remporter la bataille de Waterloo. Mais pas de ça à London City. J'ai une meilleure idée : va lécher les couilles de la FIFA, et on te donnera peut-être un prix de fair-play. Moi, ces foutaises ne m'intéressent pas. Si tu dois envoyer le ballon dans les filets avec ta bite, alors, fais-le. Et je me fous que ça t'empêche d'avoir des mômes si c'est ce qu'il faut pour inscrire un but – c'est ce que tu as intérêt à faire, mon pote. Voilà pourquoi tu es payé cent mille livres par semaine : pour gagner. Par conséquent, la prochaine fois que tu marqueras un but avec la main, tu jureras sur une pile de bibles que tu as marqué avec la tête ou le pied, sinon tu seras viré de ce satané club de foot vite fait bien fait. Ai-je été assez clair ?

— Je t'emmerde, rétorqua Taylor. Je ne suis pas obligé de supporter ce genre de conneries. Ni de toi ni de personne. »

Je fermai un instant les yeux. Je savais ce qui allait arriver maintenant. Ou du moins, je croyais le savoir.

« Si. »

Zarco fit deux pas en avant, se planta devant ce pauvre Taylor et le poussa.

« Si, tu y es obligé, espèce de petit connard ! Mon boulot, c'est de parler et une partie du tien, c'est d'écouter. Même quand il s'agit de ce que tu n'as pas envie d'entendre. Surtout quand tu n'as pas envie de l'entendre. À savoir, dans le cas présent, que tu dois redoubler d'efforts.

— Va te faire foutre. »

Cela faisait un bon moment qu'on n'avait pas vraiment entendu Zarco élever la voix jusqu'à ce qu'on appelle communément le mur de son. Ce n'était peut-être pas aussi fort que ça en avait l'air, vu que Zarco parlait doucement en général. Mais ça l'était suffisamment quand il se tenait juste devant vous et que vous étiez assez près pour distinguer le palais de ce grand escogriffe et aussi ce qu'il avait pris au petit déjeuner.

« Tu dois redoubler d'efforts ! beugla-t-il. Redoubler d'efforts ! Redoubler d'efforts ! »

La meilleure chose à faire dans ces circonstances aurait été de fermer les yeux et de la boucler ; j'en avais vu certains encaisser et se mettre ensuite à fondre en larmes – des types solides, coriaces. Mais Taylor était un joueur de haut niveau, un dur de Liverpool qui n'avait pas l'habitude qu'on lui crie après. Il tourna donc les talons et s'éloigna, ce qui était peut-être encore pire que de répondre.

Zarco saisit l'objet le plus proche à portée de main, un cône d'entraînement en plastique, et le lança en direction de Taylor. Le cône l'atteignit entre les omoplates et faillit le faire tomber, moyennant quoi Taylor revint vers Zarco avec des mains d'étrangleur et une lueur réellement mauvaise dans les yeux.

« Espèce de salaud ! hurla-t-il, tandis que les autres joueurs l'attrapaient par les bras et l'immobilisaient. Putain, je vais le tuer ! Je vais tuer ce foutu salaud ! »

Zarco ne bougea pas, comme s'il ne se souciait guère qu'Ayrton Taylor lui tombe dessus. Il était facile de voir comment, lorsqu'il était défenseur central au Celtic, il avait encaissé, presque sans broncher, un coup de poing de l'attaquant d'Hibernian[1] Billy Gibson – coup de poing qui lui avait fait perdre deux dents. Gibson avait été expulsé, mais Zarco ne s'était pas seulement abstenu de riposter, il était resté sur le terrain et avait même marqué un but de la tête qui avait fait gagner son équipe. Connu pour ses charges brutales, il avait réexpédié bon nombre de joueurs aux vestiaires, et il n'était pas étonnant que le *Bleacher Report* continue à faire figurer « Zarco le boucher » sur la liste des hommes les plus rudes à avoir jamais joué au football, « à cause de ses tacles assassins ».

« Je te laisse tomber, dit Zarco. Parce que tu es un minable. Tu n'arrêtes pas d'envoyer des tweets à tes sept mille fans. Eh bien, vas-y, tweete-leur ça à présent, espèce d'abruti. »

Mais ce ne fut pas tout. Ce même après-midi, Zarco mit Taylor sur la liste des transferts de janvier, et j'en arrivai rapidement à la conclusion que le machiavélique Portugais avait orchestré toute l'affaire pour faire un exemple avec un joueur chevronné afin d'encourager les autres. Au temps pour l'esprit sportif et le beau jeu, pourrait-on dire. Cependant, Zarco avait raison sur un point : Ayrton était effectivement paresseux, peut-être le plus paresseux de toute l'équipe. Nombreux étaient ceux qui pensaient que l'accident de Didier Cassell aurait pu être évité si Alex Pritchard n'avait pas eu assez d'espace pour tirer parce que Taylor ne l'avait

---

1. Club d'Édimbourg.

pas taclé comme il aurait dû le faire. En outre, tout le monde savait que nous possédions des attaquants plus jeunes, aussi bons que Taylor et pour moitié moins cher. Quelquefois, se débarrasser d'un joueur peut s'avérer un moyen aussi efficace d'améliorer l'équipe que d'en acheter un nouveau.

De retour à mon bureau, je pris note de ce que Zarco avait dit, non pas parce que j'étais en désaccord, mais parce que j'avais l'habitude de consigner tous ses propos sur le football dont je pouvais me souvenir, surtout les plus hauts en couleur. En fait, j'avais l'intention d'écrire un livre sur le Portugais. La plupart des biographies de footballeurs sont d'un ennui mortel, mais s'il y avait une chose qu'on ne pouvait pas dire de mon patron, c'était bien ça. Après Matt Drennan, João Gonzales Zarco était de loin le personnage le plus fascinant du football anglais, peut-être même de tout le football européen. Bien sûr, il n'en avait pas conscience et il n'aurait probablement pas aimé que j'écrive quoi que ce soit sur lui, même pas une notice dans le programme. Il avait beau ne pas avoir sa langue dans sa poche, c'était aussi un homme très discret.

Ce soir-là, je regardai Match Of The Day 2 sur la BBC, et il était à nouveau là, ne mâchant pas ses mots comme d'habitude, sauf que, cette fois-ci, on interrogeait Zarco, qui était juif, sur la Coupe du monde 2022 au Qatar.

« En ce qui me concerne, ça ne m'enchante guère de me rendre dans un pays où je ne peux pas boire un verre de vin avec un ami israélien. Ou un ami homo, pourquoi pas. Oui, j'ai des amis homos. Qui n'en a pas ? Je suis une personne civilisée. Être civilisé nécessite que vous soyez tolérant avec des gens qui sont différents. Et qui aiment prendre un verre. Parfois même trop de verres. C'est le choix de chacun, sauf quand vous vivez au Qatar. Peut-être que le Qatar aura évolué dans dix ans, mais j'en doute. En attendant, je lis dans le *Guardian* que près d'une centaine de travailleurs népalais sont déjà morts sur des chantiers de construction au Qatar. Qu'est-ce que vous dites de ça ? Cent personnes sont mortes juste pour qu'un pays quasi microscopique puisse accueillir un tournoi de football dénué de sens. C'est de la folie. Ce tournoi n'a pas de sens parce qu'il n'a plus rien à voir avec le football et tout à voir avec les gros sous et la politique. Pour moi, la dernière Coupe du monde ayant un sens a été remportée en 1974 par l'Allemagne de l'Ouest, qui était aussi le pays hôte cette année-là. Depuis l'Argentine en 1978, tout ça est devenu une énorme blague de mauvais goût. Jamais on n'aurait dû organiser une Coupe du monde dans une dictature pareille, où la victoire a été obtenue par la tricherie.

« Mais avec ce pays hôte, le Qatar, j'ai l'impression que rien ne va. Chacun sait qu'être une femme dans un pays arabe n'est pas une sinécure. Alors c'est peut-être une bonne chose que le principal stade du Qatar ressemble à un gigantesque vagin. Je trouve assurément ironique que le plus grand vagin du monde se trouve actuellement au Qatar. Personnellement, je suis pour les vagins. C'est là que j'ai commencé ma vie – comme nous tous. Et je pense qu'il est grand temps que les pays arabes acceptent le fait que la moitié du monde a une chatte.

« De plus, on se demande bien pourquoi un pays où on peut se faire fouetter pour avoir bu de l'alcool tient à accueillir toute une ribambelle de supporters anglais, hollandais et allemands. Mais est-ce que ça m'étonne que la FIFA ait choisi le Qatar ? Non, ça ne m'étonne pas du tout. Rien de ce que fait la FIFA ne peut plus m'étonner. Peut-être que personne ne leur a dit qu'il fait très chaud au Qatar. Même en hiver, il fait trop chaud pour faire grand-chose à part fouetter un pauvre bougre parce qu'il est homosexuel. Bon, j'entends dire que les Qataris prévoient d'utiliser l'énergie solaire pour enrayer l'effet des rayons du soleil dans leurs stades nouvellement construits. Mais je ne pense pas qu'on puisse enrayer aussi facilement les allégations de corruption. Bien sûr, il est facile de me faire taire sur tout ça. Il suffit de me payer un million de dollars, comme certains des responsables de la FIFA. À la réflexion, disons plutôt deux millions. Et alors, vous savez quoi ? Moi aussi, je penserai que tout en 2022 sera absolument merveilleux. »

C'était typique de João Zarco. L'homme faisait toujours de l'excellente copie, même si parfois il parlait trop, ce qu'il reconnaissait d'ailleurs volontiers. Parfois il parlait trop, et les gens se cabraient. Au sens propre. Dans un entretien tristement célèbre sur Sky Sports, Zarco avait déclaré à propos de Ronan Reilly, le spécialiste irlandais du football et ancien joueur-manager – qui était assis à côté de lui à ce moment-là –, que c'était « une merde [qui] ne pourrait pas conduire un train, alors encore moins une équipe de foot ». Ce à quoi Reilly avait répondu que Zarco avait la plus grande gueule de tout le football et qu'un jour le Portugais se fourrerait le pied dans la bouche et que, à défaut, Reilly se ferait un plaisir de lui prêter le sien. Quelques semaines plus tard, à l'ExCel Arena, au terme de la soirée de remise du prix de la personnalité sportive de l'année de la BBC, tous deux avaient échangé des coups de poing et des coups de pied, et le personnel de sécurité avait dû les séparer. Mais tous ceux que Zarco critiquaient en public n'étaient pas capables de riposter comme Ronan Reilly.

Ainsi Lionel Sharp, qui avait arbitré un match européen que nous avions disputé contre la Juventus en octobre dernier – un match retour perdu par City. Interviewé sur ITV après notre défaite 1-0 à Turin, Zarco avait laissé entendre que la Juventus – qui n'était pas exempte de magouilles – avait « influencé » Sharp à la mi-temps pour qu'il accorde un penalty en seconde période. Par la suite, Sharp avait fait l'objet d'une campagne de calomnies perfides sur Twitter, ce qui l'avait conduit à prendre une surdose fatale de somnifères.

Qu'on l'aime ou qu'on le déteste, João Zarco était toujours intéressant.

5

D'habitude, après une séance d'entraînement intensif à Hangman's Wood, je prends un bain glacé, suivi d'un massage sportif. Mais un bon massage sportif dispensé par Jimmy Gregg, le masseur à plein temps du club, est toujours terriblement douloureux. Jimmy a des doigts comme des pinces à feu. D'où l'appellation de massage sportif : il faut être un sacré sportif pour supporter un degré de douleur pareil sans coller son poing dans la figure de Jimmy. Et plus je vieillis, plus je souffre. J'ai beau essayer de me montrer stoïque et de serrer les dents, je finis invariablement par pousser des couinements de cochon d'Inde. Comme tout le monde. Les footballeurs, qui ont la manie de miser sur n'importe quoi, parient souvent à qui pourra tenir trente minutes sur la table de massage sans gémir ou se plaindre. Jusqu'à présent, personne n'a survécu à cette épreuve sans piper mot. Jimmy est fier de son travail, et je ne pense pas que quiconque me contredira si je dis qu'il arrive que le massage soit pire que la séance d'entraînement. Raison pour laquelle on surnomme la salle de soins de Jimmy le « Donjon ».

Parfois aussi, quand je rentre et avant que j'aille me coucher, Sonja installe une table de massage dans la salle de bains, met des talons aiguilles et une petite tunique blanche couvrant à peine ses bas et son minuscule string, et joue les hôtesses de massage thaïlandais, *happy end* inclus. Elle possède des doigts merveilleusement légers et a parfaitement maîtrisé la technique du toucher sans tout à fait toucher, si vous voyez ce que je veux dire. Mais si la caresse de ses mains est magique – et elle l'est sans conteste –, ce n'est rien comparé à ses lèvres douces et tendres. Elle boit un martini glacé avant de me prendre dans sa bouche, et la combinaison de l'alcool, de ses lèvres et de ses dents est absolument transcendante. Jésus montant au ciel n'aurait pas pu se sentir mieux que moi alors qu'elle attend patiemment ma sève, qu'elle boit jusqu'à la dernière goutte tel un nectar des plus rares.

« Voilà ce que j'appelle une thérapie, dis-je au moment de descendre de la table pour prendre une douche avec elle. Si un jour, c'est remboursé par la Sécu, toute la Roumanie va venir s'installer ici. »

Après ça, je dormis comme un ours en hibernation. Mon iPhone se mit à sonner peu avant minuit.

Normalement, la nuit, j'éteins mon téléphone et je laisse le fixe sur répondeur, les journalistes sportifs n'hésitant pas à vous appeler à n'importe quelle heure pour vous demander ceci ou cela. Mais il faut dire que c'était avant Twitter. La presse est plus paresseuse de nos jours et se contente d'utiliser les tweets des joueurs pour les « hommages rendus » dont elle pourrait avoir besoin. Mais, pendant le mercato de janvier, j'ai tendance à décrocher systématiquement, au cas où l'appel concernerait un transfert. Les agents des joueurs sont plus noctambules que leurs clients, conformément à leur nature vampirique.

Quelques-uns des meilleurs contrats qu'il m'ait été donné de conclure ont été le résultat de négociations nocturnes.

J'ai des sonneries différentes en fonction des gens : le célèbre chant populaire *Kalinka* par les chœurs de l'Armée rouge pour Viktor Sokolnikov, *London Calling* des Clash pour Zarco, *I'm so excited* des Pointer Sisters pour Sonja. Mais cette fois-ci, ce n'était aucun d'entre eux. La chanson *Peaches*, des Stranglers, correspondait à Maurice McShane, à cause de Ian McShane, l'un des interprètes de *Sexy Beast*. Maurice était l'intendant et le coordinateur de City, la première ligne de défense du club dans toutes les crises hors du terrain. Sa tâche consistait à aider nos joueurs surpayés et souvent naïfs à tout faire, depuis ouvrir un compte en banque dans un paradis fiscal jusqu'à indemniser une fille qu'ils ont mise enceinte. Ce qui voulait dire que Maurice était l'un des hommes les plus occupés du centre d'entraînement. Les joueurs ont tendance à parler à l'entraîneur de problèmes dont ils n'oseraient jamais faire part au manager ; à présent, ils en parlent à Maurice, qui parfois – si c'est sérieux – revient vers moi. Ç'avait été mon idée de l'embaucher. Je l'avais rencontré en taule et, pendant les cinq mois qu'on avait passés ensemble à London City, il avait réussi à éviter plusieurs scandales. Je n'entrerai pas dans les détails maintenant. Qu'il suffise de dire que nous n'avons rien fait d'illégal. Juste de quoi éviter à certains de nos crétins de joueurs de se retrouver dans les journaux pour une histoire ou une autre.

J'allai dans la salle de bains, fermai la porte et m'assis sur le siège des toilettes. Ce qu'on appelle être multitâche. Il y avait plusieurs SMS de divers journalistes sportifs, mais je décidai de les ignorer pour le moment. Mieux vaut prendre les informations directement à la source, pensai-je, imaginant déjà quelque scandale concernant Ayrton Taylor parce qu'il avait déblatéré auprès d'un journal. Ou qu'il s'était mis une fois de plus dans le pétrin avec l'épouse d'un autre joueur – s'agissant de séduire la femme d'un collègue, l'esprit d'équipe n'était pas son fort.

« Que se passe-t-il, Maurice ?

— Je me suis dit qu'il fallait te mettre au courant le plus vite possible, répondit celui-ci. Un copain travaillant dans la police métropolitaine vient de me refiler le tuyau. Prépare-toi au pire : les flics ont découvert un corps accroché aux grilles de Wembley Way. » Il s'interrompit. « C'est Drenno. Il s'est pendu.

— Merde, c'est pas vrai ! Le bougre d'imbécile ! »

Nous restâmes quelques instants silencieux.

« Tu sais, sa femme est au même hôpital que Didier, reprit Maurice.

— Non, je l'ignorais.

— Drenno l'a salement tabassée.

— Seigneur ! Elle est au courant ?

— Oui. Les journalistes sont là-bas. Et compte tenu de vos liens d'amitié bien connus, on peut présumer qu'ils seront devant ta porte sous peu.

— Comme une meute de charognards. Pour fouiller les entrailles.

— C'est ce qui se passe en général dans ce genre de situation.

— Écoute, je vais poster un tweet. Et balancer un communiqué au service de presse de City à Silvertown Dock. Et à Arsenal. Bon Dieu de bon Dieu ! Drenno était ici avant-hier, tu sais. Bourré, comme toujours.

— Tu veux que j'en informe la police ?

— Non, je vais m'en occuper. Mais essaie de savoir qui dirige l'enquête. Et envoie-moi son numéro. Je ne tiens pas à devoir m'expliquer plusieurs fois avec ces enfoirés.

— Ils te poseront la question de toute façon. Alors je le fais : était-il suicidaire quand tu l'as vu ?

— Pas plus que d'habitude. » Je poussai un soupir en me rappelant tout à coup ce qu'il m'avait dit. « Mais il a parlé de faire une dernière fois les gros titres à Wembley. Jamais je n'aurais pensé... Sapristi, c'est donc ça qu'il voulait dire. Nom de nom. L'imbécile !

— Scott.

— Je t'écoute.

— Je suis désolé. Je sais que tu avais de l'affection pour lui.

— Non. Je n'avais pas d'affection pour lui. Ce gars-là, je l'aimais. »

Après avoir raccroché, j'essuyai mes larmes, me lavai le visage et me regardai dans le miroir de la salle de bains. Je savais ce que pensait le type en face de moi, parce qu'il avait l'air en colère. Il pensait : Drenno est venu te demander de l'aide, mais tu étais trop bête pour t'en rendre compte ; trop bête ou simplement trop paresseux. Tu te prenais pour un foutu héros en proposant de le conduire à la clinique et de lui payer sa première semaine de séjour. Seigneur, quelle générosité, Scott ! Cet homme avait besoin d'un ami. D'un toit pour quelques jours jusqu'à ce qu'il puisse faire face aux événements. Il devait savoir qu'il allait être arrêté pour son agression contre Tiffany ; il avait déjà reçu des avertissements à ce sujet. Et tu l'as laissé tomber. Quand toi, tu avais besoin d'un ami, Drenno était là, alors que tout le monde t'évitait comme la peste ; mais quand lui avait besoin de quelqu'un, où étais-tu ? Bon sang, il est même allé te rendre visite en taule ! Contrairement à Anne, ta propre épouse. Durant les dix-huit mois que tu as passés en prison, Drenno est le seul à t'avoir rendu visite, à part tes parents et les avocats. Voilà l'ami qu'il était. Il est venu te voir quand tout le monde au club lui conseillait de rester à l'écart.

« Je suis désolé, dis-je au type dans le miroir en souhaitant que ce soit Drenno. Absolument désolé. »

Être désolé ne le ramènera pas à la vie, espèce de salopard ! Un des milieux de terrain les plus naturellement doués
que ce pays ait jamais produits – à coup sûr le meilleur avec
qui tu aies jamais joué –, et maintenant il s'en est allé, à
trente-huit ans. Quel gâchis !

« Je suis désolé, Matt, répétai-je, avant de me remettre
à pleurer.

— Qu'est-ce qui ne va pas ? »

Je me retournai pour voir Sonja debout sur le seuil. Elle
était nue. Dans le miroir de la salle de bains, elle avait l'air
aussi parfaite qu'une femme peut l'être, et si j'avais eu une
pomme d'or, je la lui aurais certainement donnée. Je me sentais comme Caliban face à Miranda[1]. En tout cas, un être
impitoyable et laid.

« C'est Matt. Il s'est pendu.

— Oh, mon Dieu, Scott ! Je suis vraiment navrée. »

Elle me serra un instant dans ses bras, puis se laissa
tomber sur le siège.

« C'est affreux.

— Il n'avait que trente-huit ans, dis-je, comme si ça
rendait les choses encore pires.

— Tu n'as pas à t'en vouloir.

— Mais si, je m'en veux. Il avait besoin d'aide. De
toute évidence, c'est pour ça qu'il est venu ici l'autre soir.
Parce que… parce qu'il n'avait nulle part où aller.

— Oui, il avait besoin d'aide, mais c'est une aide professionnelle qu'il lui aurait fallu. Franchement, cela faisait
un moment que je m'y attendais. Il était malade. Il aurait dû
être hospitalisé. Sa famille aurait dû le faire interner depuis
longtemps. Et tu sais, à mon avis, on découvrira que ce qui
a provoqué son suicide, ce n'est pas uniquement sa dépression parce qu'il ne pouvait plus jouer au football. Je suis sûre

---

1. Personnages de *La Tempête* de Shakespeare.

qu'il y avait quelque chose de plus profond à l'origine de ses problèmes psychologiques. Cela ne m'étonnerait pas qu'on s'aperçoive que l'enfance de Matt a été marquée par l'instabilité et le drame. Peut-être même le suicide d'un proche.

— Merci. (Je hochai la tête.) Et tu as raison, en fait. Son frère s'est tué : il s'est jeté sous un train quand il avait quinze ans. Et il y a d'autres choses dont il n'aimait pas parler. Comme quand son meilleur ami et compagnon de beuverie, Mackie, s'est engagé dans l'armée. Drenno était perdu sans Mackie à ses côtés pour partager ses exploits. Ç'a été un paumé toute sa vie, d'une manière ou d'une autre.

— Reviens te coucher. Et laisse-moi m'occuper de toi.

— J'arrive dans un instant. »

Elle me retint.

« Tu es un homme bon. Un homme bien. C'est pourquoi Drenno est venu ici. Parce que tu es le genre d'homme bien auquel un homme comme lui avait besoin de se raccrocher.

— J'ai du mal à le croire. Je veux dire, après tout ce qui s'est passé dans ma vie.

— Crois-le. Parce que c'est vrai. »

Je hochai la tête.

« Ouais, eh bien, si c'est vrai, c'est surtout grâce à toi, Sonja. Tu me rends meilleur. »

J'allai dans mon bureau, allumai l'ordinateur, mis mon téléphone portable sur silencieux lorsqu'il se remit à sonner : quelqu'un du *Sun* à qui je n'avais pas envie de parler. Puis je me connectai et passai une heure à concocter quelque chose de gentil mais de probablement anodin au sujet de Matt sur Twitter – comment décrire un personnage aussi extraordinaire en cent quarante signes ? – et à rédiger un mail destiné au service de presse d'Arsenal, assorti d'une citation pour leur site Gunners. Quelques minutes plus tard, je reçus un SMS de Maurice avec le nom et le numéro de téléphone de l'officier de police responsable de l'enquête sur la mort de Drennan : inspecteur Louise Considine, licenciée en droit, police du Brent, 020 8733 3709. Sur le site de BBC News figurait une photo célèbre de Drenno en liesse après avoir marqué un but pour Arsenal contre Aston Villa en 1998, mais l'unique information nouvelle hormis ce que je savais déjà, c'est que, lorsqu'il s'était pendu, il portait son maillot de l'équipe d'Angleterre, le numéro huit – sans doute le seul qu'il n'avait pas encore vendu sur eBay.

Sonja avait raison, bien sûr : le suicide de Drennan était beaucoup moins surprenant que celui de joueurs tels que Robert Enke ou Gary Speed, mais j'avais toujours espéré, et cru, que mon vieux camarade d'équipe s'en sortirait. Après tout, n'étais-je pas la preuve vivante qu'on peut revenir au football après une catastrophe ?

Assis dans mon fauteuil avec mon iPad, je passai encore une heure à visionner une sélection des meilleurs buts de Drenno sur YouTube. Parmi lesquels quelques-uns des tirs les plus remarquables qu'il m'ait été donné de voir, et auxquels j'avais contribué pour certains, ce qui faisait plaisir, mais la musique d'accompagnement, *Shine On You Crazy Diamond* de Pink Floyd, bien que convenant parfaitement à quelqu'un comme Drenno, n'arrangea pas mon humeur. Je me remis à pleurer.

J'étais sur le point de retourner me coucher lorsque je tombai sur un autre SMS de Maurice me demandant de le rappeler d'urgence. Ce que je fis.

« Quoi encore ?

— Désolé de t'embêter de nouveau, et si tard, mais je suis à la Couronne d'Épines, répondit-il. Et je pense que tu devrais venir au plus vite. Il est arrivé quelque chose. De désagréable.

— C'est-à-dire ?

— Pas au téléphone, hein ? Au cas où. Les murs ont des oreilles.

— Ils n'oseraient pas. Pas après m'avoir versé tous ces dommages et intérêts pour le piratage de mon téléphone.

— On ne sait jamais.

— Il est 2 h 30 du matin, Maurice. Je viens de perdre un ami. Et nous avons une séance d'entraînement à 10 heures.

— Fais-toi remplacer.

— Tu crois vraiment qu'il faut que j'aille à Silvertown Dock ? Maintenant ?

— Sinon je ne t'aurais pas appelé.

— Ne me dis pas que quelqu'un est mort !

— Pas exactement.

— Qu'est-ce que ça signifie, bon Dieu ?

— Écoute, Scott, je ne peux pas gérer cette histoire tout seul. Je n'arrive pas à joindre João Zarco ni Sarah Crompton, et Philip Hobday se trouve à bord du yacht de Sokolnikov. »

Philip Hobday était le président de London City et Sarah Crompton la responsable des relations publiques du club.

« Je ne sais vraiment pas quoi dire, bon Dieu, continua-t-il. Et il va falloir que je dise quelque chose. Tu comprendras quand tu seras à Silvertown Dock.

— Dire quelque chose à qui ?

— À ces foutus journalistes, bien évidemment. Ils étaient là avant la police. À croire qu'un connard de Royal Hill les a rancardés.

— Royal Hill ? Qu'est-ce que c'est ?

— Le commissariat de Greenwich. Écoute, fais-moi confiance, il est très important que tu viennes ici le plus vite possible. Je ne plaisante pas, Scott. Cette situation nécessite du doigté.

— Je ne suis pas sûr d'être la personne qui convient. Surtout avec la presse. Chaque fois que je leur parle, j'ai l'impression de porter des gants de boxe. Mais je comprends ce que tu veux dire. Tu as raison. Si c'est sérieux, tu as besoin de moi autant que j'ai besoin de toi. » Je jetai un coup d'œil à ma montre. « Je serai là dans une heure. »

6

En l'occurrence, je ne mis qu'une demi-heure pour faire les huit kilomètres depuis mon appartement près de King's Road jusqu'à l'East End. Il n'y a pas grand monde dans les rues si tôt le matin, mais les journalistes étaient là en force à mon arrivée. Alors que je m'approchais du portail du parking réservé au personnel du club, ils se précipitèrent vers la Range Rover pour voir qui j'étais. Du même coup, je me demandai ce qu'il y avait de si intéressant à Silvertown Dock qui ait pu les dissuader d'aller à Wembley Way : je ne le savais pas encore, mais Wembley Way n'avait pas moins la cote auprès de la presse cette nuit-là. Il existe en Angleterre plus de journaux et de chaînes de télévision à l'affût d'un scoop qu'on ne l'imagine. Surtout quand il s'agit de football.

Je stoppai devant la grille du parking et attendis que nos agents de sécurité me laissent entrer. Il tombait à présent des hallebardes et, tout en patientant, j'arrêtai les essuie-glaces pour que les nombreux photographes aux aguets ne puissent pas prendre une photo de mon visage fatigué et probablement épouvantable. Les projecteurs étaient allumés à l'intérieur du stade, ce qui était curieux à presque 3 heures du matin.

« Scott ! Scott ! Scott ! »

Comme je n'avais pas la moindre idée de ce qui m'attendait en pénétrant dans l'enceinte, je jugeai préférable de ne rien dire. Ce qui me convenait très bien, dans la mesure où je n'aime pas plus parler à la presse qu'à la police. Sarah Crompton essayait sans cesse de me convaincre d'être un peu plus gentil avec les journalistes, mais les vieilles habitudes ont la vie dure : chaque fois que des reporters viennent sonner à ma porte ou qu'un singe braque son Canon vers moi, j'ai presque envie de lui faire subir le même traitement que Zinedine Zidane à Marco Materazzi lors de la finale de la Coupe du monde 2006. Voilà ce que j'appelle un gros titre.

Grand, blond et barbu, avec une voix rocailleuse, Maurice McShane m'attendait impatiemment à l'entrée des joueurs, près de la berge et de la marina privée où Viktor Sokolnikov arrivait parfois au stade à bord de son yacht de sport Sunseeker de trente-cinq mètres. À ma grande surprise, il était accompagné du jardinier en chef du stade, Colin Evans, que Sokolnikov avait persuadé à grands frais de quitter le Bernabéu. De l'avis général, Colin était le meilleur jardinier de stade d'Europe, et le terrain de City obtenait régulièrement toutes sortes de récompenses en raison de son excellent état.

« C'est quoi ce bordel ? demandai-je. Qu'est-ce que tu fais ici à une heure pareille, Colin ? »

Colin hocha la tête, poussa un grognement, manifestement muet de colère, et nous emmena par le tunnel des joueurs jusque sur le terrain. Jeune – pas plus de trente-cinq ans – pour un intendant de stade et en bonne forme, il portait le même survêtement de City que moi, si bien qu'on aurait facilement pu le prendre pour un des joueurs.

« Tu le verras bien assez tôt, répondit Maurice.

— Voilà qui ne présage rien de bon. »

Le stade avait toujours l'air superbe lors des rencontres en nocturne, quand tous les projecteurs étaient allumés. Ils donnaient à l'orange des gradins une nuance appétissante de mandarine de Noël, tandis que le gazon brillait comme une émeraude d'une insigne rareté. Et pour nos soixante mille supporters assis, c'était exactement ça : quelque chose de précieux, voire de sacré. Il n'était donc pas étonnant que, de temps à autre, des fans nous demandent de répandre les cendres de leurs défunts sur la pelouse. Bien entendu, Colin ne l'aurait jamais permis : c'est très mauvais pour le gazon, à ce qu'il paraît, mais plutôt bénéfique pour les roses ; les roses de Colin gagnaient invariablement des prix.

Longeant la ligne médiane, il traversa le rond central en direction de l'endroit où se tenaient plusieurs policiers comme s'ils s'apprêtaient à donner le coup d'envoi. D'habitude, je ne pouvais jamais faire ce chemin sans avoir l'estomac noué à l'idée que j'allais disputer un match. Sauf que cette fois-ci, je me sentais aussi vide que le stade lui-même. La mort de Drenno continuait à m'occuper l'esprit. Pendant un instant, je crus que j'étais sur le point de contempler un cadavre. Mais je ne m'attendais certainement pas à ce que je vis alors.

« Bon sang ! »

Je portai une main à ma bouche, stupéfait.

« Joli travail, pas vrai ? » fit Maurice.

On avait creusé un trou au beau milieu de la pelouse. Je dis un trou, mais c'était visiblement une tombe, environ deux mètres de long et quatre-vingts à quatre-vingt-dix centimètres de profondeur.

Un inconnu portant un duffel-coat fauve vint vers moi ; il tenait une carte de police devant lui.

« Puis-je vous dire un mot, messieurs ? Je m'appelle Neville, inspecteur Neville, de Royal Hill.

« — Donnez-nous une minute, voulez-vous, inspecteur ? répondis-je. S'il vous plaît. »

J'entraînai Maurice et Colin un peu à l'écart pour que l'inspecteur n'entende pas notre conversation.

« Quand est-ce arrivé ? demandai-je.

— Je suis passé peu après minuit », dit Colin. Originaire des Mumbles, à Swansea, il parlait avec un fort accent gallois. « Il n'y a pas longtemps, on a fait installer des clôtures de protection contre les renards, pour les empêcher de chier sur le terrain la nuit. Les gars détestent glisser sur ce genre de merde ; c'est encore pire que les crottes de chien : tu continues à puer pendant des jours. Bref, je venais vérifier que les clôtures fonctionnaient correctement et j'ai remarqué que quelqu'un avait laissé des outils traîner sur la pelouse : deux pelles et une fourche. C'est alors que j'ai vu le trou. »

Je ramassai une des pelles, regardai les initiales LCC sur le manche, puis la jetai sur le côté.

« Bon sang, comment sont-ils entrés ici ? dis-je. C'est censé être interdit. »

Colin haussa les épaules.

« Ils ont dû se faufiler pendant la journée, quand les portes sont ouvertes pour les entrepreneurs en bâtiment, et se planquer dans le stade.

— Des entrepreneurs en bâtiment ? Qu'est-ce qu'ils fichent ici ?

— On est en train de réaménager un des bars », expliqua Maurice.

Je poussai un grognement. Je pouvais déjà entendre la blague du jour sur le Net : des voleurs s'étaient introduits à Silvertown Dock pour piller l'armoire à trophées, avant de repartir bredouilles.

« Quelle espèce de fumier ferait un truc pareil, Scott ? gémit Colin.

59

— Colin, depuis combien de temps travailles-tu dans le foot ? Tu connais ces mecs. Il pourrait s'agir des supporters d'une équipe rivale. Mais vu nos résultats depuis Noël, ça pourrait tout aussi bien être nos propres fans : bon Dieu, ce ne sont pas exactement des enfants de chœur non plus. Tu as entendu les insanités qu'ils vomissent depuis les gradins ?

— Eh bien, ce n'était certainement pas un renard, fit observer Maurice. D'accord, je sais que les renards sont rusés et tout, mais je n'en ai encore jamais vu un qui soit capable de creuser un gentil petit rectangle comme celui-ci. En tout cas, pas sans règle.

— Quant à toi, rétorquai-je à Maurice, toute cette histoire est effectivement sérieuse et casse-pieds, mais tu ne crois pas que ça aurait pu attendre jusqu'au matin ? Je veux dire, ce n'est jamais qu'un trou à la con. »

Maurice McShane était un ancien avocat, radié de l'ordre pour faute professionnelle après qu'on eut découvert qu'il s'était servi d'un compte anonyme pour tweeter des insultes à un de ses confrères. Il avait été aussi un boxeur amateur de talent, remportant presque une médaille de bronze dans la catégorie des poids mi-lourds aux Jeux du Commonwealth 1990 à Auckland. Quand quelqu'un se trouvait en mauvaise posture, c'était bien d'avoir un type comme Maurice dans les parages, capable d'arranger les choses avec ses poings aussi bien qu'avec une liasse de biftons. Au lieu de répondre, il sortit son téléphone portable et me montra un SMS envoyé par un reporter du *Sun*.

Mozza. Aurais-tu des commentaires à faire sur l'hypothèse selon laquelle le trou au milieu de ton terrain serait un message à la sicilienne destiné à ton proprio, Viktor Sokolnikov, dont l'ancien associé, Natan Fisanovich, a été retrouvé dans une fosse en 1996 après avoir été enterré vivant ? En tout cas, c'est ce qu'on a laissé entendre à Panorama. Gordon.

Il y avait un SMS semblable du *Daily Mail* ; et je parie que si j'avais pris la peine de jeter un coup d'œil aux messages continuant d'arriver sur mon propre portable, je serais tombé sur à peu près les mêmes.

« Est-ce que je devrais faire un commentaire ? » Maurice eut un rire nerveux. « Ça non, purée. Pas particulièrement. Et ce n'est pas non plus un sujet que j'ai envie d'aborder avec Viktor Sokolnikov. D'autant moins qu'il attaque la BBC à cause de ce qu'ils ont raconté à Panorama. N'est-ce pas ?

— C'est ce qu'il m'a dit. »

Je me fourrai deux chewing-gums Orbit dans la bouche et me mis à mâcher furieusement comme si j'allais faire mon imitation de sir Alex Ferguson, un de mes numéros favoris dans le car de l'équipe.

« N'empêche, je pense quand même que Viktor devrait être informé au plus vite, reprit Maurice. Pour qu'il puisse réagir de la manière qu'il jugera appropriée. Tu le connais mieux que moi, Scott. Et je préférerais que ce soit toi et Zarco qui lui expliquiez ce qui s'est passé. Ça dépasse largement mon échelon.

— Ouais, je vois ce que tu veux dire. »

Je jetai un regard en direction de l'inspecteur Neville.

« Au fait, qui l'a amené ici et lui a dit qu'ils pouvaient piétiner notre gazon avec leurs godillots, lui et ses zèbres ?

— Moi, admit Colin. Désolé, Scott. J'étais tellement retourné quand j'ai vu ce trou. Mais il s'agit d'un acte criminel, alors je pensais que je devais les prévenir. Je veux dire, on veut attraper les salauds qui ont fait ça, non ?

— N'appelle jamais les poulets sans en parler d'abord à Zarco, à Phil Hobday ou à moi. Pigé, Colin ? Dès que tu les mêles aux affaires de ce club, c'est comme si tu envoyais directement un mail à Fleet Street. Un flic a sans doute balancé un SMS à un de ses potes du *Sun* ou du *Daily Mail*. Ben, tu devines quoi ? Quelqu'un vient de creuser une putain de tombe dans la pelouse de Silvertown Dock. Un tuyau à deux cents livres. Peut-être même plus s'il s'agit de la une. Sans ces photographes avec leurs saloperies d'appareils, on aurait pu faire croire que c'était juste un trou et pas une tombe. On pourrait encore, si on arrivait à convaincre ce flic en duffel-coat de coopérer.

— Oui, je comprends.

— Pas de soucis. On n'y peut rien, de toute façon. Écoutez, voilà ce qu'on va dire : que ça a l'air d'être l'œuvre de supporters furax. Probablement des gosses. Et on se fout de cette histoire de message sicilien. La dernière chose dont Sokolnikov a besoin en ce moment, c'est d'encore plus de folles spéculations quant à son *curriculum vitae*. Les gus qui ont commis cet acte ne savent peut-être même pas où se trouve la Sicile. Compris ? »

Maurice et Colin acquiescèrent.

« Plus important, Colin, je veux que tu commences à réfléchir à la manière dont on peut réparer le terrain et quand. On a un match à domicile contre Newcastle dans dix jours.

— Crois-moi, je n'avais pas oublié.

— Très bien. Allons parler à ce flic. »

Je me dirigeai vers le policier.

« Je suis désolé de vous avoir fait attendre, inspecteur. Surtout à une heure aussi tardive. Mais je crois bien que nous vous avons fait perdre votre temps. Nos excuses pour ça aussi. Il paraît évident que c'est l'œuvre de loubards. Des supporters mécontents, selon toute vraisemblance. Rien dont nous n'ayons l'habitude dans un club de football. Vous ne serez pas surpris si je vous dis que nous recevons continuellement des menaces et que, très occasionnellement, elles prennent la forme de vandalisme. C'est regrettable, mais pas rare.

— Quel genre de menaces ? demanda l'inspecteur.

— Mails. Tweets. Lettres anonymes de temps à autre. Boîtes d'excréments expédiées par la poste. Tout ce qu'on peut imaginer.

— J'aimerais en voir quelques-unes, si vous permettez.

— Je crains que ce ne soit pas possible. Notre politique est de ne pas conserver ce genre de choses. Surtout la merde emballée dans du papier cadeau.

— Puis-je savoir pourquoi, monsieur ?

— La vieille merde ne sent pas la rose, inspecteur. »

Mince, l'inspecteur Neville avait un nez crochu qui donnait en permanence à son visage une expression méprisante. À mon ouïe fine mais frigorifiée, son accent venait du Yorkshire.

Je haussai les épaules.

« En réalité, nous ne gardons pas ce genre d'objets parce qu'il y en a tellement. Il est beaucoup plus simple d'effacer ou de détruire tout ce qui est menaçant ou insultant. Pour éviter qu'un joueur ayant été menacé ou injurié ne soit perturbé en le voyant.

— J'aurais pensé que chacun avait le droit de savoir s'il était menacé, monsieur.

— Vous pouvez certainement le penser, mais, en ce qui nous concerne, nous avons une position différente. La plupart de ces gars sont très nerveux, inspecteur. Et certains ne brillent pas par leur intelligence. Même des menaces manifestement absurdes peuvent avoir un effet fortement négatif sur un joueur faible d'esprit dans un club de football de Premier League. Et nous ne voudrions pas ça, n'est-ce pas ? Surtout avec un troisième tour de Coupe d'Angleterre contre Leeds dimanche.

— Néanmoins, un délit a été commis ici.

— Un trou ? Ce n'est pas exactement le onze septembre, vous ne croyez pas ?

— Non, mais avec tout le respect que je vous dois, il ne s'agit pas d'un trou ordinaire. Tout d'abord, il y a la forme. Et ensuite la perte financière évidente. En matière de trous dans le sol, j'imagine que celui-ci est extrêmement onéreux. N'est-ce pas, monsieur Evans ? »

De toute évidence, l'inspecteur savait pertinemment à qui il s'adressait. Quel gardien de club ne se lamente pas sur l'état de son terrain ? Mais avant même qu'il ait eu le temps de répondre, je regrettais de ne pas avoir dit à Colin de minimiser le coût des dégâts vis-à-vis de la police. Qu'il soit Gallois ne faisait qu'aggraver les choses, dans la mesure où il avait des manières avenantes et pondérées.

« Un trou comme ça ? » Colin secoua la tête. « Voyons voir. La totalité du terrain a coûté près d'un million de livres à installer. Donc, franchement, c'est un foutu désastre, ni plus ni moins. Pour faire les choses dans les règles de l'art, il faudrait arracher toute la surface et recommencer. Mais en milieu de saison, on devra se contenter de le rafistoler au mieux, j'imagine. Évidemment, avant même de songer à l'herbe, il y a le système de chauffage souterrain qui empêche le terrain de geler à cette époque de l'année. Il a été endommagé et devra être réparé. Et l'herbe… eh bien, ce n'est pas de l'herbe ordinaire, voyez-vous. Des fibres artificielles devront être cousues tout le long de la pelouse pour que les racines puissent s'enrouler autour des fibres en nylon. De plus, en cette saison, il n'est pas facile de faire prendre de l'herbe. On devra donc faire marcher les lumières vingt-quatre heures sur vingt-quatre. Ce qui n'est pas donné non plus. À mon avis, on ne sera pas loin des cinq cent mille livres pour arranger ça. Sérieusement. Peut-être même plus si le terrain n'est toujours pas utilisable d'ici dix jours. Sans parler des entrées et tout. Un billet moyen coûte soixante-deux livres, ce qui signifie que la recette totale un jour de match se situe aux environs de six millions de livres.

— Par conséquent, si j'ai bien compris, le coût des dégâts pourrait aller de cinq cent mille à six millions de livres ? demanda l'inspecteur Neville.

— C'est à peu près ça », approuva Colin.

Neville se tourna vers moi et hocha la tête.

« Eh bien, monsieur, je dirais que c'est une affaire de déprédation criminelle comme je n'en avais pas rencontré de plus claire depuis pas mal de temps. Et puisqu'un délit a été commis, je suis tenu de mener une enquête. Ce qu'exigera la compagnie d'assurances, j'en suis sûr, si M. Sokolnikov procède à une demande d'indemnisation. C'est ce qu'elles font toujours, vous savez.

— Ces chiffres peuvent nous sembler importants à vous et à moi, inspecteur. Mais ce n'est pas le cas pour quelqu'un comme Viktor Sokolnikov. Je suis persuadé qu'il préférera payer tout bonnement les réparations et éviter autant que possible une publicité embarrassante. Ce qui n'aurait jamais dû se produire si les choses avaient été faites correctement. Vous savez, que les journalistes soient arrivés ici avant la police est un mystère pour moi. Je suis certain que personne de chez vous ne les aurait avertis.

— Insinuez-vous que quelqu'un de Royal Hill les a informés ?

— J'insinue que, s'il apparaissait que quelqu'un de votre commissariat a refilé des tuyaux à la presse, M. Sokolnikov voudra savoir pourquoi. D'autant plus qu'on a attiré mon attention sur le fait que les médias suggèrent déjà un lien avec le crime organisé en Ukraine, le pays d'origine de M. Sokolnikov. C'est le genre de déclaration sensationnelle que nous préférerions largement nous épargner. Que nous pourrions encore nous épargner. Écoutez, pourquoi est-ce que je ne vous garderais pas une loge de luxe pour notre prochain match à domicile, afin qu'une douzaine de vos officiers de police de Royal Hill puissent venir assister à la rencontre ?

Vous serez nos invités et vous passerez une excellente journée. Je vous le garantis.

— Vous voulez dire, si j'oubliais tout ceci ?

— Exactement. Nous nous bornerons à déclarer à la presse que les rumeurs selon lesquelles on aurait découvert une tombe au milieu du terrain du club de football de London City ont été grandement exagérées. En fait, j'insiste. Allons. Qu'en dites-vous ? Laissons tomber et rentrons chez nous. Simple question de bon sens, vous ne pensez pas ?

— Je pense que c'est de la corruption pure et simple, répliqua Neville avec raideur. Au risque de me répéter, il ne fait aucun doute qu'un délit a été commis dans le cas présent, monsieur Manson. Et je commence à avoir l'impression que vous ne voulez surtout pas de la police ici. Ce qui, je l'avoue, me laisse perplexe, puisque c'est un membre du club qui nous a appelés cette nuit.

— Je crains que ce ne soit moi, admit Colin.

— Il a fait une erreur involontaire, ajoutai-je. Et moi aussi en vous offrant ces billets. J'ai dû supposer que des types comme vous avaient mieux à faire que d'enquêter sur le mystère du trou dans le sol.

— Et vous savez ce que moi, je suppose ? Que vous faites partie de ces gens qui n'aiment pas la police. Est-ce que je me trompe, monsieur Manson ?

— Écoutez, si vous espérez une médaille grâce à cette histoire, allez-y. Je voulais seulement vous éviter de gaspiller du temps et de l'énergie pour un truc qui se révélera certainement être un acte de vandalisme isolé. Et éviter également au propriétaire du club un embarras inutile. Mais depuis quand est-ce que la police métropolitaine se soucie de ce genre de chose ? Bien, je pense qu'on vous a dit tout ce qu'on savait. Et il semble que nous ayons encore moins de temps à perdre que vous dans cette affaire.

— Oui, vous l'avez dit. Un match de troisième tour de Cup contre Leeds. » Il sourit. « Je suis moi-même de Leeds.

— Ici, nous sommes très au sud, inspecteur.

— Si vous croyez que je ne l'avais pas remarqué. Surtout quand j'écoute quelqu'un comme vous. J'essaie simplement de faire mon travail, monsieur Manson.

— Moi aussi.

— Si ce n'est que, pour une raison ou une autre, vous rendez le mien encore plus difficile.

— Vraiment ?

— Vous le savez très bien.

— Alors rentrez chez vous. Il ne s'agit pas de l'*Arsenal Stadium Mystery*.

— Un vieux film en noir et blanc, n'est-ce pas ? »

J'acquiesçai.

« 1939. Avec Leslie Banks. Un navet, en fait. Le seul intérêt, c'est que plusieurs joueurs de l'Arsenal de l'époque jouent dedans : Cliff Bastin, Eddie Hapgood…

— Si vous le dites, monsieur Manson. Franchement, en ce qui me concerne, je n'ai jamais beaucoup aimé le football.

— C'était aussi mon impression. »

L'inspecteur Neville prit un instant pour réfléchir, puis pointa un doigt vers moi.

« Attendez. Manson, Manson. Vous ne seriez pas… ? Mais bien sûr. C'est vous, n'est-ce pas ? Scott Manson. Vous jouiez pour Arsenal avant de purger une peine de prison. »

Je ne dis rien. D'après mon expérience, ça vaut toujours mieux quand on parle à la police.

« Oui. » Neville sourit d'un air sarcastique. « Ça expliquerait bien des choses. »

7

Avant de vous parler de ce qui m'est arrivé en 2004, je dois tout d'abord préciser que je suis en partie noir – plus dans le style David James ou Clark Carlisle que Sol Campbell ou Didier Drogba –, ce détail ayant eu, à mon avis, une importance non négligeable dans ce qui s'est passé. En fait, j'en suis même certain. Pour ma part, je ne me considère pas comme un Noir, bien que je sois un fervent supporter de Kick it Out[1].

Mon père, Henry, est écossais. Il a joué autrefois pour Heart of Midlothian et Leicester City. Sélectionné dans l'équipe écossaise de Willie Ormond, il a participé à la Coupe du monde en Allemagne de l'Ouest en 1974 – l'année où on a été à deux doigts de l'emporter. Papa ne joua pas à cause d'une blessure, raison pour laquelle, vraisemblablement, il trouva le temps de rencontrer ma mère, Ursula Stephens, une ancienne athlète allemande – aux Jeux olympiques de

---

1. *Let's Kick Racism Out of Football* (« Bottons le racisme hors du football ») : slogan d'une campagne lancée en 1993 contre la discrimination dans le sport.

68

Munich en 1972, elle avait décroché la quatrième place au saut en hauteur dames – travaillant à la télé. Ursula est la fille d'un officier afro-américain de l'armée de l'air stationné à Ramstein et d'une Allemande originaire de Kaiserslautern. Je suis heureux de pouvoir dire que mes parents et mes grands-parents sont toujours en vie.

Une fois sa carrière de footballeur terminée, papa créa sa propre entreprise de chaussures de sport à Northampton, où j'allais à l'école, et à Stuttgart. La société s'appelle Pedila et, à ce jour, elle dégage près d'un demi-milliard de dollars de bénéfice net par an. Je gagne pas mal de fric comme administrateur, ce qui me permet d'avoir un appartement à Chelsea. Papa se plaît à dire que je suis l'ambassadeur de la société dans le monde du football professionnel. Mais ça n'a pas toujours été le cas. Franchement, il fut un temps où on n'aurait pas voulu de moi dans les toilettes des cadres et *a fortiori* au conseil d'administration.

En 2003, âgé de vingt-huit ans, je quittai Southampton pour rejoindre Arsenal. L'année suivante, j'étais incarcéré pour un viol que je n'avais pas commis.

J'étais alors marié à une fille nommée Anne ; elle travaille dans la mode, et c'est quelqu'un de bien, mais, à dire vrai, nous n'étions pas faits l'un pour l'autre. Même si j'aime bien les fringues et suis prêt à claquer deux mille livres dans un costume Richard James, je n'ai jamais beaucoup aimé la haute couture. D'après Anne, des types comme Karl Lagerfeld et Marc Jacobs sont des artistes. Moi, je n'y crois qu'à moitié. De sorte que, alors qu'on vivait encore ensemble, nos chemins se séparaient déjà. J'étais persuadé qu'elle fréquentait un autre homme. Je faisais de mon mieux pour fermer les yeux, mais c'était difficile. Nous n'avions pas d'enfants, ce qui était une bonne chose parce qu'on s'acheminait vers un divorce.

Quoi qu'il en soit, je m'étais mis à sortir avec Karen, une des meilleures amies d'Anne. Ce fut l'erreur numéro un. Karen avait deux enfants et elle était mariée à un avocat de sport atteint d'un cancer. Dans un premier temps, je me montrai juste gentil avec elle, l'emmenant déjeuner de temps à autre pour lui changer les idées, puis l'histoire a dérapé. Je n'en suis pas fier. Mais c'est ainsi. Tout ce que je peux dire pour ma défense, c'est que j'étais jeune et bête. Et, oui, je me sentais très seul. Les filles qui se jettent sur les footballeurs dans les boîtes de nuit ne m'intéressaient pas. Ça ne m'a jamais attiré. Sans compter que je n'aime pas les boîtes de nuit. L'idée d'une sortie en ville avec les gars, il n'y a pas mieux pour me donner des cauchemars. Je préfère et de loin un dîner à l'Ivy ou au Wolseley. Quand j'étais à Arsenal, le club avait encore une solide réputation d'ivrognerie – ce n'est pas simplement des trophées que des types comme Tony Adams et Paul Merson faisaient gagner aux Gunners –, mais en ce qui me concerne, j'étais toujours couché avant minuit.

La maison de Karen à St Albans se trouvant à proximité du terrain d'entraînement d'Arsenal à Shenley, j'avais pris l'habitude de passer la voir en rentrant à Hampstead ; et, parfois, je la voyais beaucoup plus qu'il n'aurait fallu. Je devais être amoureux d'elle, je suppose. Et peut-être était-elle amoureuse de moi. Mais, à coup sûr, jamais nous n'aurions imaginé ce qui se produisit en réalité.

Je me souviens des événements de cette journée aussi nettement que s'ils étaient gravés à l'acide dans ma mémoire. C'était après une de ces rencontres post-Shenley, par une belle journée, vers la fin de la saison. Je sortis de la maison de Karen au bout de quelques heures, pour m'apercevoir qu'on m'avait fauché ma bagnole. Une Porsche Cayenne Turbo flambant neuve dont je venais tout juste de prendre possession, aussi étais-je passablement écœuré. En même temps, j'hésitais à signaler le vol pour la bonne raison que ma femme,

Anne, reconnaîtrait l'adresse de Karen si jamais les journaux faisaient état de l'incident. Je sautai donc dans un train pour regagner Hampstead, pensant qu'il valait mieux déclarer que le véhicule avait été volé quelque part dans le quartier. Erreur numéro deux. Cependant, j'étais à peine rentré que Karen m'appela pour dire que la voiture était de nouveau devant chez elle. Tout d'abord, je ne voulus pas le croire, mais elle lut la plaque d'immatriculation : c'était bien la mienne. Pour le moins déconcerté par cette histoire, je retournai aussitôt à St Albans en taxi pour la récupérer.

Une fois là, je n'en revenais pas de ma chance. La voiture n'était pas fermée à clé, mais elle n'avait pas la moindre égratignure et, pressé de m'éloigner de la maison de Karen avant le retour de son mari, je partis en me disant que des gosses l'avaient sans doute prise pour faire une virée, puis l'avaient remise à sa place, ayant changé d'avis. Assez curieusement, j'avais moi-même fait un truc de ce genre dans ma jeunesse : j'avais piqué un scooter que j'avais ramené quelques heures plus tard. En déduire que le même scénario s'appliquait dans ce cas était naïf de ma part, je l'avoue, mais j'étais tout simplement ravi de retrouver une voiture à laquelle je tenais. Erreur numéro trois.

En rentrant, j'aperçus un couteau sur le plancher et, sans réfléchir, je le ramassai. Erreur numéro quatre. J'aurais dû le jeter par la fenêtre ; au lieu de ça, je le fourrai dans le compartiment sous l'accoudoir. J'étais tellement content d'avoir repris possession de ma Porsche dont je pensais qu'on l'avait volée que je dépassai peut-être la limite de vitesse ici et là ; cela dit, je ne conduisais pas dangereusement, ni sous l'emprise de l'alcool ou de la drogue.

Aux environs d'Edgware, je remarquai dans mon rétroviseur un véhicule me faisant des appels de phares et l'ignorai, comme on fait en général : Londres est plein de conducteurs débiles. Je n'avais pas la moindre idée qu'il s'agissait en fait d'une voiture de police banalisée. Au moment où je regardai de nouveau, près de Brent Cross, la voiture était toujours dans mon rétroviseur, sauf que, maintenant, elle avait un gyrophare sur le toit. Aussi, ne soupçonnant toujours pas que quelque chose de vraiment grave s'était produit, je me rangeai sur le bas-côté. Vous pouvez imaginer ma surprise lorsque deux officiers de police m'accusèrent d'excès de vitesse et de délit de fuite. Je fus menotté, mis en état d'arrestation et amené à Willesden Green où, comble de l'horreur, je dus subir un interrogatoire au sujet d'un viol. Un homme « correspondant à mon signalement » et conduisant ma voiture – la victime se souvenait de la marque et de la moitié du numéro d'immatriculation – avait fait monter une femme à une station-service le long de la A414, avant de la violer sous la menace d'un couteau dans Greenwood Park tout proche.

Aucun doute, il s'agissait bien de mon véhicule ; on découvrit des cheveux de la victime sur l'appuie-tête, sa culotte était dans la boîte à gants, et il y avait d'autres éléments probants. Son sang et mes empreintes se trouvaient sur le couteau, bien sûr, et dans cette même boîte à gants, la police dénicha, outre la culotte de la victime, un paquet de préservatifs que j'avais acheté à un garage de Shenley. Le ticket de caisse était encore dans le cendrier. Le vendeur se souvenait de moi pour m'avoir vu à MOTD pérorer à propos d'un incident stupide survenu lors d'un match contre Tottenham. J'y reviendrai plus tard. Toujours est-il que deux préservatifs manquaient dans la boîte. Le violeur en avait utilisé un avec la victime ; j'en avais mis un autre dans mon portefeuille lorsque j'étais allé voir Karen, mais je n'avais pas l'intention de le dire aux flics, espérant encore l'épargner, et surtout son mari. La dernière chose dont il avait besoin, supposais-je, c'est que sa femme me fournisse un alibi d'adultère alors que le pauvre diable était sous chimio. Erreur numéro cinq.

Toutefois, la victime, Helen Fehmiu, une Turque, n'était pas du tout certaine que je sois son agresseur. Celui-ci lui avait flanqué plusieurs coups de poing dans la figure, tellement fort qu'elle en avait eu la rétine décollée. Elle pensait néanmoins avoir vu un Noir ou « quelqu'un à l'air un peu étranger », ce qui franchement, venant d'elle, ne manquait pas de souffle. Elle avait la peau plus foncée que moi. Obligeamment, la police s'arrangea pour que Mme Fehmiu voie ma photo aux dernières pages des magazines, là où je présentais des excuses pour ma conduite après le match contre Tottenham. Un de leurs joueurs avait effectué un plongeon alors que je le taclais, et l'arbitre avait accordé un penalty des plus douteux, à la suite de quoi je lui avais hurlé dessus, ce qui m'avait valu un carton rouge bien mérité. Arsenal contre Tottenham est toujours une rencontre hautement émotionnelle, pour ne pas dire plus.

Bref, Mme Fehmiu pensait que c'était *peut-être* moi qui l'avais violée, et entre ça et les indices recueillis dans ma voiture, les flics m'interrogèrent pendant seize heures d'affilée, puis tapèrent pour finir une transcription n'ayant strictement aucun rapport avec ce que j'avais déclaré. Dans cette transcription, j'admettais plus ou moins tout, y compris l'avoir contrainte à « pratiquer une fellation » et avoir tenté de semer une voiture de police lancée à la poursuite de mon véhicule. En somme, ils m'attribuèrent des aveux en déformant mes propos, certains que l'enregistrement de l'interrogatoire était de si mauvaise qualité que les jurés ne comprendraient pas un traître mot de ce qui avait été dit, ce qui se confirma par la suite. En effet, les jurés furent à tel point convaincus par la transcription de la police qu'ils réussirent à m'entendre raconter des choses qui ne figuraient même pas sur la bande. Incroyable, mais vrai.

Entre-temps, il apparut que la police s'était arrangée pour « perdre » la seule preuve vitale pour ma défense : un préservatif usagé trouvé dans Greenwood Park le jour du viol et à l'endroit où la victime prétendait avoir été agressée. Lequel préservatif m'aurait aisément disculpé.

La presse s'en mêla, bien évidemment, et avant même que je ne comparaisse devant le tribunal, les journaux à sensation apportèrent de l'eau au moulin de la justice anglaise. Ayant conclu de prime abord que j'étais un « monstre », ils « révélèrent » qu'on m'avait gratifié à Highbury du surnom de Norman Bates en raison de mon comportement psychotique sur le terrain (ce qui était un mensonge éhonté), puis laissèrent entendre, ayant fureté par-ci par-là, que j'étais déjà pratiquement un violeur. Comme d'habitude, ce n'était pas tant ce qu'ils disaient que ce qu'ils ne disaient pas. Ils parvinrent à dégoter à Southampton une ex-petite amie avec qui j'avais eu des rapports sexuels quelques jours avant son seizième anniversaire. Ils omirent de mentionner que j'avais juste dix-huit ans à l'époque et que nous sortions ensemble depuis plus d'un an ; son père – nullement enthousiasmé par quelqu'un qu'il décrivait comme « plus que légèrement basané », c'est-à-dire moi – avait découvert que nous avions couché ensemble et, bien que n'habitant pas alors avec sa fille, il avait menacé de porter plainte contre moi pour détournement de mineure. Le fait que cette même petite amie proposât de témoigner en ma faveur ne semblait pas avoir beaucoup d'importance.

Malgré ça, et à l'issue d'un procès en décembre qui dura quinze jours, je fus reconnu coupable par la cour de St Albans la veille de Noël 2004 et condamné à huit ans de réclusion.

Je fus envoyé à la prison de Wandsworth. Au cas où vous ne le sauriez pas, c'est la plus grande maison d'arrêt du Royaume-Uni. Elle a vu passer une flopée de joueurs de cricket – pour truquage de matchs –, sans parler d'Oscar Wilde, de Ronnie Kray et de Julian Assange, mais, curieusement, elle n'avait encore jamais eu de footballeur de Premier League. Je n'avais pas trop à me plaindre – tout le monde aime parler de foot en prison, même le directeur –, et je me fis un tas d'amis là-bas. Il y a toutes sortes de gens en taule, pas seulement des criminels. Je ferais davantage confiance à quelques-uns de ces mecs qu'à un flic. C'est pourquoi je participe aujourd'hui à Kenward Trust, qui aide à la réinsertion des détenus.

Ça allait certainement mieux pour moi que pour cette pauvre Mme Fehmiu, qui perdit l'usage d'un œil. Trois mois après le procès, elle se suicida. De mon côté, je passai ma première année à Wandsworth à suivre un cours par correspondance en gestion du sport car je savais que je finirais par être innocenté.

Dix-huit mois après mon incarcération, le mari de Karen mourut du cancer. Mais franchement, je ne pensais pas que ça prendrait aussi longtemps. C'est une situation plutôt dingue psychologiquement que d'espérer la mort d'un pauvre diable dont on a baisé l'épouse pour pouvoir sortir de prison, mais c'est à peu près ce que je ressentais à l'époque. Elle contacta immédiatement la police pour expliquer que l'après-midi du viol, elle se trouvait avec moi. Mais la police lui répondit que l'affaire était close et l'envoya balader.

Du coup, elle alla raconter son histoire au *Daily Telegraph*, qui lança une campagne pour ma libération. Presque aussitôt, les journalistes découvrirent que l'inspecteur Twistleton, qui avait mené l'enquête sur le viol de Mme Fehmiu, faisait l'objet de soixante-cinq accusations d'infraction disciplinaire, dont une agression contre un officier de police noir. Il s'avéra très vite que non seulement Twistleton était raciste – ce qui, au regard de certaines des expressions dont il s'était servi dans ma cellule, n'avait rien d'une surprise –, mais qu'il était également membre du Front national. Chose incroyable, le préservatif utilisé lors du viol fut soudain « retrouvé » par quelqu'un du poste de police de Willesden, et même après dix-huit mois, il y avait suffisamment d'ADN dessus pour me mettre hors de cause.

Trois juges de la cour d'appel annulèrent ma condamnation, et je sortis des cellules de la Cour royale de justice le même jour. Par la suite, huit journaux me versèrent pour diffamation des dommages et intérêts s'élevant à près d'un million de livres. La police fut également condamnée à me verser un demi-million de livres de dommages et intérêts pour détention arbitraire, mais en appel cette somme fut réduite à cent mille livres parce que j'avais choisi de taire que Karen aurait pu me fournir un alibi. Non que l'argent eût grande importance. Le mal était fait. Ma carrière de joueur était finie, et sans même être au courant de l'histoire avec Karen, ma femme avait demandé le divorce.

Une fois libéré, je décidai que j'avais besoin de m'éloigner de l'Angleterre. Pendant un moment, j'allai vivre chez mes grands-parents en Allemagne, puis je m'inscrivis au Johan-Cruyff Institute de Barcelone, qui avait ouvert ses portes en 2002. J'avais fait une licence de langues modernes à l'université de Birmingham, je parlais donc un peu l'espagnol. À Barcelone – ma ville préférée en Europe –, je suivis un cours d'un an en gestion du sport, puis une formation postgrade de huit mois en gestion des affaires du football. En 2010, j'obtins ma certification UEFA et j'acceptai un stage d'entraîneur avec Pep Guardiola au Barça. En 2011, je devins le premier entraîneur stagiaire de l'équipe du Bayern Munich, où je travaillais aux côtés de Jupp Heynckes, un vieil ami de mon père. Il avait fait partie de l'équipe ouest-allemande en 1974, mais, tout comme papa, il avait été blessé et avait passé le plus clair de son temps sur le banc de touche pendant le tournoi.

Cela dit, il m'arrive fréquemment de penser à cette pauvre Mme Fehmiu. La seule fois où je l'ai vue, c'était au tribunal, et j'ai senti sa souffrance. Il y a quelques années, j'ai commencé à m'investir dans une autre association caritative appelée SOS Viol ; j'aide à financer un centre de SOS Viol à Camden, parce que, à mon avis, j'ai été moi aussi la victime du violeur de Mme Fehmiu. De son violeur, des journaux et de la police métropolitaine.

Je m'efforce de ne pas garder d'amertume par rapport à ce qui s'est passé. Je me dis que, dans une certaine mesure, c'était ma faute. Pourtant, je continue à éprouver un profond sentiment d'injustice. Je sais que je devrais tourner la page, tirer un trait sur tout ça, et probablement qu'avec le temps j'y arriverai. Bien sûr, donner de bons conseils aux autres est une chose et essayer soi-même de les suivre en est une autre. Mais il y a une vérité que j'ai apprise et que je m'efforce de transmettre à tous mes joueurs : quand le pire s'est déjà produit, rien ne peut plus vous atteindre. C'est aussi vrai sur un terrain de football que dans la vie. Car il y a toujours une prochaine fois.

Je ne suis pas un philosophe du football comme João Zarco, vous comprenez. Pour moi, gérer une équipe de foot n'est ni plus ni moins que du bon sens. Avec une écharpe.

8

Le lendemain, je retournai à Silvertown Dock pour jeter un nouveau coup d'œil au trou en compagnie de Colin Evans et de João Zarco. Il faisait froid et un ciel de janvier d'un gris déprimant surplombait le stade. La pluie et la police avaient disparu, mais pas la haie de journalistes déjà au courant de la mort de Drenno et du message sicilien sans doute adressé à Viktor Sokolnikov. Dieu merci, je n'avais pas eu besoin de l'en informer car il avait déjà lu l'histoire sur Internet, et pour lui l'idée de tels messages était grotesque.

« D'où je viens, si on veut tuer un homme, on ne va pas le prévenir en lui envoyant un message, avait-il déclaré. Et surtout pas un message aussi théâtral. Ça semble tiré des pages du *Parrain*. J'apprécie votre coup de fil, Scott, et votre inquiétude concernant ma réputation. Mais ne vous en faites pas pour moi. Je peux vous assurer que je suis très bien protégé. »

Ce qui était vrai : Sokolnikov ne faisait jamais un pas sans au moins quatre gardes du corps. L'un d'entre eux était un ancien boxeur russe criblé de tatouages qui avait l'air du vilain grand frère de Vinnie Jones.

À présent, Zarco contemplait le trou en hochant la tête.

« Le football est un monde tribal, bien sûr. Et c'est le genre de truc que font les tribus, n'est-ce pas ? L'homme a mis des milliards d'années à sortir de l'état de bête sauvage, mais il ne lui faut que quatre-vingt-dix minutes un samedi après-midi pour y retourner. » Il se tourna vers Colin. « Peux-tu rafistoler ce bazar, Colin ? Avant le match contre Newcastle ?

— Ce ne sera pas facile, répondit Colin, mais oui, je peux le faire. Il faut sept à dix jours pour faire repousser une pelouse ou un peu de gazon. Mais qu'en est-il de la police, patron ? Je suppose que je pourrais m'attirer des ennuis. C'est une scène de crime, non ? Et si ce satané inspecteur Neville découvre que j'ai bouché le trou ? S'il revient ce matin ? »

Zarco fit la grimace. Parfois, son visage était aussi élastique que celui d'un comédien.

« Pour regarder de nouveau ce trou ? Ce n'est qu'un foutu trou dans le sol, non ? D'ailleurs, ce n'est pas son trou à lui, c'est le nôtre. Et il n'a rien à faire au milieu d'un terrain de foot.

— Écoute-le, dis-je à Colin. On croirait entendre Bernard Cribbins[1]. »

Colin devina qu'il s'agissait d'une boutade, mais sans en saisir le sens. Je fais un tas de blagues de cet acabit que personne ne comprend. Voilà ce qui arrive quand on vieillit. Zarco ne la comprit pas non plus, mais lui était portugais.

« Bouche-le et répare les dégâts, conseillai-je à Colin. J'en prends l'entière responsabilité. Tu peux le lui dire. Mais avant, tu devrais peut-être creuser un peu. Il se pourrait que, lorsque tu as dérangé les individus qui ont fait ça, ils aient été en train de reboucher le trou, en réalité.

---

1. Acteur principal de *Chapeau melon et bottes de cuir.*.

— Je ne te suis pas, Scott.

— Fais-moi plaisir, veux-tu, Colin ? Normalement, quand on creuse une tombe, c'est pour enterrer quelque chose dedans. Quelque chose ou quelqu'un.

— Tu ne veux pas dire que… ? »

Le Gallois considéra la cavité avec effroi.

« Si, Colin. C'est exactement ce que je veux dire. »

Zarco sourit.

« Scott s'imagine peut-être que tu vas trouver Yorick dans cette tombe, dit-il.

— Qui ça ?

— Terry Yorick, répondis-je. Le milieu défensif de Leeds United. Sa fille Gabby présentait le football à la télé. Jolie poupée. Super guibolles. Je ne regarde plus l'émission depuis qu'elle est partie. »

Zarco éclata de rire devant l'incompréhension persistante de Colin et se dirigea vers l'entrée des joueurs. Je lui emboîtai le pas.

« Hélas, pauvre Terry Yorick. Il était Gallois lui aussi. Le malheureux.

— Être ou ne pas être. Tu sais, avec des idées pareilles, à mon avis Hamlet devait suivre une équipe de foot.

— Le FC Copenhague, probablement.

— Au fait, Scott, les rapports d'état physique et de blessures d'aujourd'hui ? Tu les as ?

— Sur ton bureau, patron.

— Bien. » Le téléphone de Zarco émit un bip. Il regarda l'écran et hocha la tête : « Paolo Gentile. Excellent. Nous avons apparemment un nouveau gardien de but écossais. Espérons qu'il est aussi bon que tu le dis. À présent, tout ce dont nous avons besoin, c'est d'un interprète. Je n'ai pas compris un putain de mot de ce qu'il racontait. À l'exception de celui-ci : putain.

— Je traduirai. Je parle bien l'écossais.

— Quel soulagement.

— Je croyais que c'était Denis Kampfner qui s'occupait du transfert.

— Viktor n'a pas confiance en lui, il a donc fait appel à son propre agent. Paolo Gentile.

— C'est aussi ton agent, non ?

— Oui. Et alors ? »

Le téléphone de Zarco bipa de nouveau.

« Allons bon, qui est-ce ? La BBC. *Strictly come dancing.* Ils me veulent dans la nouvelle saison. Je n'arrête pas de refuser et ils n'arrêtent pas de m'offrir encore plus de fric. Tu parles.

— Je parie que tu es un champion de l'entrechat.

— Je déteste ces conneries. Toutes ces émissions stupides. Moi, je préfère lire un bouquin. »

Je jetai un coup d'œil par-dessus mon épaule et vis Colin déjà dans le trou en train de creuser.

« Pauvre Colin, remarquai-je. Lance-le sur les semences à gazon et il t'en parlera pendant des heures, mais je ne pense pas qu'il ait jamais lu un livre de sa vie.

— Si, il en lit. Il en a même un dans les WC de son bureau.

— Sans blague !

— Ouais. Plutôt nul, note bien. C'est peut-être pour quand il tombe en panne de papier toilette… Il s'agit de ton bouquin, *Jeux truqués.* »

Je souris.

« Moi au moins, j'ai écrit le mien, patron. »

Zarco se mit à rire.

« Va te faire voir, Scott.

— Tu sais, c'est dommage que je n'y aie pas pensé plus tôt. J'aurais dû demander à un des gars de se mettre dans cette tombe avant qu'on la regarde avec Colin tout à l'heure.

On aurait pu lui jeter un peu de terre dessus, histoire de flanquer la trouille de sa vie au Gallois.

— Après ce qui est arrivé à Drenno hier soir ? Je m'inquiète pour toi, Scott. Vraiment.

— Drenno aurait été le premier à voir le côté comique de ce genre de blague. C'est pourquoi je l'aimais.

— Tu as un sens de l'humour extrêmement malsain.

— Je sais. Raison pour laquelle je suis l'entraîneur de ton équipe, patron. Un sens de l'humour malsain, c'est exactement ce qu'il faut pour coacher une bande de jeunes connards surpayés. Le foutage de gueule les aide à garder les pieds sur terre.

— Très juste. Écoute, je suis vraiment désolé pour Drenno. Je sais que vous étiez amis. C'était un grand footballeur.

— Simplement pas très raisonnable. » Je haussai les épaules. « D'après Sonja, quelque chose de cet ordre devait fatalement arriver. En fait, elle l'avait quasiment prévu.

— Demande-lui si elle ne peut pas prévoir le résultat de dimanche. Un petit coup de main des esprits célestes ne serait pas de trop.

— Elle l'a déjà fait. On va gagner 4-0.

— Super. Achète-lui un cadeau de Noël à retardement de ma part, veux-tu ? »

Je poussai un soupir.

« Je n'oublierai jamais celui que Drenno m'a offert quand on jouait à Arsenal. Un flacon de crème solaire. »

On riait encore en arrivant au tunnel. Mais notre gaieté s'estompa quelque peu lorsque nous entendîmes un cri et que nous vîmes Colin courir vers nous, un objet carré à la main.

« Tu avais raison, Scott. Il y avait bien quelque chose dans la tombe. Ceci.

— Ce n'est pas une tombe. C'est un trou. Rappelle-toi. »

Il me passa une photographie encadrée. Malgré le verre maculé de terre et de boue, elle était parfaitement reconnaissable. Il s'agissait d'un portrait de João Gonzales Zarco, celui de la couverture de son autobiographie : *Pas de sport, juste du football.*

Zarco me prit la photo des mains et hocha la tête.

« C'était dans le trou ? »

Colin acquiesça.

« La pluie de la nuit dernière a dû faire dégringoler de la terre dessus. Ce qui fait qu'on ne l'a pas vue. On aurait pu ne jamais la trouver. Heureusement que tu as suggéré de creuser un peu, Scott.

— N'est-ce pas ? dis-je d'un ton sceptique.

— Une bonne photo, fit remarquer Zarco. C'est Mario Testino qui l'a prise. Je ressemble à Bruce Willis, vous ne trouvez pas ? »

Je gardai le silence.

« N'aie pas l'air si inquiet, Scott, s'exclama Zarco. Je ne me fais pas le moindre souci pour ce genre de truc. Je te l'ai déjà dit : par moments, ces supporters sont comme des sauvages. Au Camp Nou, un olibrius a même lancé une tête de porc sur le terrain au moment où Luis Figo tirait un corner. Et tu devrais voir ces espèces de cinglés à Galatasaray, Coritiba ou River Plate. Les gars là-bas reçoivent probablement des trucs de ce genre sans arrêt. Mais c'est en Angleterre que je travaille et gagne ma vie, et non dans un patelin où un type jouant au football doit craindre pour sa peau. Les valeurs de ce pays sont bonnes. Et les zèbres qui ont fait ça constituent des exceptions. Non, ce qui m'inquiète davantage, c'est Leeds demain. Ils ont toujours fait une excellente équipe de coupe. Manchester United en 1972. Arsenal en 2011. Tottenham en 2013. Et la finale Chelsea-Leeds de 1970, vous l'avez vue ? Ça, c'était un sacré match de foot. »

Colin opina du chef.

« Égalité 2-2. Et Chelsea a gagné le match à rejouer. Pour la première fois depuis 1912. »

Zarco sourit.

« Tu vois ? Il lit. » Il rendit la photo à Colin. « Garde ça précieusement. En souvenir. Accroche-la au-dessus de ton bureau et sers-t'en pour faire peur au reste du staff de terrain.

— Tu es sûr qu'on ne devrait pas en parler à la police ? demanda Colin. Je veux dire, de ta photo dans le trou.

— Non, répondit Zarco. N'en parle à personne, sinon la presse en fera une montagne. C'est déjà bien assez qu'elle sache que j'ai été sollicité pour *Strictly Come Dancing* sans rajouter ça. Et, de grâce, n'en parle pas à Mario Testino. Il aurait une attaque.

— Ma femme adore cette émission, avoua Colin. Tu devrais accepter, patron.

— Avec tout le respect que je dois à ta femme, Colin, je suis un manager de foot, pas un putain de *bandido burro*. »

Il jeta un nouveau coup d'œil à son téléphone.

« Merde. C'est mon entrepreneur – encore lui. Je te jure que ce zig m'appelle plus souvent que ma femme. »

Zarco avait acheté une maison à Pimlico et faisait faire des travaux de rénovation à grands frais, dont une nouvelle façade conçue par Tony Owen Partners, de Sydney, Australie. La façade avait une fenêtre ultra-moderne Möbius que les voisins de Zarco et, bien sûr, le *Daily Mail* avaient très moyennement appréciée. D'après l'impression d'artiste que j'avais vue dans le journal, la nouvelle façade me faisait penser au J. P. Morgan Media Centre du Lord's Cricket Ground.

« C'est parce que ta femme est chez moi, dis-je. Pour avoir un peu de paix et de silence, sans parler de gaudriole digne de ce nom. Et pour t'échapper. Elle te déteste comme tout le monde.

— L'architecte, c'était l'idée de Toyah, pas la mienne. Je lui ai dit, si tu veux une baraque à l'australienne, va habiter en Australie. Ici, on est à Londres. C'est là que je vis et que je bosse. Ayons une maison qui ressemble à une maison londonienne, pas à l'opéra de Sydney. Mais ça ne lui suffisait pas, et comme d'habitude, elle a obtenu ce qu'elle voulait. Je te jure, cette femme est plus difficile que n'importe quel footballeur auquel j'ai jamais eu affaire.

— C'est pour ça qu'on les adore, non ? Parce que ce ne sont pas des footballeurs. Ce sont des créatures qui sentent bon et qui ont de jolies jambes. Voilà pourquoi on leur achète des cadeaux de Noël hors de prix.

— Qui a dit que je lui achetais des cadeaux de Noël hors de prix ? Toi, Scott, pas moi. Je n'achète pas de cadeaux aux femmes. Je n'ai pas le temps. C'est toi qui aimes bien acheter des cadeaux.

— Tu as quand même dû lui acheter quelque chose, non ? »

Zarco sourit.

« Toyah est mariée à Zarco. Elle n'a pas besoin de cadeaux de Noël. »

9

En janvier, à Elland Road, le stade de Leeds United nécessite une bonne dose de courage. Même en plein été, l'endroit est aussi morne que les poils de nichons d'une sorcière, mais, en hiver, le vent de nord-ouest fouette les Yorkshire Dales et semble vous enlever tout entrain. Et plutôt deux fois qu'une, si on pense au crématoire de Cottingley qui se trouve juste à côté. Il paraît que certains jours, quand le vent souffle dans la bonne direction, on peut sentir les bouffées âcres des services funèbres de l'après-midi. Le beau jeu a rarement été pratiqué à Leeds et sûrement pas quand Billy Bremner était le capitaine du club, dans les années 1970. À l'époque, Leeds était une des équipes les plus rugueuses de la ligue. Et les marques sur mes tibias prouvent que ce n'était guère mieux dans les années 1980 et 1990, quand David O'Leary était le manager et que sévissaient des joueurs comme Jonathan Woodgate et Lee Bowyer.

Mon père connaissait très bien Billy Bremner – qui avait été le capitaine de l'équipe d'Écosse lors de la Coupe du monde 1974 –, mais, pour ma part, je ne l'ai rencontré qu'une fois, un peu avant sa mort prématurée en 1997. Si je parle de Billy Bremner, c'est qu'à mon avis sa statue devant Elland Road a quelque chose qui cloche sérieusement. Ce n'est que mon opinion, mais Billy a l'air d'un Noir. En réalité, le petit Écossais, né près de Stirling, était un Blanc à la mine de papier mâché et aux cheveux roux. Je ne sais pas pourquoi le Billy d'Elland Road devrait paraître noir, mais c'est comme si on l'avait à moitié incinéré au crématoire voisin. En l'occurrence, les cheveux ont la bonne couleur ainsi que le maillot de Leeds, mais à chaque fois que je la vois, je me marre intérieurement parce que je suis sûr que Billy l'aurait sacrément détestée. Même la statue de Michael Jackson qui se trouvait devant Craven Cottage était plus ressemblante que celle de Billy ; bizarrement, Billy est plus noir que Michael, encore que ce n'est peut-être pas si bizarre que ça. Quoi qu'il en soit, Billy donne tout simplement la chair de poule, comme une sculpture merdique de Jeff Koons, ou une statue de saint dans un sanctuaire à Cuba ou à Haïti, à croire qu'il va revenir à la vie pour insuffler la crainte de Dieu et envoûter toute équipe débarquant à Elland Road afin de jouer contre Leeds. C'est peut-être ça, l'idée. Auquel cas, ça marcherait sans doute mieux si les supporters la portaient autour du terrain avant la rencontre, vu que ça ne marcha asssurément pas pour Leeds lorsque London City vint pour le match de troisième tour de la coupe.

Rien ne marcha. Même pas le chant particulièrement de mauvais goût des fans de Leeds sur Zarco.

Ce fut la seconde défaite de Leeds United en une nouvelle année n'ayant que sept jours d'âge, en même temps que leur pire résultat depuis qu'ils avaient perdu 7-3 contre Nottingham Forest en mars 2012. Christoph Bündchen, qui remplaçait Ayrton Taylor comme attaquant numéro un au sein de notre équipe, offrit aux supporters de City un cadeau tardif de Jour des rois : cinq buts en or sur les huit buts de la débâcle de Leeds United, sans en encaisser un seul. C'était la plus grande victoire de l'histoire de notre club, et une chance également que Viktor Sokolnikov soit revenu des Caraïbes à bord de son Boeing privé 767-300 rien que pour voir le match.

Bündchen était le héros de City, mais Juan-Luis Dominguin marqua également deux buts, après que Xavier Pepe eut ouvert le score d'un tir de quarante mètres qui promettait déjà d'être le but de la saison – un but de haute volée, sorti du néant, qui partit de son pied droit telle la flèche d'un arc. La frappe incroyable de Pepe n'avait rien de chanceux, comparée à celle, enroulée, d'Andrea Pirlo pour Milan contre Parme en 2010, qui semblait un pari pour le moins hasardeux. Le tir de Pepe, c'était autre chose ; tête baissée, engageant chaque muscle de son corps robuste, il savait exactement ce qu'il faisait et la balle vola aussi droit qu'un projectile à haute vitesse. Le gardien de but de Leeds, Paddy Kenny, avait à peine fait un geste qu'elle était déjà dans la lucarne. Rien d'étonnant à ce que Pepe ait récemment été classé par Bloomberg septième meilleur footballeur d'Europe.

Mais c'est Christoph Bündchen qui donna des cauchemars au manager de Leeds, et peut-être pas seulement à lui. Bündchen n'a que vingt et un ans et il lui reste à être appelé en équipe d'Allemagne, son pays natal, ce qui m'incite à penser que, si le sélectionneur allemand, Joachim Löw, n'a pas encore trouvé de place pour un joueur ayant ses capacités de buteur, alors Roy Hodgson, le sélectionneur de l'équipe d'Angleterre, aurait intérêt à se méfier du reste de l'équipe allemande. Il est vrai que le premier but de Christoph fut un penalty bien ajusté, une charge maladroite ayant fait chuter Pepe dans la surface de réparation alors que le score était « seulement » de 3-0. Mais les quatre buts marqués ensuite par le jeune Allemand n'étaient rien de moins que sublimes, au point qu'à un moment donné on aurait dit qu'il s'agissait du match Leeds United contre Christoph Bündchen, lequel, chose incroyable, ne semble même pas avoir été classé par Bloomberg. Ce qui rendait tout ceci encore plus gratifiant pour moi, c'est que j'avais persuadé Zarco d'acheter le garçon au club allemand du FC Augsbourg pour pas plus de quatre millions de livres lorsque nous avions rejoint London City l'été précédent.

Non que les joueurs de Leeds n'aient pas su profiter des occasions qui s'offraient à eux ; en réalité, ils n'en eurent à peu près qu'une seule durant tout le match, peu après le but de Pepe, quand Lewis Walters intercepta une passe nonchalante de notre défenseur central, Ross Field, et loba notre gardien de but remplaçant, Roberto Forlan – qui n'avait pas eu grand-chose d'autre à faire de toute la soirée –, pour voir notre capitaine, l'indéfectible Ken Okri, mettre fin à sa tentative en dégageant la balle sur la ligne.

À la mi-temps, on était à 4-0, et les gars eurent l'air de prendre Zarco au mot, lequel leur avait dit de s'éclater et de réaliser le même score en seconde période.

Après ça, l'équipe de Leeds ne constituait plus guère une menace. Le cinquième but fut marqué quelques secondes après la reprise, quand un autre tir de Pepe fut capté par Paddy Kenny ; il relança alors en direction de Kevin Beech, qui vit Bündchen fondre sur lui à la vitesse de l'éclair. Beech tenta une passe désespérée à Stefan Signoret, mais Bündchen le comprit comme si c'était écrit en lettres de deux mètres de haut sur le panneau de publicité. Il intercepta la balle au vol, gratifia le malheureux gardien d'une gentille petite feinte et expédia ensuite la balle au fond. 5-0.

Le troisième but de Bündchen fut un pur enchantement et plus impressionnant encore par la longueur quasiment surhumaine de sa foulée. Il mesure près d'un mètre quatre-vingt-dix et a davantage le physique d'un défenseur que d'un attaquant, ce qui le rend extrêmement intimidant quand il court vers vous à toute blinde. Sautant avec dédain par-dessus les jambes qui traînaient et qui, si elles l'avaient fait trébucher, auraient valu des penaltys flagrants, enchaînant des feintes comme si les joueurs de Leeds étaient des nourrissons en chaise haute, l'Allemand changea bien trois fois de direction avant de trouver l'espace pour décocher un tir paraissant sortir du gazon et qui laissa le malheureux gardien de but sur le cul, la tête entre les mains. Pour tout le monde, on aurait dit qu'il voulait seulement vérifier s'il pouvait encore se cramponner à quelque chose de rond. Cavalant le long de sa surface technique pour fêter l'événement, Zarco se jeta à genoux et glissa sur plus d'un mètre, bousillant le pantalon d'un beau complet et donnant l'impression d'être déjà en train de répéter pour *Strictly Come Dancing on Ice.*

Il restait encore quinze minutes à jouer et de nombreux supporters de Leeds se dirigeaient déjà vers les sorties comme des passagers du *Titanic,* sauf que les canots de sauvetage manquaient, et, Leeds ayant concédé bêtement un coup franc, ce ne fut une surprise pour personne lorsque Bündchen s'avança pour prendre la balle et marqua encore, frappant astucieusement le ballon sous la haie de pieds des joueurs, lesquels firent un bond comme pour la laisser passer bien tranquillement.

Nous étions encore en train d'acclamer cette prouesse sur le banc de touche quand Christoph marqua le dernier but du match. Du vrai vaudeville, en réalité : Paddy Kenny dégagea, mais seulement pour faire cadeau du ballon à Dominguin, qui l'expédia sans contrôle à Bündchen comme pour rendre hommage à un joueur au meilleur de sa forme. Le *Wunderkind* se mit à courir droit vers le gardien de but en emmenant la balle de la tête, puis, juste au moment où le gardien le rejoignait, il la reprit de volée du bout du pied et la mit au fond.

On estime généralement que la Cup n'est plus ce qu'elle était, que le bonus financier en Premier League signifie que plus personne ne se soucie de la remporter, mais ce n'était pas le sentiment que nous avions. Jamais une soirée glaciale de janvier dans le Yorkshire ne m'avait donné une sensation aussi agréable que ce jour-là à Leeds. Nous prîmes le ballon avec nous en montant dans le car qui nous ramenait à l'aéroport international de Leeds-Bradford et nous le décernâmes à Christoph, qui – faisant preuve d'un sens diplomatique fort développé pour son âge – s'empressa de l'offrir au propriétaire ukrainien du club, ridiculement reconnaissant quant à lui. Alors que nous partions, il me sembla voir Billy Bremner menacer le ciel et les dieux capricieux du football de ses deux poings.

Dans le car, je devais déjà m'occuper d'une liste de blessures aussi longue que la tête des supporters de Leeds que nous avions vus devant le stade. La pire était celle de Gary Ferguson, notre défenseur central, dont la cheville s'était de nouveau coincée.

« Il n'y a pas d'hyperstose vertébrale ankylosante, expliqua Nick Scott, le médecin de l'équipe. Il est juste crevé. Donc ça va.

— De la foutaise, dis-je, sachant pertinemment que Ferguson, originaire de Liverpool, était assis juste derrière moi. Tout ce que je comprends, c'est que c'est un idiot.

— Il a probablement des ostéophytes au niveau de l'articulation qui ont bloqué sa cheville.

— Ce qui explique pourquoi ses passes étaient aussi nulles, rétorquai-je.

— Merci beaucoup, dit Ferguson. Je faisais de mon mieux.

— Je sais, raison pour laquelle c'était si pénible à regarder.

— Cette fois-ci, on devrait faire une radio, me dit le toubib. À mon avis, on ne peut plus traiter le problème avec des anti-inflammatoires.

— Ou on pourrait abattre le pauvre diable purement et simplement, répondis-je. Ce serait plus humain. Moins cher aussi. »

Des ostéophytes. Autrefois on appelait ça des becs de perroquet, mais, quel que soit le nom, le résultat est le même : ils limitent considérablement le mouvement articulaire et provoquent une douleur atroce. Je savais ce que c'était parce que mes chevilles n'étaient pas non plus en très bon état après dix ans de football ; parfois, je m'estime heureux d'être allé en taule et de ne pas avoir continué à jouer au-delà de trente ans, à coups de corticostéroïdes injectés dans mes articulations vieillissantes. En l'occurrence, je clopine dans mon appartement le matin comme si je cherchais mon déambulateur. Il y a quelques années, j'ai assisté à un dîner où Tommy Smith faisait un discours ; j'ai été consterné de voir que le capitaine le plus solide qu'ait jamais eu Liverpool a maintenant besoin de cannes ou d'une chaise roulante pour se déplacer. C'est une vérité difficile à admettre, mais, aujourd'hui encore, être un athlète peut complètement vous foutre en l'air.

« Tu parles d'une victoire à la Pyrrhus, dis-je au toubib. C'est la malédiction de Billy Bremner.

— C'est qui, Billy Bremner ? demanda Ferguson.

— Un Noir qui jouait autrefois pour Leeds, répondis-je patiemment.

— Et qu'est-ce que c'est qu'une victoire à la Pyrrhus ? »

Je ne voyais pas l'intérêt de donner une leçon d'histoire à un gus pour qui Napoléon était une marque de cognac et Nelson un fichu catcheur. C'est vrai que je possède un diplôme universitaire, même s'il ne s'agit que d'une licence de Birmingham et non d'une maîtrise de Cambridge avec mention très bien, mais, quoique je pense avoir une intelligence au-dessus de la moyenne, à côté de certains gars de notre équipe je me fais l'effet d'être d'un génie.

« Ça veut dire une victoire géante, à te flanquer la trique », lui dis-je.

Avant même qu'on arrive à l'aéroport, le temps s'était soudain détérioré. L'autocar de l'équipe donnait l'impression d'être notre petit globe de neige.

10

Nous revînmes tard de Leeds. Le trafic aérien avait été perturbé par la neige. Comme d'habitude, j'avais l'esprit en ébullition après le match, et il était presque 2 heures du matin lorsque j'allai enfin me coucher. Je dormis dans la chambre d'amis pour ne pas réveiller Sonja, qui a le sommeil très léger. Lorsque j'émergeai le lendemain matin, je savais qu'elle était déjà partie au travail – elle a un cabinet à Knightsbridge pour des personnes souffrant de troubles alimentaires, boulimiques ou anorexiques – et que quelqu'un sonnait à la porte.

Je sortis du lit et clopinai jusqu'au visiophone, où je vis une femme fixant la caméra des yeux. Pendant un moment, je crus qu'il s'agissait d'une des patientes de Sonja, mais elle n'était ni maigre ni grosse ; exactement ce qu'il faut, en fait.

« Monsieur Manson ?

— Oui ?

— Pardon de vous déranger, mais nous avions pris rendez-vous pour 10 heures ce matin. Je suis l'inspectrice

Louise Considine, du poste de police du Brent. J'enquête sur la mort de Matt Drennan.

— C'est vrai. Pardonnez-moi. Je me suis couché tard. Entrez. »

Je lui ouvris la porte, passai rapidement un jean et un pull, puis versai de l'eau minérale dans ma machine à café expresso à broyeur de grains intégré. Pour près de quatre mille livres, c'était la joie et la fierté de ma cuisine. Je ne faisais pas beaucoup à manger, mais je pouvais préparer un *caffè latte* délicieux.

Elle était plus jolie que la plupart des fliquesses qu'il m'avait été donné de rencontrer et, croyez-moi, j'en avais rencontré beaucoup. Saine d'aspect et un tantinet féerique à franchement parler, elle avait de longs cheveux blonds, de grands yeux bleus et un nez pointu. Elle portait un manteau court gris et des gants en cuir.

« Vous aviez oublié ? Que nous avions rendez-vous ? Oh, je suis désolée. Vous en donnez l'impression, effectivement.

— Nous avons eu un match hier. Et le vol de retour a été retardé à cause de la neige. Je vous en prie. Enlevez votre manteau et asseyez-vous.

— Merci.

— Du café ?

— Oui, si vous en faites. Lait sans sucre. »

Je hochai la tête et appuyai sur un bouton de la machine.

« Impressionnant », murmura-t-elle.

L'accent était huppé – trop huppé pour un flic.

« Elle fait tout, sauf laver les tasses après. »

Elle ôta son manteau d'un mouvement d'épaules, puis alla jeter un coup d'œil à quelques-uns des tableaux sur les murs.

« Pas mal », dit-elle en examinant une peinture assez grande représentant un homme au faciès de brute, le crâne rasé et les poings brandis. On aurait dit un lutteur à mains nues. « Il a l'air plutôt effrayant, non ?

— C'est une œuvre de Peter Howson. Un artiste écossais. Je l'ai achetée pour me rappeler comment c'était d'être en prison. À plusieurs reprises, je me suis retrouvé en cellule avec des types comme celui-ci. Toujours prêts à vous enfoncer leurs poings dans la gorge sans raison particulière. À chaque fois que je le regarde, je me dis que j'ai une chance incroyable. La chance d'avoir pu mettre tout ça derrière moi. Contrairement à la plupart de ceux qui sortent de taule.

— C'est un bel appartement que vous avez là, monsieur Manson. Vous avez très bon goût.

— Vous voulez dire, pour quelqu'un dans le football.

— Il faut être riche pour habiter par ici.

— Je travaille seulement dans le football, répondis-je. L'argent, je le gagne avec autre chose qui ne m'oblige pas à mouiller ma chemise.

— Oui, vous êtes un des administrateurs des Chaussures Pedila. » Elle sourit. « Je vous ai cherché dans Google. C'était plus facile que de mettre votre numéro de téléphone sur écoute ou de vous faire suivre vingt heures par jour. De nos jours, le travail de police se fait essentiellement à l'aide de moteurs de recherche, d'hyperliens et de métabalises.

— Ce qui explique que vous ne ressembliez guère à un flic. »

Elle sourit.

« À quoi un flic est-il censé ressembler alors ?

— Pas à quelqu'un comme vous. On dirait que vous sortez tout juste de la fac. » Je souris. « J'ai lu votre carte de visite. Ou du moins, sa photo sur mon iPhone. Licence en droit, c'est ça ? »

Elle leva un sourcil.

« J'ai les pieds plats. Et je peux dire "putain" à tout bout de champ. Si ça aide. »

Je lui apportai le café et m'assis en face d'elle.

« Elle fait deux tasses à la fois. Putain !

— Le temps est précieux.

— N'est-ce pas ? » Elle goûta son café et hocha la tête avec satisfaction. « Mmm. Il est bon par-dessus le marché.

— Grains de Java. Achetés à Algerian Coffee Stores, dans Soho.

— J'adore cet endroit. Je vous préviens : je risque de revenir. Votre café est bien meilleur que celui du *coffee shop* de mon quartier.

— Il faut que je vous prévienne, moi aussi : je n'aime pas beaucoup la police.

— Oui, je sais. Mon chef m'a avertie. Et d'après ce que j'ai lu sur vous, j'ai de la veine que ce café ne soit pas empoisonné. »

Je souris.

« À votre place, j'attendrais de voir, mademoiselle Considine.

— Je ne peux pas vous reprocher d'avoir une mauvaise opinion de la police. J'éprouverais certainement la même chose si j'avais été condamnée à tort.

— On m'a fait porter le chapeau. Voilà ce qui s'est passé.

— Mais la police métropolitaine est très différente aujourd'hui de ce qu'elle était il y a encore quelques années. »

Elle avait une façon sexy de parler, comme si elle savait l'effet qu'avaient ses lèvres pulpeuses sur des choses aussi ordinaires que les mots ; chaque phrase semblait se terminer par une moue. Sirotant son café, elle promena de nouveau son regard autour de la pièce.

« Je vous crois sur parole.

— S'il vous plaît. J'ai été vraiment désolée d'apprendre la mort de M. Drennan. Mais pour être honnête, il me semble n'avoir jamais entendu parler de lui que pour ses beuveries et ses frasques continuelles. J'ai du mal à associer un tel pitre au sport de haut niveau.

— Ce que vous devez savoir, c'est que beaucoup de footballeurs – je dis bien beaucoup – ne sont que des enfants. Chaque équipe a un cabotin comme Drenno. Mais très peu d'équipes ont quelqu'un d'aussi talentueux que lui. À son époque, Drenno était peut-être le joueur le plus exceptionnel de ce pays. Écoutez, le foot pullule de branleurs – il suffit de regarder Soccer AM[1] –, mais Matt n'en faisait pas partie.

— Oui, j'ai lu vos tweets sur lui. Et regardé quelques-uns de ses buts sur YouTube. »

Elle haussa les épaules comme si ce qu'elle avait vu ne l'avait guère impressionnée.

« Vous avez une équipe préférée ?

— Chelsea.

— J'en étais sûr.

— Vraiment ? Allons bon. Voilà qui me rend extrêmement prévisible, semble-t-il. Contrairement à Matt Drennan. Eh bien, je sais que c'était votre ami et je regrette d'avoir à le dire, mais pour moi il a toujours eu l'air d'un accident qui devait arriver.

— Mais pas de cette façon.

— Non ?

— Je n'aurais assurément jamais imaginé qu'il irait se pendre, si c'est ce que vous voulez savoir. »

Elle hocha la tête.

« Entre autres.

— Je suppose qu'il y aura une autopsie et une enquête judiciaire. »

Elle hocha de nouveau la tête.

« Est-ce que je devrai témoigner ?

---

1. Série comique basée sur le football diffusée le samedi matin par la chaîne britannique Sky Sports.

— Possible. Vous connaissiez également sa femme ?

— Oui. J'étais au mariage. En fait, j'étais à ses deux mariages.

— Elle prétend qu'elle l'avait déjà mis à la porte. Cette fois-ci pour de bon, d'après elle. Et ça avant qu'il ne lui flanque une raclée.

— C'est ce que je crois. À propos, comment va-t-elle ?

— Elle a réintégré son domicile. Où elle s'efforce d'éviter les journalistes qui campent en bas de son allée.

— J'ai essayé de l'appeler, mais…

— Elle ne répond pas au téléphone. Bon, je suis bien consciente que cela doit être difficile pour vous, mais j'ai besoin de vous poser quelques questions sur ce qui s'est exactement passé quand Drennan était ici. Après tout, vous êtes une des dernières personnes à lui avoir parlé avant qu'il ne mette fin à ses jours. Du moins, aux dires de Maurice McShane. C'est de votre part qu'il nous a contactés, n'est-ce pas ?

— Oui. Je voulais vous aider dans vos investigations.

— Bien sûr.

— Et je pense être probablement une des dernières personnes à avoir vu Matt. »

Je lui relatai en détail la visite de celui-ci.

« Il était donc ivre et déprimé », dit-elle.

J'acquiesçai.

« Sûr et certain. Je lui ai même proposé de le conduire à la clinique Priory. Je voyais bien qu'il filait un mauvais coton. Mais il ne m'a pas laissé faire. Je veux dire, il était bourré, mais pas si bourré que ça non plus. Pas d'après ses propres normes. Il n'était pas ivre mort. D'ailleurs, il avait déjà été à la Priory, et ça n'avait pas marché.

— A-t-il dit ce qui le déprimait ?

— Vous avez combien de temps ? La bagarre avec sa femme aurait pu le déprimer. Il avait perdu son clou d'oreille en diamant, comme je vous l'ai déjà dit. Il m'a raconté qu'elle

lui avait balancé une botte à la figure, mais il n'a pas pré-
cisé qu'il l'avait agressée. Ce qui, j'imagine, risquait de lui
valoir une peine de prison, étant donné que ce n'était pas
la première fois. Ça aussi aurait pu le déprimer. (Je haussai
les épaules.) Quoi d'autre ? Ne plus pouvoir jouer au foot.
Vieillir. Sa santé. Se remettre à picoler. Être fauché. La vie
en général. Une histoire typique de footballeur, malheureusement. Écoutez, il n'a absolument pas dit qu'il allait se tuer.
Et même dans ce cas, je ne vois pas ce que j'aurais pu y faire.

— Vous auriez peut-être pu le garder chez vous et l'en
dissuader.

— Manifestement, vous ne connaissiez pas Matt
Drennan. On ne pouvait pas le dissuader de boire un verre
ou de faire une dernière partie de billard dans un pub, encore
moins ce que vous suggérez, mademoiselle Considine.

— Ainsi, il ne vous a pas parlé de son meilleur ami de
Glasgow, Tommy MacDonald.

— Mackie ? Non, rien du tout.

— Vous savez qu'il était dans l'armée. En Afghanis-
tan.

— Plus ou moins. Dites, il est arrivé quelque chose à
Mackie ?

— Le sergent Thomas MacDonald a sauté sur une
mine lors d'une patrouille dans la province de Helmand
mardi dernier.

— Bon Dieu !

— Il est décédé un peu plus tard, à l'hôpital.

— En effet, je l'ignorais. » Je hochai la tête. « Ça
explique certainement en partie l'humeur de Drenno. Il ne
parlait jamais beaucoup de Mackie. En tout cas, pas avec moi.
Mais je sais qu'ils étaient très proches. On pourrait même
dire que c'étaient des associés dans le crime vu qu'ils avaient
toujours des ennuis pour une chose ou une autre : bagarres,
vandalisme, canulars qui étaient allés trop loin, mauvais

comportement général. Presque toujours liés à l'alcool. Lorsque Mackie a rejoint l'armée, mon ancien club, Arsenal, en a été soulagé, et pas qu'un peu, à mon avis. Ils pensaient que Mackie avait une mauvaise influence sur Drenno. Mais en fait, je suis persuadé du contraire. Mackie est parti à l'armée pour s'éloigner de Drenno et de la boisson. En tout cas, c'est ce que Drenno disait toujours.

— Connaissiez-vous le sergent MacDonald ?

— Je l'ai rencontré plusieurs fois. Néanmoins, je ne peux pas dire que nous étions amis. Nous ne l'étions pas. Pour être sincère, je ne l'aimais pas beaucoup. Je suis désolé qu'il soit mort. Il a servi son pays et on doit respecter quiconque pour ça.

— Pourquoi ne l'aimiez-vous pas ? Une raison particulière ? »

Je haussai les épaules.

« Comme je l'ai dit, je supposais qu'il avait une mauvaise influence. Franchement, j'ai été très surpris qu'il s'engage dans l'armée. Il avait passé sa vie aux crochets de Drenno, et c'était le salopard le plus indiscipliné qui soit. Le type même de l'Écossais agressif. On voit mal pourquoi il aurait tout d'un coup décidé de faire un truc comme s'engager dans l'armée. Sinon pour prendre ses distances avec Drenno.

— Dites-moi, que portait Matt Drennan lorsqu'il est venu vous voir ?

— Vous voulez savoir s'il portait son maillot de l'équipe d'Angleterre ?

— Non, je veux savoir ce qu'il portait.

— Blouson de cuir. Jean. Baskets. Chemise blanche. Il y avait du sang sur le col. Et sur le lobe de son oreille. J'ai déjà raconté tout ça. Avait-il son maillot de l'équipe d'Angleterre lorsqu'il s'est pendu ?

— Je n'ai pas le droit de vous le dire.

— C'était dans le *Daily Mail*.

— Alors c'est sûrement vrai.

— D'où me vient l'impression que vous n'êtes pas franche avec moi, mademoiselle Considine ?

— Premièrement : vous n'aimez pas la police – vous l'avez dit vous-même, monsieur Manson. Et deuxièmement : je ne suis pas franche avec vous parce que je suis ici pour vous poser des questions et non pour vous donner des réponses. Désolée. C'est une enquête policière sur la mort d'un homme. Même si ça a l'air d'un suicide pour tout le monde, il y a quand même des règles de la preuve que je dois suivre. En tant qu'officier de police, je n'ai pas les mêmes critères que le *Daily Mail*. Écoutez, tout ce que j'essaie de faire, c'est de me forger une image des dernières heures de Matt Drennan afin qu'il ne subsiste aucun doute sur son suicide. Et au cas où il vous paraîtrait plutôt fastidieux de mettre les points sur les i et les barres aux t, eh bien, ça l'est. Cependant, nous vivons dans une ère de complots, et il ne faudra pas longtemps pour que quelqu'un ayant lu un livre intitulé *Qui a tué Kurt Cobain ?* ou *Qui a tué la princesse Diana ?* ou *Qui a tué Michael Jackson ?* soit tenté d'écrire un livre intitulé *Qui a tué Matt Drennan ?* C'est ce que j'espère éviter. Pour lui. Pour sa famille et ses amis.

— D'accord. Et je vous en sais gré.

— J'en suis ravie. Je n'aimerais pas que vous intentiez un nouveau procès à la police métropolitaine à cause de mon incompétence ou de ma malhonnêteté. »

J'opinai.

« Je commence à comprendre pourquoi c'est vous qu'on a envoyée ici.

— Bien. Alors nous faisons des progrès.

— Vous, oui. S'agissant de la police métropolitaine, j'en suis moins sûr.

— Puis-je vous poser une question qui risque de vous sembler quelque peu indélicate ?

— Parce que vos remarques selon lesquelles Drenno était un bon à rien ne l'étaient pas ?

— Je n'ai pas dit ça. »

Je haussai les épaules.

« Allez-y.

— Merci. Eh bien, voilà. Je suis perplexe. Vous possédez un diplôme universitaire. Vous parlez plusieurs langues. Vous vivez à Chelsea dans un appartement de quinze millions de livres. Pourquoi quelqu'un d'aussi brillant que vous, monsieur Manson, continuait-il à fréquenter un loser tel que Matt Drennan ?

— Ce n'est pas indélicat. C'est seulement mal connaître le monde du football, mademoiselle Considine. Voyez-vous, le football est un club international, une confrérie – un peu comme les francs-maçons. Où que vous alliez, il est presque inévitable que vous tombiez sur quelqu'un avec ou contre qui vous avez joué une fois. Matt Drennan était mon coéquipier. De surcroît, le seul coéquipier à être venu me voir en prison. Il est venu alors même que ceux qui essayaient de gérer son image lui avaient conseillé de ne pas le faire. À cette époque-là, c'était moi le loser, pas lui. J'étais de la racaille. Un violeur. Ce type peint par Peter Howson. C'est à ça qu'on pensait quand on pensait à moi. Tout le monde, sauf Drenno. Peu de gens le savent, mais Drenno a perdu un contrat publicitaire avec une société pharmaceutique parce qu'il est venu me voir en taule. Alors, malgré tous ses défauts, il avait bon cœur et je lui en étais reconnaissant. »

Elle hocha la tête, puis posa sa tasse sur la table basse devant elle.

« Merci pour votre aide. Et pour cet excellent café. Au fait, avez-vous gagné hier ?

— Oui. Nous avons gagné. 8-0. » Je souris. « Ce qui est une bonne chose, soit dit en passant. Une très bonne chose. Si vous tenez à le savoir. »

11

Durant la semaine précédant le match contre New-castle, Kenny Traynor se pointa au club pour donner sa première interview au bureau de presse de la chaîne TV Sports. Grand gaillard aux cheveux blonds, notre nouveau gardien de but avait le sourire facile et un accent écossais à couper au couteau. À l'écouter, on croyait entendre Spud dans *Trainspotting*, le film de Danny Boyle. Du coup, Zarco insista pour que j'apparaisse avec eux face aux journalistes invités, histoire de *traduire*, ce qui ajouta une note cocasse fort utile à toute cette séance rébarbative. Autrement, ce furent les salades habituelles, du genre à quel point Traynor « se réjouissait d'avance de relever le défi de la Premier League et de travailler avec un manager de renommée mondiale comme João Zarco… ». À la question de savoir pourquoi il avait décidé de rejoindre London City au lieu d'un autre club, Manchester United par exemple, Traynor passa sous silence les cinquante mille livres par semaine, mais fit l'éloge du haut niveau de l'équipe et des attraits d'une grande ville comme Londres. Ensuite, lorsqu'on lui demanda ce qu'il pensait pouvoir accomplir dans un club tel que London City – ce qui était plus ou moins la même question quand on y réfléchit –, Traynor déclara être déterminé à ne pas encaisser de but dans la mesure du possible et à aider le club à remporter la Premier League. La Ligue des Champions… La Coupe d'Angleterre… Bref, le laïus habituel, à mourir d'ennui…

Traynor et Zarco furent également filmés à la porte de Hangman's Wood, brandissant le nouveau maillot argenté du gardien avec son nom marqué au dos. C'est ce que je déteste le plus dans le football : les clichés. On ne peut pas en vouloir aux joueurs – ce ne sont que des gosses pour la plupart ; Traynor n'a que vingt-trois ans et ne connaît rien à rien. Non, j'en veux à ces enfoirés de journalistes de poser les mêmes vieilles questions rebattues et prévisibles appelant ces réponses galvaudées.

Les choses commencèrent à légèrement se corser lorsque Bill Fleming, un vieux cheval de retour de STV Glasgow, laissa entendre qu'il était extrêmement offensant pour les téléspectateurs écossais de voir les propos de Kenny Traynor « traduits en anglais », comme s'ils ne connaissaient pas la langue. Zarco marqua une pause, puis me demanda de traduire ce que venait de dire Fleming, ce qui fit rire tout le monde. À mon avis, il avait très bien compris, mais, comme toujours, le sens de l'effet comique de Zarco fut excellent. Il attendit que je répète la récrimination de Fleming, puis sourit.

« Je ne veux offenser personne. Mais je me suis laissé dire que ce n'est pas seulement les Portugais qui ont du mal à comprendre les Écossais. Les Anglais également. Par conséquent, qu'y a-t-il d'offensant dans le fait d'avoir une traduction ? Ça me dépasse. Scott Manson est originaire d'Écosse, et je comprends tout ce qu'il dit. Vous, monsieur Fleming, vous êtes écossais et je ne comprends rien à ce que vous racontez. Vous prétendez parler l'anglais, et je vous crois sur parole, mais ça ne m'en donne pas l'impression. Peut-être que ce n'est pas moi qui ai un problème, mais vous, mon ami. Peut-être que vous devriez apprendre à mieux parler l'anglais, comme Scott ici présent. Peut-être que Kenny va également y parvenir pendant son séjour à London City. Je ne sais pas, mais je l'espère, dans son intérêt. À mon avis, il n'est pas si difficile de se faire comprendre dans un pays étranger. On dirait que tout le monde ici me comprend sans problème. Mais ce n'est pas *My Fair Lady* et je n'enseigne pas l'anglais châtié. Je peux aider Kenny à devenir un meilleur gardien de but, ça, c'est sûr, mais je suis mal placé pour lui donner des cours d'élocution. Peut-être que s'il ouvrait un peu la bouche en parlant, ce serait mieux, je n'en sais rien. Vous devriez essayer vous aussi, Bill. »

Il faut dire à son honneur que Kenny Traynor continuait à sourire aimablement pendant que son nouveau patron parlait. Beaucoup de personnes riaient, mais Bill Fleming ne faisait pas partie du lot.

Un peu plus tard dans la journée, je devais utiliser de nouveau mes compétences linguistiques, cette fois en allemand. Notre nouveau buteur vedette, Christoph Bündchen, vint me trouver dans mon bureau à Hangman's Wood. Son anglais était bon, mais il me dit qu'il préférait parler en allemand, au cas où quelqu'un aurait les oreilles qui traînent.

« Il y a un problème, Christoph ?

— Non, pas du tout, dit-il. Mais je voulais avoir votre opinion à propos d'un truc.

— Très bien. De quoi s'agit-il ?

— Tout d'abord, je tiens à ce que vous sachiez combien j'adore ce club et combien ça me plaît de vivre à Londres. »

J'eus un serrement de cœur ; Christoph Bündchen était très probablement un buteur vedette en herbe, que nous avions acheté à peu de frais par-dessus le marché, mais où allait tout ça ? Que voulait-il me dire ? Qu'il était un joueur compulsif comme Keith Gillespie des « Fergie's Fledglings » ? Un buveur invétéré comme Tony Adams ? Ou un joueur compulsif *et* un buveur invétéré comme Paul Merson ? Ou avait-il déjà été approché par Chelsea – qui savait s'y prendre, c'est sûr – ou par un autre club important ? Ce n'est pas que j'avais beaucoup de temps à perdre avec les règles grotesques de la FA contre le débauchage ; on essaiera toujours de piquer les bons joueurs. Le débauchage – approcher un footballeur sous contrat avec un autre club sans la permission de celui-ci – a toujours fait partie du jeu. J'eus un faible sourire et tâchai de contrôler mes nerfs vacillants.

« Voilà qui n'augure rien de bon. S'il te plaît, ne me dis pas que tu veux être transféré dans un autre club. Tu viens juste d'arriver et de prendre tes marques. Nous avons besoin de toi, fiston.

— C'est très difficile pour moi, Scott.

— Écoute, s'il s'agit de ton salaire, j'en ai déjà parlé à Zarco. Il est persuadé que nous pouvons t'obtenir dix mille de plus par semaine.

— C'est gentil, mais il ne s'agit pas d'argent. Ni de transfert. Il s'agit d'autre chose. Je n'ai pas vraiment l'impression de pouvoir être moi-même. Je suis différent de ces gars-là. »

Il croisa les bras en une attitude défensive, s'appuya sur un talon, puis se tapota les lèvres avec l'index, comme Samir Nasri avec son célèbre « chut ». (D'ailleurs, je n'ai toujours pas pigé pourquoi il fait ça – à qui, bon Dieu, dit-il de la boucler ? Aux fans ?)

« Différent ? En quoi ?

— Quand je jouais à Augsbourg, je vivais à Munich.

— Je sais. C'est là qu'on s'est rencontrés, tu te rappelles ?

— Oui, mais vous voulez savoir pourquoi je vivais à Munich ? »

Un court instant, je me demandai s'il n'était pas néonazi, puis repoussai aussitôt cette idée ; Christoph avait seulement l'air d'un nazi. Je haussai les épaules.

« Munich est une ville plus agréable qu'Augsbourg. Du moins, c'est mon impression.

— Avez-vous entendu parler d'un quartier de Munich appelé le Glockenbachviertel ?

— Oui, il me semble. C'est un endroit branché. Il y a beaucoup de galeries d'art. J'y suis souvent allé pour chercher des tableaux. »

Christoph hocha la tête.

« Il y a un tas d'homos qui habitent dans cette partie de Munich. (Il marqua un temps d'arrêt.) C'est pour ça que j'y habitais, Scott. Parce que je ne pouvais pas vivre comme j'en avais envie à Augsbourg. Ce que je veux dire, c'est qu'à Munich je vivais avec un homme. »

Je sentis le découragement m'envahir. Cette situation allait rendre mon travail d'entraîneur difficile au plus haut point. À ma connaissance, les seuls footballeurs homosexuels à être jamais sortis du placard étaient Thomas Hitzlsperger et Justin Fashanu, et ce dernier s'était suicidé, ce qui ne constituait pas un précédent particulièrement stimulant pour quiconque ressentait le besoin de proclamer son homosexualité dans le milieu du football.

« Bien. Je vois.

— C'est juste que M. Zarco a dit certaines choses l'autre jour à la télévision, au sujet de la Coupe du monde au Qatar – comme quoi il avait des amis homos – qui semblaient plutôt encourageantes. Alors j'ai pensé que c'était peut-être OK d'être homo dans ce club. Pas comme avec l'ancien, où je devais vivre dans une sorte de mensonge sur qui et ce que j'étais. Ce qui est plutôt dur, vous savez. »

Je fis légèrement la grimace à la mention de Zarco et des Qataris. Après ses commentaires sur la Coupe du monde de 2022, le bureau de presse de London City avait été assailli de menaces provenant d'Arabes anonymes ; on avait même eu droit à trois annonces d'attentats à la bombe à Hangman's Wood. Pendant ce temps, les Qataris continuaient à nier toute irrégularité, et le comité exécutif de la FIFA à Zurich s'était plaint de Zarco auprès de la FA ; à la suite de quoi celle-ci avait jugé préférable d'annuler l'invitation qu'elle lui avait faite de participer à son groupe de réflexion. La réaction de Zarco aurait certainement été de réitérer ses allégations, si Phil Hobday ne lui avait pas dit de la boucler.

« Écoute, Christoph, si tu me demandes conseil sur le fait d'être homo, je ne peux pas t'en donner. J'ai un ou deux amis qui le sont, sauf qu'ils ne travaillent pas dans le football. Mais si tu me demandes ce que je pense que tu vas me demander…

— Est-ce que je devrais dire aux gars de l'équipe que je suis homo ? C'est ça que je voudrais savoir. Et ce que j'aimerais faire.

— Alors la réponse est non, c'est absolument hors de question. Ne me demande pas de t'expliquer pourquoi, Christoph, parce que j'en suis incapable, si ce n'est qu'être homo dans le football n'est tout simplement pas acceptable vu que ce sport est le dernier bastion de la bigoterie et de l'homophobie ouvertes. Il n'existe pas de footballeurs homos déclarés dans les quatre premières divisions d'Angleterre. Ce qui ne signifie pas, bien sûr, qu'il n'y ait pas de joueurs homos. Tout le monde sait ou croit savoir lesquels, mais ces joueurs-là ne disent rien pour une seule et unique raison : la peur. Non pas la peur des autres joueurs, mais des mauvais traitements dont un joueur ouvertement homo pourrait faire l'objet de la part des supporters. À l'heure actuelle, il y a de nombreux supporters dans les tribunes un peu partout en Angleterre qui entonnent encore des chansons sur le crash aérien de Munich et sur la tragédie de Hillsborough, et aussi qui font des bruits de sifflement de gaz à l'adresse des supporters de Tottenham, qu'ils pensent, à tort, être tous des juifs. À mon époque dans le football, j'ai entendu ces fumiers scander des slogans sur la dépression nerveuse de Sol Campbell, le fils handicapé de Dwight Yorke, la fausse couche de Karren Brady, les inondations à Hull, ainsi que le formidable service public rendu par divers meurtriers, dont Harold Shipman et Ian Huntley. Tout ceci pour dire qu'il y a déjà suffisamment de merde qu'ils peuvent te balancer à la figure sans en rajouter. Voilà pourquoi tu ne peux en parler à personne, Christoph. Mets des lacets couleur arc-en-ciel si ça t'amuse ; au moins, quelques joueurs hétéros l'ont déjà fait. Pour le reste, il te faut garder le secret. Si tu dis quoi que ce soit maintenant, ce sera un suicide professionnel. Je sais que ce n'est pas ce que tu voulais entendre, et j'en suis désolé, mais c'est comme ça. »

Bündchen poussa un soupir. En le regardant à cet instant, on avait du mal à croire que le jeune Allemand était homo ; du reste, je ne remarque jamais ce genre de choses. Sonja prétend qu'elle le voit tout de suite, moi jamais. Une petite partie de moi-même avait envie d'applaudir à son désir de sincérité, mais pour l'essentiel, j'avais le sentiment de lui avoir expliqué la situation telle qu'elle était. Pris individuellement, la plupart des fans de football vous diraient probablement qu'ils ne se soucient guère de la sexualité de quelqu'un, mais sur les gradins, c'est une autre histoire. Les Allemands ont un mot pour ça : *Volksgeist*. Ce qui veut dire « l'esprit du peuple », et l'esprit du peuple se situe d'habitude au niveau le plus bas du dénominateur commun.

« Écoute, tu es merveilleusement doué, et d'après ce que j'ai vu l'autre soir contre Leeds, tu as un avenir fantastique devant toi, Christoph. Tu pourrais faire des miracles.

110

Tu pourrais jouer pour ton pays, gagner beaucoup d'argent et parvenir au sommet du football. Et une fois là – qui sait ? Dans quelques années, tu pourrais devenir un exemple, celui qui fera changer les choses. En ce qui me concerne, j'espère bien qu'elles changeront. Mais tu n'en es qu'au début de ta carrière, et pour l'instant, mon conseil, c'est que tu n'en parles à personne sauf à moi dans ce club. Strictement personne. Moins il y aura de gens au courant, mieux ce sera.

— Je vois. » Il haussa les épaules. « C'est désolant.

— Je suis navré, Christoph. Vraiment, j'aurais aimé te dire autre chose. Mais il est préférable de tenir ta langue, tu comprends ? Au moins jusqu'à ce que ta carrière soit faite. Et à ce moment-là, tu pourras le crier sur les toits. Comme Thomas Hitzlsperger. »

Il hocha la tête.

« D'accord. Si vous pensez que ça vaut mieux. »

Je poussai un soupir de soulagement alors qu'il quittait la pièce.

Mais Christoph Bündchen n'était pas le seul à London City à posséder un secret pour lequel il m'avait fallu jouer les conseillers. Le fait que Zarco eût une liaison avec Claire Barry, l'acupunctrice du club, était devenu de notoriété publique à Hangman's Wood – tellement publique que j'avais éprouvé le besoin de lui en toucher un mot. Rendez-vous compte, que moi je lui fasse la leçon quant à l'opportunité d'avoir une aventure avec une femme elle-même mariée. Claire était une fille bien, mais son mari, Sean, quelque peu un voyou ; et s'il ne l'était pas, il en connaissait une kyrielle. Il dirigeait une société de sécurité privée travaillant beaucoup avec les États du Golfe, ce qui l'obligeait à s'absenter fréquemment ; aussi employait-il un tas de lascars habitués à résoudre les problèmes par la violence.

« On commence à jaser sur vous deux, lui dis-je pendant les vacances de Noël, une période très chargée pour une acupunctrice, comme on peut l'imaginer. Dis-moi d'aller me faire foutre et de m'occuper de mes oignons si tu veux, mais je suis ton ami. Tu as été chic avec moi, et je n'aimerais pas qu'il t'arrive quelque chose, João. La presse adorerait te faire la peau pour un truc pareil. Souviens-toi de ce qui est arrivé à John Terry. Ils pensent que tu es un sale crâneur, et ils t'attendent au tournant. Alors, pourquoi ne pas lever le pied un moment ? Je ne te dis pas de l'oublier. C'est à toi de voir. Tout ce que je te dis, c'est de fermer un peu ta braguette. Juste le temps de brouiller les pistes. »

Il écouta calmement, puis hocha la tête.

« Tu as raison, Scott. Tu as bien fait de m'en parler. Et merci. Je ne savais pas que tout le monde était au courant au club. J'apprécie, mon ami. Et je vais assurément faire ce que tu me dis. Je vais lui dire que ça doit cesser. »

Zarco n'en tint aucun compte, bien entendu. Comment je le sais ? Je ne suis pas sûr à cent pour cent. Mais quelques jours avant le match contre Newcastle, je remarquai qu'il avait sur son bureau un paquet d'aiguilles d'acupuncture stériles à usage unique. Il me vit les prendre et se fendit d'une explication avant que je puisse dire quoi que ce soit.

« Claire m'a montré comment soigner mon genou, déclara-t-il en m'arrachant les aiguilles de la main.

— Ici ?

— Oui, ici.

— Tu veux dire que tu t'assois ici et que tu te plantes les aiguilles dans le genou ?

— Oui. Bien sûr. Qu'est-ce que je ferais d'autre avec ces aiguilles ?

— Je ne sais pas, moi. »

Comme bon nombre d'anciens joueurs, Zarco souffrait des genoux, et l'acupuncture pouvait offrir un soulagement à la douleur plus efficace et plus sûr que les médicaments et les crèmes. Ce n'était pas ça qui était louche. C'est quand il jeta les aiguilles dans la poubelle en parlant, ce qui rendit l'explication tellement boiteuse qu'elle semblait avoir besoin de béquilles. Comme quelqu'un qui se débarrasse de preuves, et franchement, vu le nombre de coups de maître qu'il comptait à son palmarès, il aurait dû être un peu meilleur dans le cas présent. Par exemple, je savais qu'il avait trois téléphones portables ; un pour le travail, un pour la bagatelle et un pour autre chose. Il gardait les deux derniers dans le tiroir d'un des classeurs de mon bureau et les prenait quand il en avait besoin ; nous savions tous les deux, sans qu'il ait à poser la question, que pour moi ça ne posait pas de problème. C'était juste une de ses petites bizarreries, un truc qu'il fallait accepter si on voulait avoir la confiance de Zarco. On parle de tarif spécial pour les potes ; eh bien, c'était le traitement spécial pour les potes.

« Tu devrais lui demander de te montrer comment faire, continua-t-il. Tu pourrais peut-être soigner ta cheville de cette façon. Il ne faut pas avoir peur des aiguilles, tu sais. C'est juste une piqûre. »

Pendant un bref instant d'insouciance, je songeai à lui dire qu'il n'avait pas besoin d'aiguilles pour être totalement piqué, avant de me raviser ; après tout, c'était lui le patron, et s'il continuait à baiser avec Claire Barry, ça ne me regardait pas.

Ça ne me regardait pas non plus quand, un après-midi, j'allai à la station-service BP près de Hangman's Wood pour faire le plein de ma Range Rover. Certes, le club avait un compte au garage Shell le plus proche, et Viktor Sokolnikov réglait toujours l'essence de tout le monde, un avantage en nature qui échappait au fisc et qui représentait plusieurs centaines de livres par semaine, surtout pour ceux qui conduisaient des Ferrari ou des Aston Martin, comme la plupart des joueurs de London City. Par conséquent, personne n'allait jamais au garage BP situé cinq kilomètres plus loin pour acheter son essence. Personne sauf moi, en l'occurrence, car je m'étais toujours montré d'une honnêteté scrupuleuse dans mes rapports avec le fisc et je payais systématiquement mon carburant moi-même. Les avantages non imposés n'étaient assurément pas mon truc. Quand vous avez connu la prison, vous n'avez aucune envie d'y retourner.

Zarco était au volant de son Overfinch Range Rover à conduite à gauche – la même que la mienne –, garée à côté d'une Ferrari blanche. Il était plongé dans une conversation animée avec le propriétaire de la Ferrari, que je reconnus immédiatement. C'était Paolo Gentile, l'agent qui s'était occupé du transfert de Kenny Traynor. Bon, quand on est entraîneur, on voit pas mal de choses dans et autour d'un club de football qui se révèlent ne pas être vos affaires, et parfois, si on veut garder son boulot, on apprend à fermer sa gueule. J'avais appris ça en taule.

Je fis donc demi-tour sans même m'arrêter.

12

« Tu es un sacré petit génie », dis-je à Colin Evans.

Colin rougit. Lui, Zarco, Viktor Sokolnikov et moi étions au milieu du terrain de Silvertown Dock. J'avais apporté un ballon et je l'avais déjà fait rebondir plusieurs fois pour voir comment il réagissait sur la surface fraîchement réparée. Puis je le lançai en l'air et commençai à faire du jonglage de balle, tout en vérifiant la sensation que donnait le gazon sous mes pieds. Je ne sentais absolument aucune différence.

« Ouais, m'exclamai-je. C'est impeccable.

— Amen, dit Zarco, et il donna au Gallois une tape dans le dos. Tu as fait un super boulot, Colin. Je te suis vraiment très reconnaissant.

— Merci », répondit Colin.

Viktor comparaît la photo que je lui avais envoyée sur son iPhone avec le terrain sous nos pieds.

« Incroyable, dit-il. On ne croirait pas qu'il y a eu un problème. » Il laissa échapper un gloussement. « La prochaine fois que j'aurai un cadavre à enterrer rapidement et sans laisser de traces, rappelez-moi de contacter Colin. Ce serait l'endroit idéal. »

J'en eus le souffle coupé. C'était bien du Viktor Sokolnikov : transformer une rumeur en une blague qui aurait été extrêmement embarrassante pour quiconque. D'un autre côté, il paraissait d'excellente humeur pour une raison n'ayant rien à voir avec la pelouse. Bronzé, il portait une grosse canadienne qui aurait très bien convenu à sir Ranulph Fiennes au pôle Sud. Malgré le froid mordant de janvier, il arborait un large sourire.

« Quand j'y pense, ajouta-t-il, ça ne me déplairait pas non plus d'être enterré ici. Comme mausolée, la Couronne d'Épines serait parfaite.

— Pourquoi pas ? dit Zarco. Vous l'avez payée, Viktor.

— Mais je devrais faire ça en cachette, répondit Viktor. Jamais la municipalité ne m'accordera l'autorisation. Pas sans une sérieuse partie de bras de fer. Et des pots-de-vin, naturellement. On ne peut jamais y couper. Même dans ce pays.

— On vous enterrera en secret, si c'est ce que vous désirez. N'est-ce pas, les gars ? Comme Genghis Khan. »

Nous hochâmes la tête, Colin et moi.

« Pas de problème. Tout ce que vous voulez, monsieur Sokolnikov. »

Viktor gloussa.

« Hé, prenez votre temps. Les rumeurs sur ma mort ont été fortement exagérées. Je ne suis pas pressé d'être six pieds sous terre. Pensons plutôt à enterrer l'équipe de Newcastle demain, avant que ce ne soit mon tour.

— Après le match à Leeds ? dit Zarco. Rien ne peut plus nous arrêter. Le but de Xavier Pepe était probablement ce que j'ai vu de mieux dans toute ma carrière de manager. Et Christoph Bündchen a déjà l'air d'une vedette. L'équipe a le vent en poupe en ce moment. Les gars de Newcastle vont chier dans leur froc.

— Espérons-le, dit Viktor. Mais nous ne devons pas être trop présomptueux, hein ? En Ukraine, nous avons un proverbe : le diable reprend toujours ses cadeaux. Il paraît qu'Aaron Abimbole sera en forme. »

Avant de signer avec Newcastle au cours de l'été, Aaron Abimbole avait joué pour London City, Manchester United et l'AC Milan. En fait, il collectionnait les clubs comme d'autres collectionnent les miles. Le Nigérian était un des joueurs les mieux payés de la Premier League et aussi l'un des plus capricieux, de l'avis général ; quand il était bon, il était vraiment très bon, mais dans ses mauvais jours, il était totalement nul. Le départ d'Abimbole de London City – durant le premier mandat de Zarco au club – s'était très mal passé et ses rapports avec le Portugais, qui l'avait acheté au club français de Lens, étaient devenus tellement exécrables qu'Abimbole avait mis le feu à la Bentley flambant neuve de Zarco dans le parking du club.

« Et alors ? rétorqua Zarco. Cet Aaron-là n'a pas de frère nommé Moïse, il n'y a donc pas de craintes à avoir.

— Il a déjà marqué vingt buts pour Newcastle cette saison, fit observer Viktor. Soit deux fois plus que pour nous quand il jouait ici. Ça devrait peut-être nous inquiéter.

— Il est paresseux, insista Zarco. Je n'ai jamais vu de joueur plus paresseux, c'est pourquoi les clubs ne le gardent pas. Il ne marque que quand ça lui chante, mais il ne se replie jamais en défense. Pas comme Rooney. Avec Rooney, vous avez à la fois un grand attaquant et un défenseur tenace. Avec Abimbole, tout ce que vous avez, c'est un flemmard à la con. »

Les fans de United étaient manifestement de l'avis de Zarco ; je me rappelais, alors que le Nigérian jouait à Manchester, les avoir entendus chanter, lors d'un match contre

Fulham : « *Abimbole, Abimbole est un sale tire-au-cul qui devrait être au chômdu* ». Ce qui nous avait bien fait rigoler.

« D'ailleurs, ajouta Zarco, Scott ici présent a un plan génial pour lui flanquer le moral à zéro. Attendez voir, patron. On va lui jeter le mauvais sort.

— Je suis ravi de l'entendre. »

Viktor jeta un coup d'œil à sa montre ; contrairement à nous, il portait une Timex bon marché. La première fois que je l'avais vue, j'étais allé vérifier sur Google, au cas où il s'agirait en réalité d'une antiquité de grande valeur, mais non, elle coûtait tout juste 7,50 livres, une autre raison pour laquelle j'appréciais Viktor – la plupart du temps, il ne cherchait pas à vous en mettre plein la vue ; mes costumes Kilgour coûtaient probablement dix fois plus cher que les siens. Il avait cette canadienne sur le dos parce qu'il faisait froid. Seules les chaussures Berluti du milliardaire étaient onéreuses. Et, naturellement, sa Rolls-Royce Phantom, dans le parking.

« Je ferais bien d'y aller à présent, dit-il. J'ai une importante réunion dans la City. Je vous verrai au match samedi, les gars. N'oubliez pas, João, que vous venez au déjeuner d'avant-match que j'organise dans la salle à manger VIP pour la MRG. »

La MRG était la Municipalité royale de Greenwich.

« Je n'y manquerais pour rien au monde, patron, répondit sèchement Zarco.

— Bien. Parce que vous êtes le trophée de notre liste d'invités, ajouta Viktor. Du moins, vous le seriez si nous avions gagné le moindre trophée. »

Hilare, il regagna le tunnel des joueurs en nous laissant tous les trois regarder fixement nos chaussures bon marché.

« Quel toupet ! lâcha Zarco.

— Il est de bonne humeur, fis-je remarquer.

— Je pensais exactement la même chose, dit Colin.

— Je sais en plus pourquoi, dit Zarco. Ce matin, le comité de planification de la MRG va donner son feu vert pour le nouveau Thames Gateway Bridge. Ce qui fera gagner à la société de Victor un tas de fric, parce que c'est elle qui remportera le contrat de construction, bien entendu. C'est pourquoi il invite le conseil de la MRG à déjeuner ici samedi. Pour fêter l'événement.

— Mais c'est lui qui finance le pont, non ? demandai-je. Ça va lui coûter un paquet, si les journaux sont bien informés.

— Il en paie une partie, oui. Mais n'oublie pas que le Thames Gateway sera un pont à péage. Et le seul entre Tower Bridge et le Queen-Elizabeth-II Bridge. Soit exactement dix kilomètres de fleuve de part et d'autre. Cinquante mille véhicules le traverseront chaque jour – c'est ce qu'on prévoit. À cinq livres le passage, ça fait deux cent cinquante mille livres par jour, messieurs.

— Cinq livres ? Qui paiera une telle somme ? demanda Colin.

— Le péage de Severn Bridge pour entrer au pays de Galles coûte bien six livres.

— Six livres n'est pas trop cher pour sortir du pays de Galles, marmonnai-je.

— Mais la traversée du Dartford Tunnel ne coûte que deux livres, s'obstina Colin.

— Certes, mais ça prend un temps fou, dis-je.

— C'est exact, dit Zarco. Alors faites vos calculs. On estime que le nouveau pont rapportera plus de quatre-vingts millions par an rien qu'en péage et sera amorti en moins de cinq ans. Vous pigez ? Pendant cinq ans, ça a juste l'air d'une action philanthropique et au-delà ça commence à ressembler à une affaire juteuse. Ensuite, Sokolnikov restera propriétaire du pont pendant dix ans, avant d'en faire cadeau à la MRG ;

mais d'ici là, il aura gagné au moins huit cent millions. Peut-être même plus.

— Pas étonnant qu'il ait le sourire, dis-je.

— Il ne sourit pas, répliqua Zarco. Il se marre, comme la Sumy Capital Bank de Genève, dont il est également propriétaire, soit dit en passant.

— Ça doit être pratique quand on est à découvert, dit Colin.

— Vous avez entendu ça ? » Zarco hocha la tête avec ironie. « Trophée invité, tu parles. Il ne rate jamais une occasion de m'asticoter.

— À propos d'asticoter, dit Colin, ce flic est revenu à la Couronne d'Épines. L'inspecteur Neville. Il n'était pas très content que nous ayons rebouché le trou et replanté le gazon.

— Qu'est ce qu'il voulait qu'on en fasse ? grogna Zarco. Qu'on joue autour ?

— Il a dit que nous aurions dû l'en informer. Que c'était une pièce à conviction. Qu'ils n'avaient pas eu le temps de prendre des photos.

— Je vais lui en envoyer une, de photo de trou, dis-je. Sauf que ce ne sera pas un trou dans le sol.

— Qu'est-ce que tu lui as répondu ? demanda Zarco. Au flic. Tu ne lui as pas parlé de *ma* photo, j'espère.

— Non, bien sûr que non. Écoute, je lui ai seulement répété ce que Scott m'a demandé de lui dire. Qu'il assumait toute la responsabilité.

— Et comment a-t-il réagi ?

— Il a dit que gagner un procès contre la Metro t'avait fait enfler les chevilles et qu'il était temps que quelqu'un te remette à ta place.

— Il a dit ça ? »

Colin hocha la tête.

« Le salaud ! Tu es sûr qu'il parlait de moi et pas de João ? »

Colin hocha une nouvelle fois la tête.

« Hé, n'essaie pas de m'entraîner là-dedans, protesta Zarco. J'ai déjà suffisamment d'ennemis.

— Tu as remarqué ça, toi aussi, hein ? »

13

João Zarco avait fait la couverture de magazines comme *Gentlemen's Quarterly* et *Esquire,* et était souvent élu l'homme le mieux habillé du monde du football ; les jours de match, il était toujours fringant, avec ses costumes Zegna, ses manteaux en cachemire et ses écharpes en soie. Parfois, il semblait même être aussi célèbre pour sa barbe de trois jours soigneusement entretenue, ses boutons de manchettes Tiffany et ses montres tape-à-l'œil que pour ses remarques tranchantes sur le football. Ce qui n'est peut-être pas étonnant. De nos jours, un club n'est pas seulement jugé sur ses résultats, mais aussi sur le style de son manager, et si vous en doutez, alors réfléchissez un instant : si vous deviez soutenir un club en fonction de son manager, qui choisiriez-vous ? José Mourinho ou sir Alex Ferguson ? Pep Guardiola ou David Moyes ? Diego Simeone ou Rafa Benítez ? Villas-Boas ou Guus Hiddink ? Aujourd'hui, ce ne sont pas seulement les droits à l'image des joueurs qui sont importants pour les clubs de football ; l'allure du manager peut en réalité affecter le cours des actions du club. Gagner n'est plus suffisant en soi ; gagner en ayant du style, voilà l'essentiel du jeu moderne.

J'aime bien les belles fringues, mais, à mon avis, contrairement au manager, il est préférable que l'entraîneur soit habillé comme ses joueurs les jours de match. D'ailleurs, pratiquer l'échauffement vêtu d'un costard sur mesure à cinq mille livres ferait un peu bizarre. Je ne suis pas très féru de survêtements, mais j'en porte toujours un lors des rencontres ; c'est tout simplement plus pratique pour retirer des cônes d'entraînement du terrain et faire des grimpettes aux côtés des garçons.

On surnomme London City « Vitamine C » parce que sa couleur est l'orange et que c'est bon pour vous. Personne dans l'est de Londres ne se soucie de la révolution orange de 2004 en Ukraine, raison première pour laquelle l'orange est la couleur du club. Beaucoup de vêtements de sport modernes ont l'air d'avoir été conçus dans un cours de dessin d'école primaire. Que des équipes africaines en Coupe du monde, et même quelques équipes écossaises, s'affublent de maillots nazes n'étonnera personne, mais c'est hors de question pour les grandes équipes européennes. A-t-on jamais vu une tenue pire que celle que portait l'Athletic Bilbao en 2004 et qui ressemblait aux intestins d'un obèse ?

Les tenues de London City ont été dessinées par Stella McCartney, ainsi que les survêtements. Les premières ne me dérangent pas trop ; la couleur orange rend vos joueurs bien repérables sur le terrain et, un soir brumeux à Leeds, cela peut présenter un réel avantage. Comme jouer au golf avec une balle orange ; il paraît que 73 % des golfeurs trouvent qu'une balle de couleur vive est plus facile à voir en vol et sur le gazon. À la réflexion, ça doit expliquer pourquoi je suis si nul au golf.

En fait, Sonja aime les survêtements de London City plus que moi. C'est aussi bien que le sien soit trop petit d'une taille, et quand elle l'enfile, on dirait Uma Thurman dans *Kill Bill, volume 1*, sans l'épée de Hattori Hanzō. Mais quand je mets le mien, j'ai l'air d'une putain de carotte. Comme tout le monde, d'ailleurs. C'est pourquoi certains supporters d'équipes rivales nous traitent de merde de chat ; il paraît qu'il existe de la merde de chat orange. On en apprend tous les jours.

Lorsque Sonja se balade avec son survêtement orange, j'ai du mal à ne pas lui mettre la main aux fesses, si bien que, d'habitude, je ne me donne pas la peine d'essayer de résister à la tentation ; sauf lors d'une rencontre importante, où, par solidarité avec les joueurs – qui sont censés pratiquer l'abstinence sexuelle les jours de match pour maintenir leur testostérone à un niveau élevé –, je fais de mon mieux pour ne pas la toucher. La testostérone permet aux joueurs de rester agressifs, et il est communément admis que l'agressivité aide les sportifs à gagner. Bien évidemment, Sonja sait que je la trouve sexy quand elle porte son survêtement, et les matins de match, il lui arrive souvent de le mettre, ne serait-ce que par provocation ; je ne sais pas comment appeler ça autrement quand elle a son pantalon un peu trop baissé et qu'on peut voir un tout petit bout de fil dentaire se faisant passer pour un slip. Cela dit, elle ne garde jamais ses slips très longtemps ; pas quand je suis dans les parages.

Vous ne croiriez pas à quel point Sonja est différente quand elle se rend à son cabinet de Knightsbridge pour écouter des nanas parler de leur troubles alimentaires – les anorexiques le mardi et le jeudi, les boulimiques le lundi et le mercredi ; qu'elles soient dans la même salle d'attente ne serait pas une bonne idée. Au demeurant, elle ne trouve pas mes plaisanteries à cet égard très drôles.

Sonja porte un tas de jolis ensembles Max Mara, des chaussures et des bas haut de gamme. C'est son look Dr Melfi, que je trouve presque aussi sexy que son popotin en survêtement orange. Contrairement à la plupart des femmes qu'elle soigne, Sonja a des fesses superbes – elle fait beaucoup de gymnastique –, et si j'évoque sa croupe avec autant d'enthousiasme, c'est parce que la partie en moi qui continue d'être un footballeur semble avoir plus de facilité à parler des avantages physiques de ma petite amie qu'à dire combien je l'aime, ce qui est vrai. Comme beaucoup de types dans le foot, j'ai du mal à exprimer mes sentiments ; étant psy, elle le sait et elle s'en accommode. Du moins, je pense. Elle savait que ce qui était arrivé à Didier Cassell puis à Drenno m'avait déjà durement éprouvé, raison pour laquelle je n'en avais pas parlé ; et jusqu'au jour du match contre Newcastle, j'étais persuadé que le pire avait déjà eu lieu. Mais en réalité, ce n'était pas le cas, loin de là.

J'imagine que les Ukrainiens comme Viktor Sokolnikov ont toutes sortes de dictons et de proverbes fleuris pour ça, mais d'où je viens, on dit simplement : jamais deux sans trois.

14

Zarco et moi, nous déterminions toujours la composition de l'équipe dans son bureau à Hangman's Wood avant de prendre le car pour Silvertown Dock. Organiser un groupe de jeunes types surpayés et souvent déficients intellectuels équivaut à rassembler un troupeau de chats, et il est toujours préférable que l'équipe soit formée avant l'arrivée au stade pour éviter la pagaille.

On raconte pas mal de sornettes sur le fait de choisir une tactique avant de choisir l'équipe, mais la vérité, la voici : à moins de vouloir qu'un joueur se repose en vue d'une rencontre plus importante, on prend toujours les meilleurs disponibles. Tout le reste n'est que fantasmes footballistiques à la gomme. La presse adore spéculer sur la sélection d'un joueur au détriment d'un autre – histoire de semer la zizanie autant que possible –, mais si quelqu'un se retrouve sur le banc de touche, c'est qu'il y a une sacrée bonne raison pour ça, et cette raison est souvent, pour ne pas dire toujours, une question de forme et d'attitude. L'attitude est même plus importante que la forme physique, dans la mesure où il arrive qu'un joueur, quoique parfaitement apte, se fourre dans la tête qu'il ne joue pas bien. Et s'il y a une chose pour laquelle un manager ou un entraîneur est payé, c'est d'essayer de remédier à ce qui ne tourne pas rond dans sa tête. À cet égard, il est pratique de vivre avec une psychiatre, car elle me donne quelques astuces de motivation.

Bien sûr, de temps à autre, un gars fait semblant d'être malade ou prétend ne pas être en pleine forme, même si ça se produit moins fréquemment qu'autrefois. Heureusement, les kinés sont plus que jamais capables de déterminer si un joueur raconte des bobards sur une douleur tenace à un muscle ou à un tendon, et aussi de la soigner : électrothérapie, ultrasons, lasers, magnétothérapie, diathermie et thérapie de traction peuvent arranger quantité de problèmes en peu de temps. Si tout le reste échoue, injecter de la cortisone dans une articulation douloureuse est toujours possible, mais les joueurs ne sont guère friands de cette solution ; à vrai dire, se faire enfoncer quatre ou cinq millimètres d'aiguille dans une jambe fait mal. Affreusement mal.

Une fois l'équipe composée, Zarco partit tôt dans sa propre voiture pour assister au déjeuner de Viktor, tout en grommelant qu'il avait autre chose à faire un jour de match que de rencontrer une flopée d'agents de planification et de conseillers municipaux de Greenwich. À part ça, il était de très bonne humeur et proclamait haut et fort que nous allions flanquer une raclée à la Toon Army[1].

J'attendis que l'équipe soit là, puis on monta dans le car. Il y a toujours un ou deux joueurs qui s'arrangent pour être en retard, auquel cas je dois leur infliger une amende. Mais aujourd'hui, c'était différent ; les deux retardataires étaient mes Africains – Kwame Botchwey et John Ayensu,

---

1. Autre surnom des Magpies, les joueurs du Newcastle United Football Club.

tous deux originaires du Ghana –, et j'avais une très bonne raison de les vouloir de mon côté. Les amendes furent donc oubliées pour cette fois.

Nous arrivâmes à Silvertown Dock à peu près au même moment que l'équipe de Newcastle et nous les laissâmes entrer en premier afin de ne pas embrouiller les journalistes sportifs qui attendaient dans le tunnel pour regarder les joueurs gagner les vestiaires. Affublés de bonnets en laine et de gros écouteurs Dr Dre, et tirant leurs bagages qui contenaient toutes leurs affaires personnelles, les nôtres avaient à peu près la même allure que ceux de Newcastle. D'ailleurs, j'avais une raison supplémentaire de vouloir garder les deux équipes séparées aussi longtemps que possible.

Retenus ou non, tous les membres de l'équipe sont obligés de se présenter devant l'entraîneur les jours de match ; c'est la règle. Même les joueurs blessés ou inscrits sur une liste de transfert comme Ayrton Taylor sont tenus de venir, bien qu'ils puissent, en règle générale, garder leurs vêtements de ville. Dans le cas de Taylor, cela semblait signifier avoir l'air d'un clochard, ce qui, après le match, allait lui coûter une amende ; à Silvertown Dock, c'est veston et cravate pour ceux qui ne jouent pas du fait d'une blessure ou pour des motifs disciplinaires.

Je serrai la main aux managers et à l'équipe d'entraîneurs de Newcastle : Alan Pardew, Josh Carver, Steve Stone et Peter Beardsley. J'apprécie beaucoup Beardsley. On n'arrête pas de parler de Lionel Messi, mais dans ses jours de gloire chez les Toons, Beardsley faisait beaucoup penser à Messi. Comme lui, il était capable d'échapper à trois adversaires, de se prendre des crocs-en-jambe, de rester debout et de marquer un but superbe avec un pied ou l'autre. Bon Dieu, il ressemblait même à Messi. Certains des jeunes connards qu'on voit de nos jours devraient se sentir honorés rien que d'avoir un entraîneur comme Peter Beardsley.

On échangea les feuilles des équipes, que je remis à un porte-parole du club pour lecture aux journalistes faisant le pied de grue. Comme d'habitude, tout ça fut filmé pour London City TV et dut faire une émission absolument rasoir ; cela dit, certains supporters regarderaient n'importe quoi pourvu que ça concerne le foot.

J'avais le trac à présent – je l'ai toujours avant un match, et même davantage maintenant que je ne joue plus – et je me rendis dans notre vestiaire en attendant que Zarco vienne faire son discours d'avant-match. Il est très bon dans cet exercice. Sans égal pour comprendre et motiver les gars ; il inspire la loyauté, et les joueurs veulent tout simplement assurer pour lui. S'il n'avait pas été manager de football, il aurait fait un excellent général, selon moi. Mais pas un politicien ; il était beaucoup trop direct et brutal pour être un homme politique, même si ce dont ce pays a le plus besoin, à mon humble avis, c'est de quelqu'un qui nous dise que nous sommes tous une bande de foutus fainéants.

Le match devait commencer à 16 heures, mais il était presque 15 heures, et Zarco n'était toujours pas là. Je pris donc le téléphone fixe du vestiaire et je m'apprêtais à appeler le restaurant quand Phil Hobday passa soudain la tête par la porte. Il avait beau être le président du club, il ne dédaignait pas de faire les commissions de Viktor Sokolnikov. Phil avait des manières suaves et parlait le même langage que Viktor ; il aimait comparer les clubs de foot à de grandes sociétés telles que Rolls-Royce, Jaguar ou Barclays Bank. Pour lui, London City était une entreprise au même titre que Thames Water. J'avais beaucoup appris de Phil Hobday.

« Tu as une idée de l'endroit où se trouve João, Scott ?

— Pas la moindre. En fait, j'allais justement appeler le restaurant pour lui dire de se ramener dare-dare. »

Hobday hocha la tête.

« Il y était il y a environ une heure, lorsqu'il a pris un coup de fil puis a fichu le camp. Comme il n'est pas revenu, nous pensions qu'il devait être ici. Viktor est en rogne parce qu'il a filé sans dire au revoir aux invités. Il est même parti à sa recherche.

— Eh bien, Zarco n'est pas là, comme tu peux le voir. Et je préférerais le contraire. » Je haussai les épaules. « Je suppose que tu as appelé son portable.

— Naturellement. À plusieurs reprises. Mais sans succès. La connexion ici est très mauvaise les jours de match, comme tu le sais, j'en suis sûr. »

J'opinai.

« Soixante mille personnes essayant d'obtenir un signal. Autant avoir une conversation avec Dieu.

— Est-il possible qu'il soit allé dire bonjour au manager de Newcastle ?

— C'est fort peu probable. Ils ne s'aiment pas beaucoup. D'ailleurs, il n'est pas considéré comme opportun d'aller dans le vestiaire de l'autre équipe avant un match, au cas où on entendrait quelque chose qu'on ne devrait pas.

— À ce propos… tu ne penses pas que… »

Hobday me fit signe de sortir un moment du vestiaire.

« Tu ne penses pas qu'il est avec… avec elle ?

— À qui penses-tu, Phil ?

— Allons, Scott. Cesse d'essayer de le couvrir. Tu sais très bien de qui je veux parler : notre dame aux aiguilles… Claire Barry. Elle doit être là parce que j'ai vu son mari dans un des bars d'accueil à l'étage.

— Franchement ? Je suis sûr qu'il n'est pas avec elle. Écoute, rien n'est plus important pour João Zarco avant un match que le match lui-même. Tu sais ça. Pas le conseil municipal de Greenwich, pas elle, pas une petite baise dans un placard à balais. S'il n'est pas avec toi, alors il devrait être ici. » Je fronçai les sourcils. « Tu ne me caches rien, n'est-ce pas, Phil ?

— Que veux-tu dire ?

— Il n'aurait pas eu une de ces engueulades avec Viktor et claqué la porte ? Tu le connais. Il peut être très irritable parfois. »

Phil hocha la tête.

« Non. Pas du tout. Ils étaient copains comme cochons au restaurant. Vraiment. »

Je hochai la tête à mon tour.

« Écoute, il a peut-être été pris au dépourvu, ou ce genre de truc. Ou il est peut-être aux toilettes. Je suis sûr qu'il va arriver. C'est un match important. J'irais le chercher, seulement je dois m'occuper de l'échauffement. Je vais appeler Maurice pour voir s'il peut le trouver. Si quelqu'un peut le faire, c'est lui.

— Bien. Merci, Scott. »

Phil partit rejoindre les hôtes de marque de Viktor qui se délectaient probablement de leur repas. Pour sa part, Hobday ne buvait pas, ce qui était dommage car Viktor faisait toujours servir les meilleurs vins au restaurant VIP. Moi-même, je n'aurais pas craché sur un grand verre de puligny-montrachet.

J'appelai Maurice sur le fixe et lui expliquai la situation.

« Je m'en occupe tout de suite, dit-il.

— Et vérifie aussi les chiottes, au cas où il aurait eu un malaise. »

Ce fut, je pense, la première fois que l'idée qu'il avait pu arriver quelque chose à Zarco me traversa l'esprit. C'était un type robuste et en bonne forme physique, mais on lit toutes sortes de choses sur les crises cardiaques des managers – presque la moitié de ceux de la ligue anglaise ont déjà eu des problèmes cardiaques importants : Gérard Houllier, Glenn Roeder, Dario Gradi, Alex Ferguson, Joe Kinnear, Barry

Fry, Graeme Souness. Question métier sous tension, celui-là remporte la palme. Les joueurs, eux, peuvent se débarrasser de leur stress dès qu'ils entrent sur le terrain ; mais le manager doit rester là à attendre et prendre sur lui. Regardez le visage d'Arsène Wenger pendant un match à l'Emirates et dites-moi s'il est détendu en observant son équipe ; et encore, ça va bien pour Arsenal en ce moment.

J'emmenai les gars dehors pour l'échauffement et tâchai de me concentrer sur le match ; ce que ne facilitait guère la musique s'échappant des haut-parleurs du stade : c'était Puff Daddy beuglant *I'll be missing you*. À présent, j'étais certain qu'il avait dû arriver quelque chose au Portugais. Ne l'avais-je pas vu se frotter le bras et la poitrine le matin même comme s'il avait mal ? Je passai un peu de temps à observer l'équipe adverse qui s'échauffait de l'autre côté. Aaron Abimbole me rappelait toujours Patrick Vieira par la façon dont il dominait le milieu du terrain ; grand, il avait des jambes rapides, une bonne technique, agressivité et courage, tout ce qu'on peut attendre d'un joueur. Enfin, presque. Il possédait deux défauts : il était cupide et sacrément paresseux. Parfois il n'avait tout simplement pas envie, c'est pourquoi London City l'avait laissé partir. Mais cet après-midi-là, marquer contre son ancien club semblait déjà lui donner des démangeaisons, ce qui finit par m'en donner également. Je n'avais pas besoin de cette pression supplémentaire.

Après l'échauffement, je ramenai les gars au vestiaire en espérant y trouver Zarco, mais, dans l'embrasure de la porte, j'aperçus Maurice qui secouait la tête.

« Trouve pas cet abruti, murmura-t-il.

— Continue à chercher. »

Maurice acquiesça.

« Mais je peux te dire une chose. Il y a quelques salopards finis dehors, ce qui pourrait expliquer qu'il ait disparu.

— Comment ça ?

— Des visages hostiles. C'est-à-dire, hostiles à Zarco. Sean Barry, pour n'en citer qu'un.

— C'est un supporter de City. Pourquoi, bon Dieu, serait-il hostile ?

— Parce qu'il sait que Zarco se tape sa bourgeoise.

— Merde. S'il te plaît, Maurice, je n'ai pas le temps pour ça. Appelle-le chez lui. Appelle-le à cette putain d'Ivy s'il le faut, mais trouve-le coûte que coûte. »

Je me retournai vers l'équipe.

« Bon, écoutez. Le patron ne se sent pas dans son assiette, c'est donc moi qui vais faire le discours aujourd'hui. Ce qui veut dire que je parle et que vous ouvrez grand vos oreilles. Pigé ? »

Je répétai en espagnol, puis revins à l'anglais et ainsi de suite pendant toute ma causerie.

« Bon, la situation est la suivante. En temps normal, je vous dirais que la menace numéro un cet après-midi sera Aaron Abimbole et qu'il faudra le marquer comme si vous étiez attachés à lui par un cordon ombilical. Mais au lieu de ça, nous allons lui foutre le moral en l'air, et voici comment. Nous allons le neutraliser. Et ça vaut avant tout pour toi, Kwame, et pour toi, John. »

Ils hochèrent vivement la tête.

« La dernière fois que nous avons joué contre ces zigs, j'ai remarqué que vous étiez très copains avec Aaron, même s'il ne jouait pas. Ce qui ne posait aucun problème. Je comprends ça. Vous êtes amis. Mais il s'agit là d'un grand match, et cette fois-ci, ça va être différent. Il se trouve que ce type se sent toujours un peu coupable de la façon dont il a quitté ce club pour gagner plus de fric. Je souhaite exploiter ce sentiment. Par conséquent, quand nous serons dans le tunnel des joueurs, attendant de sortir sur le terrain, j'aimerais que vous le snobiez, comme s'il était Idi Amin, Charles Taylor, Laurent Kabila et ce satané Jerry Rawlings réunis en un seul connard.

Kwame et John vous diront plus tard, bande d'ignares que vous êtes, qui sont ces gus. Comprenez-moi bien. Aaron est un gentil garçon. Je n'en ai jamais rencontré de plus gentil. Mais son séjour en Angleterre n'a pas été facile pour lui. Il n'a jamais réussi à s'habituer, et j'ai l'impression qu'il a sacrément le mal du pays. Se retrouver ici, aujourd'hui, avec deux jeunes Africains, a un petit air de chez-soi qu'il apprécie. Sauf que vous allez le décevoir, d'accord ? Après le match, vous pourrez être aussi copains que vous voudrez avec lui. Mais quand vous le verrez dans le tunnel, vous le traiterez comme un pestiféré. Même chose pour vous autres. Vous ne lui serrez pas la main. Vous ne lui souriez pas. Se faire snober par des Blancs ne lui fera ni chaud ni froid. Mais de la part de Kwame et de John, ça va salement le vexer. C'est son ancien club, pas vrai ? Il pense qu'il peut revenir ici sans rancune. Eh bien, nous allons devoir lui faire reconsidérer la question. Et pour faire bonne mesure, je tiens à ce que vous traitiez le reste de ces Toons comme s'ils étaient vos meilleurs potes au moment où vous serez dans le tunnel. Tous autant qu'ils sont. Ce traitement spécial ne vise que Aaron. Lorsqu'il sortira sur le terrain, je veux voir sa lèvre inférieure trembloter comme si on venait de lui voler ses trains électriques. »

Kwame et John trouvaient que c'était une idée géniale – ils riaient et se regardaient avec des sourires jusqu'aux oreilles.

« Ce gros crétin sera furax après le match quand on lui crachera le morceau ! s'exclamèrent-ils.

— Ouais. Mais ne lui dites pas que c'était mon idée. J'ai suffisamment de pain sur la planche cet après-midi sans avoir en plus à me soucier qu'il me tombe sur le râble.

— Et la poignée de main officielle entre les équipes ? demanda Kwame. On le snobe là aussi ?

— Tout à fait. Comme s'il était transparent. »

Quelques minutes plus tard, dans le tunnel, j'observai nos joueurs se mettre tranquillement en ligne, prêts à entrer sur le terrain. Aaron Abimbole sortit du vestiaire des Toons en fanfaronnant, se sentant sans nul doute tout à fait chez lui, un grand sourire aux lèvres et serrant chaleureusement la main d'un ou deux officiels. Et il eut l'air sincèrement décontenancé lorsque, tendant une main fraternelle à Kwame Botchwey, le Ghanéen se détourna. Je pus presque l'entendre avaler sa salive sous l'effet de la surprise au moment où John Ayensu fit de même. Mais il continua à sourire encore quelques instants comme s'il n'arrivait pas vraiment à croire ce qui se passait.

« Ça va pas, les mecs ? Ça tourne pas rond ? demanda le Nigérian. Qu'que chose qui cloche chez vous ? »

Ayensu l'ignora et se pencha devant Abimbole pour serrer la main du gardien de but de Newcastle.

Depuis son arrivée à Londres, Abimbole avait réussi à apprendre un peu d'argot noir de Brixton ; il apprenait facilement.

« C'est quoi, ton problème, mon frère ? Allez, accouche, mec. Comment que t'essaies d'me la jouer ? »

À présent, Abimbole ne savait plus où se mettre. Il avait l'air aussi solitaire et isolé que s'il était déjà sur une liste de transfert. Même ses propres coéquipiers semblaient avoir senti que quelque chose ne tournait pas rond et, chose étrange, ils se mirent à le snober également. Les deux Ghanéens avaient joué leur rôle à la perfection, à tel point que je crus qu'Abimbole allait se mettre à pleurer. Il quitta le tunnel en dernier.

Mais pendant un moment, ce stratagème sembla produire l'effet inverse. Après à peine dix minutes de jeu, Aaron Abimbole marqua un but d'un lob habile en voyant notre nouveau super gardien trop avancé. C'était un coup en traître, et je me sentis comme un imbécile d'avoir dépensé

135

neuf millions de livres pour un zig donnant l'impression de continuer à garder des buts à Tynecastle, où les capacités d'un Abimbole étaient beaucoup plus rares. Au temps pour l'idée de l'Écossais de garder ses buts inviolés le reste de la saison. Merde.

Abimbole était maintenant gonflé à bloc, bien décidé à régler ses comptes avec son ancien club, et il redevint menaçant trois minutes plus tard. Cette fois-ci, notre nouvelle recrue exécuta une parade impeccable qui nous évita un camouflet, et il est juste de dire que, autant n'importe qui aurait pu éviter le premier tir du Nigérian, autant personne sauf Traynor n'aurait pu éviter le deuxième. Tout d'un coup, les neuf millions me parurent une bien meilleure dépense.

Et puis, peu à peu, les choses se mirent à prendre une tournure catastrophique pour Aaron Abimbole. Pendant un moment, il eut l'air d'être partout – on n'aurait pas pu demander mieux comme rythme de travail –, et pourtant, à mon avis, il avait intérêt à se calmer. C'était comme s'il éprouvait le besoin de faire ses preuves, pas seulement auprès des supporters de Newcastle, mais aussi auprès de ceux de London City, qui le huaient chaque fois qu'il s'approchait de la balle. Je voyais qu'Alan Pardew avait la même impression. Au bord de sa zone technique, il criait à Abimbole de rester en position et de se ménager. Mais le Nigérian n'écoutait rien d'autre que le sang palpitant dans ses oreilles à la forme bizarre.

Quelques minutes plus tard, ayant déchiffré la passe de Dominguin à Xavier Pepe à la limite de la surface de réparation aussi vite que si elle avait été envoyée par Western Union, Abimbole se lança par-derrière sur le petit Espagnol, les deux pieds décollés, de tout son poids non négligeable, et montrant plus de crampons qu'une mêlée de rugby. Il coupa quasiment en deux les jambes de son adversaire. J'avais vu des motards en superbike à Monza se déplacer plus lentement qu'Abimbole lorsqu'il faucha Pepe. C'était moins un tacle glissé qu'une agression avec intention d'infliger des dommages corporels, et l'arbitre n'hésita pas un instant, lui montrant un carton rouge qui fit se dresser tout le stade de Silvertown Dock dans un concert de hourras car, même si nous avions déjà encaissé un but, on pouvait voir l'effet de l'expulsion du Nigérian sur les joueurs de Newcastle. J'aurais peut-être eu pitié du garçon si je n'avais pas été aussi inquiet pour Xavier Pepe, qui restait étendu après le tacle.

Fort heureusement, il n'était pas blessé, et bientôt il clopinait sur la ligne de touche. Quatre minutes plus tard, de retour sur le terrain, il marqua un but égalisateur en recevant une passe précise de Christoph Bündchen. Après ça, Newcastle se démena pour compenser la perte de son joueur, City fit le siège de la surface de réparation adverse, et à la mi-temps nous menions d'un but.

Alors que nous retournions aux vestiaires, il n'y avait toujours pas signe de João Zarco. Maurice McShane avait l'air inquiet.

« Eh bien ? »

Il secoua la tête.

« Je l'ai cherché partout. » Il eut un haussement d'épaules. « Enfin, presque. Il y a un monde fou aujourd'hui : soixante-cinq mille personnes. C'est comme chercher une épingle dans une meule de foin, Scott. J'ai regardé tous les endroits évidents et un bon nombre de moins évidents aussi. J'ai appelé sa femme, son agent, son nègre…

— Son nègre ? Qu'entends-tu par là, Maurice ?

— Le type qui a écrit le livre de Zarco, *Pas de jeux, rien que du football*. Phil Kerr. Il est là cet après-midi. Putain, il est toujours là, ce raté. J'ai appelé Claire. J'ai même appelé son entrepreneur. J'en ai aussi touché discrètement un mot à la police pour voir si elle ne pouvait pas nous aider à le retrouver. J'ai tout essayé, sauf une annonce sur la sono de la Couronne d'Épines.

— Pour l'amour du ciel, ne fais pas ça. Les journalistes vont en pisser dans leurs culottes s'ils apprennent qu'il a fichu le camp sans prévenir.

— J'ai bien peur que ce ne soit plus un secret, Scott. Sky Sports a repéré qu'il n'était pas sur le banc de touche. Depuis, ces zigotos se livrent à une débauche de suppositions quant au lieu où il pourrait être.

— Qu'en pense Jeff Stelling ?

— Seulement qu'on devrait envoyer Chris Kamara à sa recherche. Kammy en connaît un rayon pour ce qui est d'être paumé.

— Très drôle. » Je souris. « Non, vraiment. Si je n'étais pas aussi crevé, j'arriverais même à en rire. Je me sens comme la coupe de cheveux de Charlie Nicholas.

— Certains prétendent qu'il est parti. Que lui et Viktor ont eu une prise de bec et que João a jeté ses jouets de la poussette et s'est tout simplement barré.

— Si c'était le cas, Phil Hobday aurait dit quelque chose. Et il n'en a rien fait.

— D'accord. Mais ces deux-là ont une histoire. Tout le monde le sait. Même Chris Kamara.

— Écoute, essaie les loges VIP. Emmène quelques gars de la sécurité pour t'aider. Mais ne leur en dis pas trop. Juste que Zarco a laissé son portable dans les vestiaires et qu'on ignore comment le joindre. Mieux encore : demande-leur d'inspecter les terrasses avec la Mobotix, comme si on cherchait un hooligan. »

Avec soixante-dix-sept caméras haute résolution, le système de vidéo Mobotix constituait un outil de pointe pour gérer la foule et les problèmes de sécurité. Il s'avérait très efficace durant les matchs, et il était bien dommage qu'il n'ait pas été allumé quand on avait creusé une tombe au milieu de la pelouse.

Lorsque nous revînmes pour la seconde période, les Toons continuaient à se plaindre aux officiels à propos de l'expulsion, mais ils ne pouvaient plus faire grand-chose à présent. Aaron Abimbole regagnait déjà ses pénates en taxi, ce qui me convenait parfaitement. Pardew avait remplacé deux joueurs et repositionné l'équipe en 3-5-1, mais ils étaient désormais dépassés. Après quinze minutes de jeu, Christoph Bündchen marqua deux buts coup sur coup, et la rencontre se termina sur le score de 4-1.

J'appréhendais l'interview d'après-match sur Sky Sports. Comme ils sponsorisaient la rencontre, nous étions dans l'obligation de mettre quelqu'un devant leurs caméras. Je n'avais aucune envie de le faire, mais je n'avais pas le choix ; en l'absence de Zarco, il n'y avait personne d'autre. Je savais que Geoff Shreeves allait me demander où était passé Zarco et je n'avais pas la moindre idée de ce que je lui répondrais. Shreeves pouvait se montrer tenace avec ses questions. J'espérais seulement qu'il n'insisterait pas et que je ne péterais pas les plombs en direct comme Kenny Dalglish. Ce qui, avec un Écossais, peut toujours arriver.

« Un match superbe, Scott. Félicitations pour cette victoire. Mais ce dont on parle davantage aujourd'hui, comme vous en conviendrez certainement, c'est de l'absence de João Gonzales Zarco sur le banc de touche de City pendant toute la durée du match. Pouvez-vous mettre fin aux spéculations concernant l'endroit exact où se trouvait votre manager cet après-midi, Scott ? Et peut-être aussi, où il se trouve actuellement ?

— Je ne demanderais pas mieux, mais ça m'est hélas impossible, Geoff, étant donné que je n'en ai moi-même aucune idée. C'est un mystère. Il se trouve que je ne l'ai pas vu depuis 11 heures ce matin.

— Le bruit court à la Couronne d'Épines que Viktor Sokolnikov et lui auraient eu un nouveau désaccord majeur et que João aurait quitté le club. Avez-vous des commentaires sur ce point ?

— Je préférerais de beaucoup commenter la victoire d'aujourd'hui, Geoff. Je suis enchanté de la façon dont nous avons joué. Après avoir eu un but de retard, finir 4-1 est autrement remarquable, si vous me permettez d'en parler un instant.

— Mais João Zarco est un personnage versatile, sinon controversé. Ce serait bien son style de faire une chose pareille, vous ne pensez pas ?

— Je ne suis pas d'accord, ce ne serait pas du tout son style. João Zarco s'est toujours montré tout à fait professionnel dans sa manière de gérer ce club. Écoutez, Geoff, j'aimerais pouvoir vous dire où se trouve João en ce moment. Mais le fait est que personne ne semble le savoir. Par ailleurs, à ma connaissance, il n'existe aucun différend entre M. Sokolnikov et lui. J'irais même jusqu'à dire que leurs relations sont excellentes à l'heure actuelle. Je dois cependant avouer que nous sommes un peu inquiets qu'il ait pu arriver quelque chose à João Zarco. C'est pourquoi nous effectuons des recherches dans l'ensemble du stade. En conséquence, si quelqu'un possède des informations concernant le lieu où il peut être, nous lui serions reconnaissants de bien vouloir nous contacter. Et si vous entendez parler de quoi que ce soit, vous nous le ferez peut-être savoir également, Geoff.

— Bien sûr, Scott. »

Finalement, nous parvînmes à parler du match, mais j'avais du mal à concentrer mon attention sur la bourde de Kenny Traynor et le superbe arrêt par lequel l'Écossais s'était racheté, les buts que nous avions marqués ou l'expulsion d'Aaron Abimbole. Pendant tout ce temps, je songeais à

Zarco, en me demandant si sa disparition ne pouvait pas être liée à la photo que Colin avait trouvée au fond de la tombe creusée dans la pelouse.

Je l'admets volontiers, je me faisais sérieusement du mouron.

15

Malgré notre victoire 4-1 et le fait que London City était passé sixième au classement, l'ambiance manquait quelque peu d'entrain dans le vestiaire après la rencontre, les gars ayant bien senti que quelque chose ne gazait pas.

Soit nous avions perdu un grand manager, soit nous étions sur le point d'en perdre un – personne ne savait au juste à quoi s'en tenir.

Mais nous prîmes néanmoins le car comme d'habitude et regagnâmes Hangman's Wood pour que les joueurs puissent faire soigner leurs membres fatigués ou blessés. Xavier Pepe avait deux énormes ecchymoses sur les tibias là où Aaron Abimbole l'avait taclé et Kwame Botchwey une élongation à la cuisse qui promettait de le reléguer sur la touche pour quelques semaines. Au moment où le bus quittait Silvertown Dock, je vis tous ces visages illuminés fixer le petit écran de leurs smartphones comme des abeilles dans une ruche et je crus préférable d'émettre des directives fermes concernant Twitter.

« Écoutez, il y a déjà assez de suppositions comme ça sur la disparition de Zarco sans y ajouter vos messages à la noix. Et si vous laissiez vos doigts faire un break ce soir, hein, les gars ? On saura bien assez tôt ce qui est arrivé au patron. Ce dont nous n'avons absolument pas besoin, ce sont de foutues théories du complot dans les dernières pages des journaux de demain. »

Une fois à Hangman's Wood, le kiné du club conseilla à Pepe, Botchwey et plusieurs autres de se tremper dans un bain glacé. J'avais lu dans une étude récente que les bains glacés après un exercice pouvaient ne pas être efficaces pour faciliter la récupération ; toutes nos données empiriques indiquant qu'ils le sont, nos joueurs continueront à en prendre jusqu'à preuve du contraire, même s'il s'agit d'un moyen plutôt radical et que les gars qui l'utilisent ont besoin d'être surveillés, les bains froids trop prolongés pouvant engendrer toute une série de risques pour la santé, y compris des chocs anaphylactiques et un rythme cardiaque anormal.

Bien que n'ayant pas pris de bain glacé à Hangman's Wood, je n'en éprouvai pas moins une profonde secousse et une sensation désagréable dans la poitrine lorsque Phil Hobday m'appela sur mon portable, vers 19 h 30 ce même soir, avec de très mauvaises nouvelles.

« Scott ? Prépare-toi à un choc. On a retrouvé João Zarco mort à Silvertown Dock il y a à peu près une demi-heure.

— Bordel de merde ! Qu'est-ce qui s'est passé ? Une crise cardiaque ?

— Il est assez difficile de savoir exactement ce qui l'a tué. Mais je peux dire que ce n'est certainement pas une crise cardiaque. Il avait l'air d'avoir été sauvagement battu.

— Tu as vu le corps ?

— Oh oui. Sa tête était défoncée et… c'était horrible. Quoi qu'il en soit, il est mort.

— Où l'a-t-on trouvé ?

— Un de nos agents de sécurité a découvert le corps dans une espèce de cour d'entretien à l'intérieur de la structure extérieure en acier – la partie « couronne d'épines » proprement dite du stade. C'est à l'écart, ce qui explique qu'on ne l'ait pas trouvé plus tôt. La police en uniforme était déjà là, bien entendu, mais une unité de scène de crime et quelques inspecteurs sont en route également. Il s'agit à présent d'une enquête pour homicide.

— Toyah est au courant ?

— Oui. Et je viens d'appeler Viktor chez lui. Ça lui a fichu un sacré coup, je peux te le dire.

— J'imagine. Bon Dieu. À moi aussi.

— Scott, j'aimerais que tu mettes les joueurs au courant, si tu veux bien. Et il serait sans doute préférable qu'ils restent chez eux ce soir, en témoignage de respect pour João. La presse a eu vent qu'il s'était produit quelque chose de grave, et je ne tiens pas à ce qu'un des gars se soûle la gueule et se retrouve dans le *Daily Mail.*

— Bien sûr. Je leur dirai et leur ferai la leçon.

— Et ils auraient également intérêt à annuler tous les projets qu'ils avaient pour demain. Je sais bien que c'est dimanche, mais je suis sûr que la police voudra interroger toutes les personnes qui ont parlé avec Zarco aujourd'hui. »

Je réfléchis un instant.

« Phil, il faut que je te dise quelque chose. Mais il vaudrait peut-être mieux pour ça que je vienne à Silvertown Dock.

— Dis-le-moi tout de suite et laisse-moi décider. Cela ne sert à rien que tu sois ici à moins que tu n'y sois obligé. »

Je lui racontai l'histoire de la photo de Zarco que nous avions trouvée dans la tombe, et dis qu'il nous avait demandé, à Colin et à moi, de garder le silence.

« Comment se fait-il que la police ne l'ait pas vue quand elle était ici ?

— Parce que la police est la police. Elle a déjà les mains suffisamment sales sans y mettre en plus de la boue.

— Tu as raison, Scott, admit Phil. Je pense que tu ferais bien de venir et d'expliquer toi-même tout ça à la police. Vu les circonstances, peut-être que Ronnie Leishmann devrait être là aussi. »

Ronnie Leishmann était l'avocat du club.

« Quelles circonstances ?

— Toi, bien sûr ; tenant des propos comme ceux que tu viens de tenir sur les policiers aux mains sales. À mon avis, il vaudrait mieux que tu apprennes à modérer ton antipathie à l'égard de la police pendant qu'elle enquête sur ce qui est arrivé à Zarco.

— Pas de problème.

— À propos, où est la photo à présent ? demanda Phil.

— Dans le bureau de Colin. João lui a dit qu'il pouvait la garder en souvenir.

— Eh bien, c'est déjà quelque chose, je suppose.

— J'arrive aussi vite que possible, Phil. »

Juste au moment où je finissais ma conversation avec le président du club, je reçus un message de la femme de Didier Cassell : notre gardien de but français était enfin sorti du coma. C'était une bonne nouvelle, mais pas suffisante pour adoucir la pilule que j'allais devoir faire avaler à l'équipe. Rien ne serait suffisant pour ça.

J'avais réuni au bar des joueurs tous ceux qui avaient été présents à Hangman's Wood. Je suppose qu'un ou deux avaient lu dans mes yeux, observé ma pomme d'Adam et déjà tout compris.

« Messieurs, dis-je. Dans tout autre situation que celle-ci, la nouvelle que Didier Cassell, notre coéquipier et ami, a repris connaissance et va probablement se rétablir complètement serait un grand motif de réjouissance. Mais Didier serait le premier à vous dire qu'il n'y a pas de réjouissance ce soir. Pas pour lui. Pas pour moi. Pas pour nous. Pas dans ce club. Ni pour quiconque aime ce merveilleux sport qu'est le football. Parce que j'ai malheureusement le devoir de vous annoncer que João Gonzales Zarco est mort. »

Il y eut un hoquet nettement audible et quelques joueurs s'assirent par terre.

« Je ne peux pas vous dire grand-chose sur ce qui s'est passé. Pas encore. Qu'il me suffise d'indiquer que la police voudra parler à chacun d'entre nous demain. Mais ce que je peux dire dès à présent, c'est ceci. Il y a quelque temps, lorsque j'ai perdu mon ami Matt Drennan, je croyais savoir exactement ce qu'est la douleur du deuil. Mais je me trompais. Car, en dépit de toute l'affection que je portais à Drenno, je me rends compte, maintenant qu'il est parti, que j'aimais João Zarco encore plus. João n'était pas seulement mon patron, c'était aussi mon ami ; et pas seulement ça, mais mon mentor, ma source d'inspiration et mon modèle, le seul véritable philosophe qu'il m'ait été donné de rencontrer et le plus grand manager qui ait jamais vécu.

« Je regarde à cet instant autour de moi et je suis très fier de voir des Anglais, des Écossais, des Irlandais, des Gallois, des Français, des Brésiliens, des Espagnols, des Allemands, des Italiens, des Ghanéens, des Ukrainiens, des Russes, des Juifs et des Gentils, des Blancs et des Noirs – tous jouant comme un seul homme pour la même équipe. Mais ce n'est pas ce que João Zarco voyait. Pas du tout. Zarco ne voyait pas des races ou des croyances distinctes ; il n'entendait pas des langues séparées. Il ne voyait même pas une grande équipe en vous regardant. Quand il était avec nous, ce qu'il voyait et entendait, c'était quelque chose de tout à fait différent. Quelque chose d'exaltant. Ce que João Zarco voyait en vous regardant, c'est la vraie famille du football, sa famille et la mienne. Et ce qu'il entendait, c'était toujours et uniquement ceci : que nous parlons tous le même langage – un langage parlé dans le monde entier et sous quelque dieu que ce soit ; un langage qui nous unit ; le langage de la passion pour ce beau jeu.

« À cet instant, nous sommes également unis dans cette perte terrible, insupportable. Unis dans le deuil. Unis dans le souvenir du vrai père de notre famille du foot. C'est un jour exceptionnel, messieurs. Qu'il reste gravé dans votre mémoire comme il le restera dans la mienne. Car c'est le jour, non pas où Zarco a disparu, mais où sa famille a remporté une victoire éclatante avec une grande équipe. Il ne peut pas être avec nous pour reconnaître cette victoire. Mais je vous promets qu'il la voit et l'honore, comme je sais que vous l'honorerez. Et je vous demande de ne pas sortir ce soir, mais de rester chez vous et de vous souvenir de lui dans vos prières ; de vous souvenir de nous tous qui avons subi la perte de cet homme que nous aimions, cet homme extraordinaire venu du Portugal. »

Je ne dis rien d'autre ; en vérité, j'aurais été incapable d'ajouter quoi que ce soit. Alors, sans un mot, je sortis sur le parking et montai dans ma voiture. Pendant un moment, je restai simplement assis dans le silence douillet de l'intérieur en bois et cuir de la Range Rover. Puis je fondis en larmes.

Et quand j'eus fini de pleurer, je pris la direction de Silvertown Dock.

16

L'est de Londres. Un samedi soir. Temps épouvantable de janvier. L'air plein de neige et de giboulées, comme si la ville assistait au retour de la période glaciaire. La Tamise noirâtre, tel un immense anaconda visqueux, froid comme la mort elle-même. Des voitures trempées et sales se bousculant, et les doux sentiments de Noël et du Nouvel An à présent évanouis, foulés aux pieds par les coûteux impératifs de la vie dans la capitale la plus chère du monde, ou tout simplement jetés à la poubelle comme un arbre de Noël desséché. La foule se pressant dans les pubs et les magasins d'alcool pour boire le plus possible avant de plonger dans des boîtes de nuit infâmes. L'odeur de bière, de cigarette et de gaz d'échappement se mêlant dans le brouillard épais, jaune, omniprésent. De hideux bâtiments sombres, abandonnés et si vieux que certains avaient peut-être connu les pieds de Dickens, voire la main de Shakespeare. Et soudain la silhouette caractéristique de Silvertown Dock. La Couronne d'Épines méritait bien son nom ; pointue, finement tressée, cruelle et déchiquetée, la coquille d'acier extérieure avait l'air vaguement sacrée dans la pénombre, comme si la tête ensanglantée et meurtrie de notre Seigneur pouvait en surgir à n'importe quel moment, en tout point semblable à celle de João Zarco, peut-être.

La police avait débarqué en force à Silvertown Dock, de même que les journalistes et les caméras de télévision. On aurait dit une répétition générale de la nuit où Drenno s'était pendu, et je me demandai ce qui les empêchait de se servir des photos de moi arrivant au stade qu'ils avaient prises alors. J'avais dû avoir l'air tout aussi malheureux ce jour-là que je le paraissais à cette minute dans mon rétroviseur.

Je garai ma voiture et pénétrai dans l'enceinte, tout en songeant que la dernière fois où j'étais venu là, je ne savais pas encore que Zarco était mort. Instinctivement, je me dirigeai vers le restaurant VIP, à l'évidence l'endroit dont la police se servirait pour mener son enquête. Tout le long du couloir menant au restaurant s'alignaient des photos de Zarco au sommet de sa splendeur énigmatique. Je ne pouvais toujours pas croire que je ne le verrais plus, emmitouflé dans son manteau en cachemire N.Peal pour se protéger du froid, pas rasé et pourtant beau, ses épais cheveux gris de la même couleur que la structure d'acier au-dehors.

Un agent de sécurité me dit quelque chose, et je lui serrai la main comme si j'étais en pilotage automatique.

« Merci », marmonnai-je.

Au restaurant, Phil Hobday, Maurice McShane et Ronnie Leishmann me saluèrent sur le seuil, puis se retournèrent pour faire face à plusieurs inconnus assis autour d'un Mac posé sur une grande table ronde. Conçue par l'artiste Lee J. Rowland, cette table avait une surface en cuir et ressemblait à un ballon de football – l'ancien modèle, avec les lacets. Phil Hobday m'avait dit qu'elle avait coûté la somme époustouflante de cinquante mille livres. Depuis son installation au restaurant VIP, elle avait été signée par tous les joueurs et entraîneurs du London City Football Club, y compris Zarco et moi-même.

La photographie de Zarco que nous avions dénichée au fond de la tombe dans la pelouse reposait sur la table, dans un sac plastique avec un numéro de pièce à conviction agrafé au coin.

Une femme androgyne, soignée de sa personne, la quarantaine, aux cheveux courts presque blancs et au visage robuste mais tout aussi pâle, se leva. Séduisante dans le genre MILF, elle portait une robe violette et une veste bleu foncé sur mesure. Elle tenait un iPad, ce qui lui donnait l'air efficace et moderne.

« Je vous présente Scott Manson, notre entraîneur, déclara Phil Hobday.

— Oui, je sais, répondit-elle tranquillement.

— Scott, voici l'inspecteur chef Jane Byrne, de New Scotland Yard.

— Je n'ignore pas combien vous êtes bouleversé, monsieur Manson. Nous venons en effet de regarder votre très émouvant discours sur YouTube.

— Quoi ?

— Oui, il semblerait que quelqu'un l'ait enregistré sur son portable et l'ait téléchargé pendant que vous veniez ici.

— C'était censé rester privé, murmurai-je.

— Ces satanés footballeurs, soupira Phil. Certains ont même perdu le peu de jugeote qu'ils avaient à la naissance. » Il secoua la tête d'un air las, puis montra du doigt le chariot à boissons avec tellement de bouteilles et de verres qu'on aurait dit la City. « Tu veux boire quelque chose, Scott ? Tu sembles en avoir besoin.

— Merci, un double cognac, Phil.

— Et pour vous, inspecteur chef ?

— Non merci, monsieur. (Elle me tendit son iPad.) Tenez. Voyez vous-même. »

Je jetai un coup d'œil à l'écran, où s'affichait une image de moi vers la fin de mon petit éloge funèbre de Zarco ; la balise de titre disait : *Hommage à João Zarco* : « *Le plus grand manager de football qui ait jamais vécu* », par *Scott Manson*. Quelqu'un se dissimulant sous le pseudo de Fan de Foot 69 l'avait téléchargé.

« C'était un beau discours, Scott, dit Ronnie. Tu devrais en être fier.

— Déjà quinze mille visites, ajouta Maurice. En moins d'une heure.

— C'était censé rester privé, répétai-je avec stupeur en rendant son iPad à Jane Byrne et en prenant le double cognac que me tendait Phil.

— Rien n'est plus privé en ce qui concerne João Zarco, répliqua-t-elle. En tout cas, jusqu'à ce qu'on ait capturé son meurtrier.

— Son meurtrier ?

— Ça en a assurément l'air, répondit-elle. Le corps porte des traces de coups violents. »

D'un geste, elle m'invita à m'asseoir. Elle parlait de façon très claire et posée, comme si elle s'adressait à un attardé. Ou peut-être s'était-elle seulement rendu compte que j'étais encore sous le choc.

« Je suis chargée de cette enquête », expliqua-t-elle, avant de me présenter quelques-uns des policiers présents dans la pièce – des noms qui m'entrèrent par une oreille et ressortirent par l'autre.

Elle me regarda attentivement tandis que je vidais mon verre et laissais Phil m'en verser un autre.

« J'en sais aussi peu que vous sur ce qui s'est passé, alors si ça ne vous dérange pas, monsieur Manson, c'est moi qui vais poser les questions pour le moment. »

Je hochai une nouvelle fois la tête tandis qu'elle ouvrait une application sur son iPhone pour enregistrer notre conversation.

« Quand et où avez-vous vu M. Zarco pour la dernière fois ?

— Ce matin, vers 11 heures. Au centre d'entraînement du club à Hangman's Wood où, comme d'habitude le jour d'un match, nous avons composé l'équipe ; puis il est parti assister à un déjeuner ici même. Du moins, c'est ce qu'il m'a dit. » Je poussai un soupir alors que je me sentais de nouveau gagné par l'émotion. « Oui, c'est la dernière fois que je l'ai vu. Et aussi la dernière fois que je lui ai parlé.

— À quelle heure est-il arrivé ? demanda-t-elle à Phil.

— Aux alentours de 11 h 30.

— De quelle humeur était-il en quittant Hangman's Wood ?

— Il semblait d'excellente humeur, répondis-je. Nous avions obtenu un bon résultat face à Leeds dans la semaine et nous pensions tous les deux que nous allions gagner cet après-midi. Ce qui s'est effectivement produit. »

Elle se tourna vers Phil.

« Et ici ? Comment était-il ?

— De très bonne humeur également, confirma Phil. Je ne l'avais jamais vu aussi guilleret.

— J'aimerais interroger tous ceux qui participaient à ce déjeuner.

— Bien sûr. Je vais arranger ça. »

Jane Byrne me regarda.

« M. Hobday m'a parlé de la tombe creusée au milieu de la pelouse il y a une dizaine de jours. Et j'ai lu le rapport de police concernant cet incident. Selon l'inspecteur Neville, vous ne vous êtes pas montré très coopératif lors de cette enquête, monsieur Manson. Pourquoi cela, je vous prie ?

— C'est une longue histoire. Disons simplement que j'étais plus enclin que votre collègue à la considérer comme un trou creusé par des vandales, et en même temps comme la conséquence inévitable du genre de soutien fanatique que reçoivent les clubs dans le sport moderne.

— Eh bien, il semble que vous ayez eu tort, n'est-ce pas ? Notamment au regard du fait qu'une photographie de M. Zarco a été retrouvée dans la tombe. Celle-ci.

— On dirait.

— On dirait qu'il s'agit de cette photo, ou que vous avez eu tort ? »

Je haussai les épaules.

« Les deux.

— Pourquoi avoir choisi de ne pas informer l'inspecteur Neville de cette découverte ?

— Comme je l'ai mentionné, les policiers sont passés à côté quand ils étaient là, et ça ne semblait pas valoir la peine de les faire revenir. Je pensais que, s'ils avaient fait leur boulot correctement, ils l'auraient trouvée dès le départ. De toute façon, la décision ne m'appartenait pas vraiment. Après tout, il ne s'agit pas de mon portrait. Le patron ici, c'était Zarco. C'est ce que signifie être manager d'une équipe de football, inspecteur. Quand il disait « Sautez », on demandait à quelle hauteur. Parfois même littéralement. Alors ce qu'on faisait quand on était là dépendait entièrement de lui. Et il a dit qu'on devait laisser tomber.

— Ça ne paraissait donc pas le préoccuper ?

— Pas le moins du monde. Vous devez savoir que les menaces à l'encontre des managers de football font partie des risques du métier. Demandez à Neil Lennon au Celtic, ou à Ally McCoist chez les Rangers, ils vous le diront.

— Mais eux sont à Glasgow, n'est-ce pas ? Et nous sommes à Londres. C'est tout de même un peu moins tribal, ici, non ?

— Peut-être. Raison pour laquelle, probablement, Zarco n'a pas pris ça au sérieux quand il a trouvé sa photo dans cette tombe. Et préféré ne pas signaler la chose à l'inspecteur Neville.

— Mais maintenant il est mort, et nous voilà avec un mystère sur les bras.

— Oui. Il semblerait. Le Mystère de Silvertown Dock.

— Que voulez-vous dire par là ?

— Rien.

— Si, allez-y

— C'est juste qu'il existe un film, en noir et blanc, qui date d'il y a belle lurette, *The Arsenal Stadium Mystery*, dans lequel un joueur se fait tuer.

— Je devrais sans doute regarder le DVD.

— Je pourrais vous passer le mien. Mais pour être franc, ça n'en vaut pas la peine. C'est vraiment très vieux, et il n'y a pas du tout de rapport.

— Avez-vous une idée de qui a pu tuer M. Zarco ?

— Pas la moindre.

— Vous êtes sérieux ?

— Tout à fait. Attendez, il s'agit de football, pas du crime organisé.

— Vraiment ? Allons, monsieur Manson. D'après ce que j'ai lu et entendu, João Zarco avait un tas d'ennemis.

— Qui ne se fait pas d'ennemis dans le football ? Écoutez, je ne vais pas vous les énumérer. Zarco était un homme aux opinions bien arrêtées. Il arrivait que sa passion du sport vexe les gens. Mais des ennemis qui auraient pu vouloir sa peau ? » Je secouai la tête. « Aucune idée.

— Des ennemis comme qui, par exemple ?

— S'il vous plaît. Je viens de perdre un ami très proche. Et cela en plus du suicide, il n'y a pas si longtemps, d'un autre homme que j'aimais beaucoup également. Matt Drennan. Reposez-moi la question quand j'aurai les idées claires. Mais pour l'instant, je n'ai pas vraiment l'esprit à vous fournir une liste de suspects potentiels. Demain matin, peut-être.

— Vous ne voulez pas que nous trouvions qui l'a tué ?

— Bien sûr que si.

— Alors plus vite vous serez disposé à nous aider et plus vite nous attraperons son meurtrier.

— C'est une question d'opinion.

— Ah.

— Pardon ?

— Nous y voilà, dit-elle. À la vraie raison pour laquelle vous ne désirez peut-être pas nous aider dans notre enquête.

— Avec tout mon respect et compte tenu des circonstances, il me semble que M. Manson a été plus qu'obligeant jusqu'ici, fit observer Ronnie Leishmann.

— C'est votre point de vue, rétorqua l'inspecteur chef. L'hostilité de M. Manson envers la police relève du domaine public.

— Tout comme l'hostilité de la police envers moi, répliquai-je. Je crois que ce même domaine public montrera que la police a systématiquement menti au tribunal à mon sujet et comploté pour me faire emprisonner arbitrairement. Et soit dit en passant, au cas où vous voudriez boucler cette affaire rapidement, je possède un alibi pour l'ensemble de la journée. Plus de soixante mille personnes m'ont vu durant tout l'après-midi. Sans compter les deux millions et demi qui étaient scotchés devant la télé. Quand ils ne suivaient pas chacun de mes gestes, je me trouvais au vestiaire avec l'équipe. J'aime bien me mettre à poil en compagnie d'autres hommes, si vous vous posiez la question. »

Elle sembla sur le point de dire quelque chose, puis elle sourit.

« Je suis navrée. Vous avez parfaitement raison, bien sûr. Et je vous présente mes excuses. Si j'avais enduré ce que vous avez enduré, je suppose que j'éprouverais les mêmes sentiments à l'égard de la police. Ce qui vous est arrivé est parfaitement honteux, monsieur Manson. Vraiment. Écoutez, recommençons à zéro, voulez-vous ? » Elle se leva et me tendit la main. « Jane Byrne. Me croirez-vous sur parole si je vous dis que je ne suis pas ici pour protéger la réputation de la police métropolitaine, mais pour arrêter le meurtrier de M. Zarco ? Et puis-je vous offrir mes sincères condoléances pour le décès de celui-ci ? »

Je pris sa main.

« Vous savez, vous êtes le deuxième officier de police que je rencontre qui donne l'impression de quelqu'un de sympathique.

— Vous voulez dire que nous sommes deux ? Mon Dieu, qui est l'autre ?

— L'inspecteur Louise Considine, du poste de police du Brent.

— Peut-être préférez-vous les officiers de police femmes, tout simplement.

— C'est bien possible. Quoi qu'il en soit, c'est elle qui enquête sur le suicide de Matt Drennan.

— Eh bien, c'est un type de délit, je présume. » Elle fronça les sourcils. « Du moins, ça l'était autrefois. À propos, vous connaissiez bien M. Zarco ?

— Zarco ? Comme tout le monde, je présume. À vrai dire, je le connais depuis mon enfance. Dans les années 1990, alors qu'il jouait au Celtic, vers la fin de sa carrière, Zarco a été le premier footballeur à porter des chaussures Pedila. C'est la société de chaussures de sport de mon père.

— Et comment en êtes-vous venu à travailler avec lui ?

— J'ai obtenu mes certificats UEFA en 2010 et accepté un poste d'entraîneur stagiaire auprès de Pep Guardiola à Barcelone. Puis, en 2011, je suis devenu le premier entraîneur stagiaire du Bayern, où je travaillais avec Jupp Heynckes, qui était aussi un vieil ami de mon père. Ensuite, lorsque Zarco est revenu ici l'été dernier, j'ai accepté de lui servir d'assistant.

— Que voulez-vous dire par "revenu ici" ? »

Je souris.

« Je pense que je vais laisser M. Hobday vous expliquer ça.

— Eh bien, Zarco avait déjà été manager de ce club, déclara Phil. Il y a sept ans. Avant que nous ne soyons en Premier League. Il gérait le club avec beaucoup de succès là aussi. C'est João qui nous a permis de grimper les échelons. Puis il est parti.

— Pour quelle raison ?

— Hum, il a été limogé par M. Sokolnikov. Ils avaient des idées diamétralement opposées sur la façon de diriger ce club. Comme vous pouvez l'imaginer, ils ont l'un comme l'autre de fortes personnalités, ce qui signifie qu'ils ne s'entendaient pas très bien. Pas à cette époque-là. Ensuite, nous avons eu toute une série de managers. Mais aucun n'était aussi bon que Zarco, et les supporters n'arrêtaient pas de réclamer son retour. C'est donc ce qui s'est produit. La seconde fois, ils se sont entendus à merveille. N'est-ce pas, Scott ? »

J'acquiesçai.

« Ils sont devenus tous les deux plus vieux et plus riches. Peut-être même un peu plus sages.

— J'aurais besoin de parler à M. Sokolnikov, dit Jane Byrne. Demain, je pense.

— Bien sûr, répondit Phil. Dites-moi seulement quelle heure vous convient et j'arrangerai ça.

— À propos, dis-je. La femme de Zarco, Toyah. » Je secouai la tête. « Ne lui demandez pas d'identifier le corps. Elle est assez nerveuse. Je m'en chargerai. »

Elle opina.

« Si vous voulez. Puisque vous prétendez l'avoir si bien connu.

— Demain, je répondrai à toutes vos questions, ajoutai-je. Tout ce que vous voulez. Et les joueurs également. Bon, vous avez déjà entendu sur votre iPad ce que je leur ai dit. Je les réunirai ainsi que le staff de terrain à Hangman's Wood, puis je les ramènerai ici dans le car de l'équipe.

— Merci. Disons 10 heures ? »

Je me tournai vers Phil, qui hocha la tête.

« D'ici là, dis-je, j'ai quelque chose à vous demander. J'aimerais voir où ça s'est passé. »

Elle garda un instant le silence, réfléchissant.

« Je n'ai pas l'intention de déposer des fleurs ni un ours en peluche. Je veux juste voir l'endroit où il est mort et dire une brève prière pour lui. »

Elle hocha la tête.

« D'accord. Mais donnez-moi quelques minutes, que je règle ça avec l'unité de scène de crime.

— Bien. De toute façon, il faut que j'aille prendre quelque chose dans mon bureau. Je vous retrouve ici. D'accord ? »

Jane Byrne regarda sa montre.

« 9 heures, OK ?

— Oui. »

Avant de me rendre à mon bureau, j'allai aux toilettes pour m'asperger le visage. Les deux cognacs avaient été une erreur.

En sortant, j'aperçus Jane Byrne dans le couloir. Elle me tournait le dos. Elle téléphonait avec son portable et se réfugia dans les toilettes des dames pour être plus tranquille. Je m'arrêtai un instant devant la porte, puis la poussai tout doucement. Une cloison se dressait devant les cabines. Je pouvais l'entendre aller et venir de l'autre côté tout en parlant ; sur le sol carrelé, ses talons aiguille faisaient un son encore plus aigu que dans mon souvenir. Sans bruit, je franchis la porte et me mis à écouter ce qu'elle disait. S'agissant de la police, savoir ce qu'elle manigance est toujours une bonne idée. Et comme Jane Byrne était à ce moment-là la seule femme dans le bâtiment, je ne risquais pas d'être découvert.

L'accent de l'inspecteur chef avait changé. Plus typique du sud de Londres à présent et avec davantage de malveillance dans ses propos que je ne m'y serais moi-même attendu :

« … s'est fait casser la gueule, apparemment. En tout cas, ça y ressemble. La tête de Zarco était salement enflée… Ouais, même plus que la normale… À en croire l'unité de scène de crime, les fractures ont l'air si graves que, même s'il avait survécu, il y avait de fortes chances pour qu'il succombe à une lésion cérébrale… Où il était ? Assez difficile à décrire. Le problème avec l'architecture moderne, c'est qu'elle crée un tas de petits recoins cachés, et c'est un truc de ce genre. Un croisement entre une cage d'escalier et une alcôve. Sol en béton, poutres métalliques, clôture en grillage mais exposée aux intempéries et couverte de déjections d'oiseaux. Le type de la sécurité à qui j'ai parlé m'a dit qu'il s'agit d'une zone d'entretien, mais si c'est ça, je me demande bien ce qu'ils entretiennent – à part les poutres en acier qui constituent la couronne d'épines à proprement parler. Il y a une porte au rez-de-chaussée… C'est ça… Oui, l'endroit idéal pour tabasser quelqu'un, mais cela dit, celui qui l'a fait devait posséder la clé parce que la porte était verrouillée… Je suppose que Zarco l'avait. Il a dû s'y rendre volontairement avec l'individu qui l'a tabassé… Non, une chute n'a pas de sens ; je ne vois pas d'où il aurait pu tomber… Oui… Je suis avec eux actuellement… Eh bien, vous savez, ce sont de foutus footballeurs – un mélange particulier d'imbécillité et d'amour-propre, pour la plupart d'entre eux. J'ai affaire à un président de club aussi insaisissable qu'une anguille et à un entraîneur faisant penser à Derek Bentley jouant les Quatre de Guilford. Ouais, Scott Manson. Et je n'ai même pas encore vu l'oligarque russe propriétaire des lieux. J'adorerais lire le dossier

159

de police ukrainien de ce fumier. Je parie qu'il est aussi épais qu'un rouleau de papier chiottes. Ça me fait penser, Clive – il me faut tous les dossiers sur Manson. Je veux que l'histoire de sa vie soit sur mon bureau à mon retour au Yard. Oh, Clive, j'aimerais qu'on intimide un peu cet enfoiré, histoire de s'assurer sa coopération. L'inspecteur Neville – le flic qui est venu enquêter sur la tombe dans la pelouse – a dit que Manson était un mauvais coucheur. En ce moment, je dois lui faire des ronds de jambe pour qu'il me refile quelques noms de suspects. Alors demandez à une voiture de patrouille d'intercepter sa bagnole et de lui faire passer un alcootest. Depuis qu'il est ici, il a bu deux grands cognacs. Un de mes hommes va vous faxer les indications dans quelques minutes. Et, Clive ? Voyez si on ne peut pas détacher un certain inspecteur Louise Considine, de la police du Brendt, auprès de mon équipe. Et Neville aussi, si son patron veut bien… »

J'en avais suffisamment entendu pour savoir où j'en étais avec la sympathique femme policier.

Je sortis des toilettes pour dames et repris le couloir. Phil Hobday m'emboîta le pas alors qu'il quittait le restaurant ; son bureau était situé près du mien, et il me dit qu'il voulait donner quelques coups de fil, mais il m'arrêta à mi-chemin.

« Quand tu en auras terminé avec elle, Viktor aimerait que tu passes à KPG pour discuter. »

KPG pour Kensington Palace Gardens, la rue hyper chic de Kensington où habitait Victor, dans un hôtel particulier à soixante-dix millions de livres.

Je marquai un temps d'arrêt.

« À quel sujet ? »

Phil haussa les épaules.

« Je ne sais pas. Non, vraiment, je n'en ai aucune idée. Et je me garderais bien d'essayer de me mettre à la place de Viktor Sokolnikov. C'est sur ton chemin pour rentrer.

— D'accord. » Je jetai un coup d'œil à l'énorme Hublot à mon poignet. « Mais je risque d'arriver tard.

— Combien de temps faut-il pour réciter une prière ? Je ne savais même pas que tu étais croyant.

— Quand ça concerne les gens que j'aime.

— Alors à quelle heure est-ce que je lui dis que tu passeras ? »

Je réfléchis un instant.

« Je n'en sais rien.

— Voyons, Scott ! Il s'agit de Viktor, pas de boire un coup avec un copain à la Star Tavern. »

La Star Tavern était un pub sélect de Belgravia où il m'arrivait de retrouver Phil pour prendre un verre. L'appeler un pub, c'était un peu comme appeler la Rolls-Royce de Phil une bagnole.

« Dis-lui 10 h 30.

— Entendu. Au fait, félicitations pour la manière dont tu t'es mis la fliquesse dans la poche tout à l'heure.

— Je n'en suis pas aussi sûr.

— Plutôt mignonne, n'empêche.

— Si on aime ce genre de nanas. »

Phil sourit.

« À vrai dire, oui. J'aime effectivement beaucoup ce genre de nanas.

— Ambitieuse, je dirais.

— Ça me plaît aussi. »

Devant la porte de Zarco, un policier en uniforme vérifiait son téléphone portable. Je lui adressai un signe de tête, puis entrai dans mon propre bureau attenant ; le malheureux flic n'était pas censé savoir qu'il y avait une porte reliant le bureau de Zarco et le mien, et qu'à la minute où ma porte se referma, j'étais là avec la lampe-torche de mon iPhone pour voir ce que je pourrais découvrir sur sa table et dans ses tiroirs. Je savais qu'il y avait quelques sex toys et

161

un attirail de bondage – un vibromasseur à télécommande et des menottes – dont personne n'avait besoin de connaître l'existence. Ce n'était pas simplement que je ne faisais pas confiance aux flics pour trouver leur trou du cul et *a fortiori* le meurtrier de Zarco ; je devais également protéger la réputation de ce dernier, et pas uniquement la sienne, mais aussi celle du club. La police métropolitaine a la manie de vendre des encadrés aux journaux au lieu de s'occuper de son travail ; et les journaux ont coutume d'enterrer ceux qu'ils ont encensés. Comme mon vieil ami Gary Speed. Une fois que vous avez passé l'arme à gauche, qu'ils se sont fendus de quelques éloges et qu'ils ont essuyé une larme ou deux, ils peuvent dire toutes les saloperies qu'ils veulent. Bien entendu, j'avais déjà planqué le téléphone « bagatelle » de Zarco ainsi que son téléphone « autre chose » dans mon tiroir, mais je devais m'assurer qu'il ne restait plus rien qui puisse exposer la famille à des révélations dans les tabloïds, style : *Le vrai João Zarco* ou *Le João Zarco inconnu de tous*. Ou, pire encore, à une tempête sur Twitter. Merde alors !

Je ne jouais pas les ripoux dans mon propre intérêt, mais j'étais tout à fait prêt à le faire dans celui de mes amis et de mon club.

17

« Purée, s'exclama Maurice, regarde-moi cette foule ! »
Il hocha la tête. « Ils vont lui rendre hommage.

— On dirait. »

Nous quittions le London City Football Club dans ma
Range Rover pour aller à KPG. Il faisait sombre, un froid de
canard et l'air était rempli de grésil, mais des centaines de fans
s'étaient rassemblés pour honorer la mémoire de João Zarco,
et il y avait un si grand nombre de foulards orange noués sur
la grille d'entrée de Silvertown Dock qu'elle ressemblait déjà à
un lieu de pèlerinage hindou. Quelques supporters chantaient
les chansons du club – et quoi de mieux que les Clash ?

Appel de Londres aux villes lointaines / Maintenant la
guerre est déclarée et la bataille approche…

Certains imitaient même le hurlement de loup-garou
de Joe Strummer à la fin.

Je restai muet pendant un moment, tandis que la chanson et les hurlements résonnaient dans mes oreilles, me donnant la chair de poule.

« C'est ce qui est merveilleux dans le football, fit remarquer Maurice. Quand tu disparais, les gens aiment montrer leur respect. Qui d'autre a droit à ça de nos jours ?

— Michael Jackson ? suggérai-je. Cet hôtel où on est descendus à Munich, le Bayerischer Hof. Ils ont toujours un mémorial devant la porte d'entrée. »

Maurice grimaça de dégoût.

« Ça ne m'étonne pas de ces foutus Allemands.

— Hé, attention à ce que tu dis ! Je suis à moitié allemand, tu te souviens ?

— Bon, mais réponds à ceci, Fritz. Comment ont-ils pu faire ça – lui ériger un mémorial –, alors que tout le monde sait qu'il était pédophile ? Ça n'a pas de sens.

— D'une certaine façon, les Allemands – surtout les Bavarois – préfèrent fermer les yeux sur ce genre de choses.

— Ouais, ils ont l'habitude, pas vrai ? grommela Maurice. Pour ce qui est de faire semblant de ne pas connaître le passé de quelqu'un.

— Je regrette qu'il ne puisse pas assister à ça, continuai-je, ignorant la leçon l'histoire. Je veux dire, Zarco. Pas l'accro du bistouri.

— Tu as vu son corps, finalement ? demanda Maurice.

— Pas vraiment. Ses jambes, je suppose. Là où se trouvait le cadavre, il n'y avait pas beaucoup d'espace. Trois ou quatre techniciens de l'unité de scène de crime l'entouraient avec tout leur attirail : spots, trépieds, appareils photo et ordinateurs portables. Aujourd'hui, une scène de crime ressemble plutôt au tournage d'une publicité.

— Qu'un truc pareil ait pu arriver à un type comme João…, dit Maurice. À propos, quel âge avait-il ?

— Quarante-neuf ans.

— Bon Dieu ! Ça fait réfléchir, pas vrai ? » Il pinça les lèvres. « Une tragédie, voilà ce que c'est. Sans l'ombre d'un doute. Mais ce n'est pas un assassinat.

— Écoutez-le, on croirait l'inspecteur Morse.

— En tout cas, pas un assassinat au sens classique du terme, c'est-à-dire avec préméditation. Ouais, il est bien évident que si tu infliges des coups et blessures à un mec, tu peux le tuer. Mais je ne vois aucune préméditation là-dedans, pas du point de vue des énergumènes qu'on rencontre dans ce milieu.

— Continue.

— Tu te souviens comment ça se passait en taule ? Neuf fois sur dix, si quelqu'un voulait tuer un mec, il ne le faisait pas en le tabassant. Il se servait d'un couteau. Ou il l'étranglait. Et si c'était à l'extérieur, il l'abattait ou le faisait abattre. Mais il ne le frappait pas. Si un type meurt à la suite d'un passage à tabac, alors ça signifie qu'il s'agit d'une raclée qui a mal tourné ou tout simplement d'un dérapage. Un accident en quelque sorte. Homicide involontaire. Non, si tu veux mon avis, on voulait nuire à Zarco, mais pas le tuer. Une vengeance, ou un avertissement, mais ce n'était pas censé être adieu Charlie.

— Je ne suis pas Rumpole, mais il me semble que la loi dit autre chose.

— Ouais, eh bien, c'est la loi, n'est-ce pas ? La loi n'a pas beaucoup de bon sens de nos jours. Dans le cas contraire, on ne serait pas dans l'Union européenne, tu ne crois pas ? On n'aurait pas la loi sur les droits de la personne et toutes ces foutaises. Ni Abou Hamza. Ces salauds d'extrémistes ridiculisent les tribunaux de ce pays. » Maurice s'interrompit tandis que de la lumière bleue se déversait dans la Range Rover. « À propos de salauds, il y a des flics qui nous suivent. »

Je jetai un coup d'œil dans le rétroviseur et hochai la tête.

« Laisse-moi m'en occuper, d'accord ?

— Je t'en prie. »

Nous nous arrêtâmes et je descendis la vitre teintée de quelques centimètres.

Un agent de la circulation se présenta à côté de la Range Rover ; il avait déjà un Alcootest dans une main et ajustait sa casquette de l'autre.

« Veuillez sortir de la voiture, s'il vous plaît.

— Bien sûr. »

Je m'exécutai et refermai la portière derrière moi.

« C'est votre véhicule, monsieur ?

— Oui. » Je lui tendis ma carte grise. « Il y a un problème ? »

Il regarda la carte grise.

« Vous conduisiez de façon erratique, monsieur. De plus, vous rouliez à cinquante-six kilomètres heure dans une zone limitée à cinquante.

— Si vous le dites, répondis-je. En vérité, je n'ai pas vraiment noté la vitesse.

— Avez-vous consommé de l'alcool ce soir, monsieur ?

— Deux cognacs. J'avais reçu de très mauvaise nouvelles, hélas.

— Je suis navré de l'entendre. Cependant, je dois vous prier de souffler dans cet Alcootest.

— Très bien. Mais vous faites erreur. Si vous permettez que je vous explique…

— Vous refusez de vous soumettre à l'Alcootest ?

— Pas du tout. J'essaie seulement de vous dire que …

— Monsieur, je vous demande d'effectuer un test d'alcoolémie. Alors ou vous vous exécutez, ou je vous arrête.

— Très bien. Si vous insistez. Allons-y, passez-moi ça. »

Je pris le petit appareil gris, suivis docilement ses instructions, puis le lui rendis. Nous attendîmes quelques secondes.

« Je suis désolé, mais le voyant est devenu rouge, monsieur. L'échantillon d'haleine que vous avez fourni indique

plus de trente-cinq millimètres d'alcool pour cent millimètres de sang. Ce qui signifie que vous êtes en état d'arrestation. Si vous voulez bien me suivre. »

Je souris.

« Pour quelle raison ?

— Vous avez échoué à l'Alcootest. Voilà pourquoi.

— Oui, mais comme j'ai essayé de vous le dire il y a un
instant, je n'étais pas au volant. C'est mon ami qui condui-
sait.

— Comment ça ?

— Cette voiture a la direction à gauche, voyez-vous. »

Il y eut un long silence pendant lequel je m'efforçai de
garder mon sérieux.

L'agent de police fit le tour de la voiture et ouvrit la
portière du côté gauche. Maurice lui sourit.

« Bonsoir, monsieur l'agent, lança-t-il gaiement. Je ne
bois jamais d'alcool et je suis diabétique. Alors vous perdez
votre temps.

— Par ailleurs, ajoutai-je, il s'agit d'une Range
Rover Overfinch ; non seulement elle se conduit du côté
gauche, mais elle est équipée d'un Roadhawk – un système de boîte noire qui enregistre tout ce qui se passe
devant, derrière et de chaque côté. En cas d'accident, vous
comprenez. »

Le policier empocha son Alcootest. Son visage avait la
couleur du ciel nocturne dans cette partie de Londres : une
nuance artificielle de mauve foncé. Il claqua la portière sur le
sourire épanoui de Maurice.

« Est-ce qu'elle enregistre le son en plus de l'image,
monsieur ?

— Malheureusement, non. »

Il hocha la tête d'un air lugubre et se pencha vers moi,
suffisamment près pour que je puisse sentir l'odeur de café
dans son haleine.

« Enculé ! »

Puis il tourna les talons et s'en alla.

« Bonne soirée à vous aussi, monsieur l'agent », dis-je, avant de remonter dans la Range Rover.

Maurice se gondolait.

« Absolument impayable, souffla-t-il. J'ai hâte de revoir ça. Tu devrais le mettre sur YouTube.

— J'ai été suffisamment sur YouTube pour la soirée, à mon avis.

— Non, mais vraiment. Sinon, personne ne le croira. Ce poulet avait tellement envie de te baiser la gueule qu'il n'a même pas vu qu'il s'agissait d'une bagnole avec la conduite à gauche. Sans blague. Une comédie en or.

— Mieux vaut la garder en réserve. La prochaine fois, je risque de ne pas avoir autant de chance.

— Compte tenu des circonstances, tu as peut-être raison. Je pensais que tu plaisantais au sujet de cette salope à la Couronne d'Épines. Mais on dirait bien qu'elle a une dent contre toi, mon vieux.

— Ce qui n'a rien d'une nouveauté. »

Nous allâmes à l'entrée nord de KPG, dans Notting Hill Gate ; l'entrée sud – par Kensington High Street – est réservée aux résidents du palais royal. Non que les autres maisons à KPG aient moins l'air de châteaux. Je dirais que c'est la rue la plus fermée de Londres, sauf que n'importe qui peut y habiter s'il a les moyens de payer entre cinquante et cent millions de livres pour une bicoque, et ce n'est que la présence grisâtre et on ne peut plus sinistre de l'ambassade de Russie à l'extrémité nord qui abaisse un tantinet le niveau.

La maison de trois étages de Viktor était en pierre de Portland, avec quatre tourelles aux coins, et avait tout, mis à part des douves, un drapeau et une garde d'honneur. Vous pouvez habiter une maison plus grande, mais seulement si vous êtes la reine.

Je sortis de la Range Rover et me penchai par la vitre ouverte.

« Garde la voiture, dis-je à Maurice. Je prendrai un taxi pour rentrer. Ce n'est pas loin d'ici.

— Tu veux que je vienne te chercher demain matin ? »

Je secouai la tête.

« J'appellerai une compagnie de taxis.

— Passe-moi un coup de fil quand tu seras chez toi, si ça ne t'ennuie pas. Pour me dire s'il t'a offert le poste.

— Tu penses vraiment qu'il le fera ?

— Qu'est-ce que ça pourrait être d'autre ? »

18

Je me retournai et donnai mon nom au gorille posté dans la guérite. Il vérifia sur sa liste, puis me fit signe d'entrer. Je n'eus pas besoin de sonner ; un autre agent de la sécurité ouvrait déjà la porte laquée noir. Un majordome se matérialisa dans l'entrée en marbre, dominée par une sculpture grandeur nature de Giacometti représentant un homme marchant, maigre comme un cure-pipe et qui me rappelait toujours Peter Crouch. J'avais déjà fait part de cette observation à Viktor et pris note de ne pas recommencer. Quand vous possédez une œuvre d'un artiste célèbre, je suppose que votre sens de l'humour quant à qui ou à quoi elle ressemble est fonction de la somme qu'elle a coûtée – laquelle, dans le cas du Giacometti, se montait à cent mille dollars, alors faites le calcul. De toute évidence, Sotheby's ou Christie's possédaient un sens de l'humour plus développé que quiconque.

De toute façon, je n'étais pas d'humeur à plaisanter. Je n'étais d'humeur pour rien d'autre que de me mettre la tête sous un oreiller et de dormir douze heures d'affilée.

Le majordome me conduisit à un salon assorti au Giacometti, autrement dit une de ces pièces modernes minimalistes qui vous donnent l'impression de vous trouver dans le nouvel espace d'accueil d'un musée national ; seuls les gigantesques canapés couleur crème me persuadèrent que je n'avais pas besoin de billet d'entrée ni d'audioguide. On aurait dit que l'énorme bûche noire sur les chenets avait été lâchée sur Hiroshima une fraction de seconde plus tôt et même la fumée qui s'élevait discrètement dans l'immense cheminée avait une odeur rassurante de club huppé, comme dans un chalet de ski luxueux.

Viktor posa un numéro du *Financial Times* et contourna le canapé, ce qui prit un certain temps et me donna amplement le loisir d'admirer le tableau de Lucian Freud au-dessus de la cheminée. Encore qu'admirer ne soit peut-être pas le mot juste ; *apprécier* serait sans doute plus exact. Je ne suis pas sûr que j'aurais aimé voir un homme nu allongé, les jambes écartées, chaque fois que je levais les yeux de mon journal. J'en voyais suffisamment comme ça dans les vestiaires de Silvertown Dock.

Nous nous étreignîmes, à la russe, sans un mot. Le majordome traînait là comme un rhume, et Victor me demanda si je voulais boire quelque chose.

« Juste un verre d'eau, merci. »

Le majordome s'éclipsa.

Je m'assis, plaquai un sourire sur mon visage, par politesse, et lui racontai tout ce que j'avais appris sur ce qui s'était passé. Ce n'était pas beaucoup, mais ça paraissait encore plus que suffisant.

Viktor Sokolnikov avait, je suppose, une quarantaine d'années, des cheveux poivre et sel et un front dégarni largement compensé par la quantité de poils poussant entre ses sourcils et sur ses joues habituellement pas rasées. Ses yeux étaient perçants, noirs et les plus rusés que j'aie jamais vus.

171

Nanti d'un léger embonpoint, il avait des joues flasques et un sourire quasi permanent ; après tout, il avait bien des raisons de se réjouir. Rien de tel que plusieurs milliards de dollars en banque pour susciter la bonne humeur. Non que ce fût toujours le cas ; à cet instant, il était difficile de faire le lien entre cet homme raffiné et souriant et le type qui avait donné un coup de boule à son collègue oligarque, Alisher Aksyonov, en direct à la télévision russe à l'issue d'une dispute. J'avais regardé le clip sur YouTube, mais, ne comprenant pas le russe, il m'était difficile de saisir le sujet de leur différend. Néanmoins, Viktor avait réellement flanqué à l'autre type, plus grand que lui, un coup de tête suffisamment violent pour l'envoyer au tapis. Moi-même, je n'aurais pas fait mieux.

« J'avais de l'affection pour João, dit Viktor. Nous n'étions pas toujours du même avis, comme vous le savez, mais on ne s'ennuyait jamais avec lui. Cet homme va beaucoup me manquer. João était quelqu'un de réellement exceptionnel. Unique même, d'après mon expérience. Et un grand manager. Nous avons obtenu un bon résultat aujourd'hui ; il en aurait été fier. Aujourd'hui en particulier, je suis content qu'on ait gagné. »

Le majordome revint avec le verre d'eau, que je bus presque d'une traite. Viktor me demanda si j'en voulais un autre. Je secouai la tête, jetai un coup d'œil à l'énorme pénis au-dessus de moi et me dis que je savais où me resservir en cas de besoin. Après deux doubles cognacs, je me sentais juste un peu grossier.

Nous continuâmes à parler un peu de Zarco, des projets que Viktor et lui avaient pour London City et de quelques-unes des déclarations les plus tranchées, sinon les plus outrancières, proférées par le Portugais, ce qui nous fit bientôt éclater de rire.

« Rappelez-moi, dit Viktor, ce qu'il a sorti au type de Sky Sports quand le président de la FA a annulé publiquement sa participation à la commission dédiée à l'équipe d'Angleterre ? »

Je souris.

« Il a appelé la commission un "forum de pugilat" ; bien sûr, il voulait dire un "forum de débat". En tout cas, c'est ce que tout le monde a pensé. Mais ce n'était pas un lapsus. Il savait très bien ce qu'il disait. Même avant que Jeff Stelling ne le corrige.

— Vous croyez ?

— J'en suis certain. Quelquefois il faisait comme si son anglais n'était pas aussi bon qu'il l'était en réalité.

— C'est vrai, dit Viktor. Un truc utile. Je m'en sers moi-même de temps en temps.

— De toute façon, cette commission pourrait aussi bien être un forum de pugilat, pour ce que ça apportera au football anglais. Nous étions quelques-uns à penser que c'était en fait le boulot de la FA de se pencher sur la baisse du nombre d'Anglais jouant en Premier League. On imagine mal à quoi d'autre ces gros lards pourraient servir. Aucun des abrutis siégeant au conseil d'administration de la FA n'a jamais joué comme professionnel, ce qui en dit suffisamment long. Très franchement, ces connards imbus de leur personne n'ont jamais rien fait pour aider le sport anglais depuis qu'ils ont fixé les règles du jeu à la Freemason's Tavern en 1863. Et il n'y a pas besoin de créer une commission pour l'équipe d'Angleterre pour savoir que le plus gros problème du football anglais, c'est la Fédération de football elle-même. La FA par nom et par nature, pas vrai ? »

Viktor sourit.

« Il me semble que vous pouvez avoir des avis extrêmement tranchés, vous aussi, Scott. »

Je hochai la tête.

« Désolé, Viktor. Je commence à divaguer. Je suis plutôt chaviré. Éméché aussi. J'ai pris deux doubles cognacs à

Silvertown Dock. Les alcools forts me rendent toujours un peu agressif. Ça doit être l'Écossais qui sommeille en moi.

— À cet égard du moins, vous êtes comme les Ukrainiens ou les Russes, dit Viktor. Mais vous n'avez pas besoin de vous excuser. J'aime les hommes aux opinions fermes. Surtout quand il se trouve qu'elles correspondent aux miennes. Ce n'est pas une condition préalable pour être le manager de London City, contrairement à ce que pourrait laisser croire la presse. Certes, nous avions nos différends, Zarco et moi. Mais il y a un point sur lequel nous avons toujours été d'accord, c'est que, si jamais on se brouillait de nouveau, vous étiez le meilleur candidat pour le remplacer comme manager.

— C'est très gentil à vous, Viktor. Et à lui.

— Les joueurs vous respectent, et Phil Hobday a une très haute opinion de vous, comme c'était le cas de Zarco. Vous êtes parfaitement compétent ; vous possédez un diplôme universitaire, votre brevet d'entraîneur ; vous êtes donc le candidat le plus évident. J'aurais préféré ne pas avoir à faire tout ça ce soir. Mais demain je m'envole pour Moscou et je ne serai pas de retour avant plusieurs jours. Nous avons acheté un joueur. Au Dynamo Saint-Pétersbourg.

— Je ne savais pas qu'on cherchait quelqu'un.

— Ce n'est pas n'importe qui.

— Vous n'avez quand même pas acheté le diable rouge ? »

Viktor opina, et je restai bouche bée. Bekim Develi était considéré comme le meilleur milieu de terrain d'Europe. Russe né en Turquie, il avait joué au PSG jusqu'à ce que les 75 % d'impôts français lui fassent regagner sa ville d'adoption, Saint-Pétersbourg. Viktor avait toujours eu très envie de faire venir Develi à London City – c'étaient de vieux amis, du reste. Mais Zarco avait repoussé cette idée – ce n'est pas les milieux de terrain qui manquaient – et pour autant que je sache, Viktor avait été obligé d'accepter la décision de son manager fraîchement rétabli dans ses fonctions.

« Merde alors.

— Oui. Je vais conclure le marché cette semaine. Le Dynamo me doit de l'argent. Pas mal d'argent en l'occurrence, de sorte qu'au lieu de prendre en liquide ce qu'ils me doivent, je prends Develi. Mais je voulais vous parler en privé avant de partir. Pour parvenir à un accord. D'homme à homme. »

Je hochai la tête.

« Je vous offre la place de manager de London City – au moins jusqu'à la fin de la saison. Voyons comment on va s'entendre. Vous nous maintenez en Premier League, et ça fera une bonne raison pour vous garder à plein temps. Une Coupe d'Angleterre et une qualification pour la Ligue des Champions ne seraient pas négligeables non plus.

— Je l'espère bien », dis-je.

Viktor marqua un arrêt et alluma un cigare ; pas un cigare de luxe style Cohiba, juste un petit Villiger comme on pouvait en trouver dans tous les bureaux de tabac.

« Mais pour être tout à fait honnête avec vous, rien de tout cela n'a vraiment d'importance pour moi.

— Non ? »

Viktor secoua la tête.

« Non.

— Eh bien, pour quelqu'un qui est propriétaire d'un club de football de Premier League, vous êtes un homme hors du commun.

— Hier, je vous aurais peut-être dit autre chose. Mais aujourd'hui, je vous le dis franchement, Scott : je n'ai rien à foutre des coupes et des titres. Il y a quelque chose en jeu ici de beaucoup plus important pour moi.

— Je regrette de vous contredire, Viktor, mais, pour moi, il n'y a rien de plus important.

— Je tiens à ce que les gens qui travaillent pour moi soient passionnés par ce qu'ils font, bien sûr. Et c'est bien évidemment la raison pour laquelle je vous propose le poste. Mais à certaines conditions. Ce sont ces conditions que j'essaie de vous expliquer ici. Voyez-vous, la chose qui m'importe réellement – bien plus que le football –, c'est ma tranquillité. Rien n'est plus important pour moi.

« Je ne donne jamais d'interviews. J'évite la lumière comme un vampire. Tout le monde pense que la vitre derrière laquelle j'assiste aux matchs à Silverton Dock est blindée. C'est faux ; elle neutralise les objectifs de caméras. Il figure en outre dans le contrat de London City avec Sky qu'ils ne font pas de prises de vue de mon siège. Je ne vais pas beaucoup à des premières de films ni à des soirées. Mais il n'est pas toujours facile de se tenir à l'écart des regards du public. En particulier avec les médias de ce pays. Et aussi avec votre police. Vous plus que quiconque avez appris à vos dépens à quel point les médias et la police entretiennent des rapports désagréablement étroits. Si les flics veulent arrêter un individu à 6 heures du matin, ils préviennent les journaux. Mais il ne s'agit pas d'un service public. Quelqu'un dans la police est payé pour les tuyaux. Et pas uniquement pour ça. »

J'acquiesçai.

« Où voulez-vous en venir, Viktor ?

— Nous avons un dicton dans mon pays : si tu envoies un homme abattre un renard, ne t'étonne pas qu'il touche un lapin. Dans une enquête pour meurtre, la police peut aller où elle veut et regarder tout ce qu'elle veut. Enfin, presque tout. Par conséquent, la police ne va pas se contenter de chercher l'assassin de Zarco. Elle va utiliser ce meurtre pour aller à la pêche et fourrer son nez dans toutes mes affaires. Et partager les informations qu'elle aura obtenues sur moi avec les médias. L'administration fiscale et douanière de sa Majesté.

La direction des services financiers. Les services de la sécurité – le MI5 et le MI6.

— Avec tout le respect que je vous dois, monsieur, ce pays est quand même un peu différent du vôtre. Je sais que notre police peut se comporter de façon scandaleuse. Mais ce que vous insinuez...

— ... s'est déjà produit, Scott. Je suis navré de vous décevoir, mais voyez-vous, au nom de la sécurité nationale, ce pays ressemble beaucoup plus à la Russie et à l'Ukraine que vous ne pouvez l'imaginer. J'ai mes sources au sein du gouvernement britannique qui me tiennent au courant des choses qui seraient susceptibles de m'affecter. Ces informations me coûtent beaucoup d'argent et viennent de gens haut placés, aussi sont-elles fiables, croyez-moi. Le patron de votre inspecteur chef est un dénommé Clive Talbot, commandant de police, officier de l'ordre de l'Empire britannique, et au moment où je vous parle, il se trouve en réunion avec un certain nombre de types louches du ministère de l'Intérieur.

— Je vois. Alors plus vite le meurtre de Zarco sera résolu et mieux cela vaudra.

— Exactement.

— Je comprends. » Je fronçai les sourcils. « En fait, non, je ne comprends pas. Vous voulez que l'assassinat de Zarco soit réglé au plus vite. Cela sous-entend que nous devrions coopérer avec la police. Je veux dire, sans notre aide, de quelle manière trouvera-t-elle le meurtrier ? Je ne vois pas comment on pourrait la laisser chasser notre gibier autrement. Si je peux reprendre votre métaphore, à coup sûr le risque pour notre lapin est le prix qu'il nous faut payer pour abattre le renard.

— Alors je vais être clair. J'aimerais que ce soit vous, Scott, qui traquiez notre renard.

— Moi ? »

Victor opina.

« Vous voulez que je joue les détectives ?

— Je me flatte de bien connaître les gens qui travaillent pour moi et je pense que vous souhaitez vous aussi que cette affaire soit traitée le plus discrètement possible, par loyauté pour ce club et pour Zarco. Ai-je raison ? »

Je songeai aux deux téléphones portables que j'avais sortis de Silvertown Dock et qui se trouvaient à cet instant dans mon sac, à mes pieds. J'étais censé les remettre à Viktor Sokolnikov, comme il me l'avait clairement laissé entendre.

« Oui, tout à fait.

— Nous savons tous les deux que Zarco a fait quelques coups pas très orthodoxes durant son mandat de manager à London City. Cela ne nous aiderait certainement ni lui ni moi si ce genre de choses était dévoilé dans les médias.

— Je suis bien de cet avis.

— Vous n'avez pas peur de la police, Scott. Ce qui fait de vous un oiseau rare. L'homme idéal pour mener sa propre barque dans cette enquête. Au risque de provoquer leur mécontentement collectif. Vous saisissez ?

— Oui, je pense.

— De plus, j'ai l'impression que ça ne vous déplairait pas d'embarrasser un peu la police. Ai-je raison ?

— Bien sûr. Mais écoutez, Viktor, je ne suis pas policier.

— En Ukraine, nous disons qu'un policier n'est qu'un voleur dépourvu de manières. Franchement, Scott, avez-vous jamais rencontré un policier que vous estimiez qualifié pour ce travail ? Non, naturellement. Les automobilistes sont les seuls délinquants dans ce pays à être régulièrement appréhendés et poursuivis en justice. Et pourquoi ? Parce qu'ils ont des plaques d'immatriculation. La police arrêtera un type pour avoir mis un message raciste sur Twitter, ou un responsable des services de santé pour avoir commis une bourde, mais essayez de lui demander d'attraper un cambrioleur, elle

178

ne saura même pas par où commencer. Nous vivons dans un pays où il est plus facile de commander des sushis que d'appeler la police.

— Il est vrai que je n'aime pas beaucoup les flics et que je ne leur fais pas confiance. Mais ils ont leurs méthodes. Techniques d'investigation, rapports médico-légaux, indicateurs.

— J'ai plusieurs raisons de penser que vous pourriez attraper l'assassin de Zarco plus rapidement que la police, Scott. Vous êtes intelligent, cultivé, vous parlez plusieurs langues, vous êtes débrouillard, vous connaissiez Zarco mieux que quiconque, vous n'ignorez rien de ce qui se passe à Silvertown Dock et à Hangman's Wood et vous êtes chez vous dans le monde du football. Cette femme du Yard – Jane Byrne, l'inspecteur chef –, le temps que cela prendrait rien que pour la mettre au courant de ce que vous savez, je suis sûr que l'affaire pourrait déjà être résolue. »

Je hochai la tête.

« Possible.

— Les rapports médico-légaux ? Je vous les procurerai. Croyez-moi, News International n'est pas le seul à pouvoir payer la police pour se procurer des informations. Je vous garantis que je vous aurai une copie du rapport du pathologiste avant même que cette fliquesse sache qu'il est terminé. En ce qui concerne les indicateurs – eh bien, vous connaissez les mêmes que la police. Des individus ayant purgé une peine de prison. Notre propre coordinateur, Maurice McShane, est justement un individu de ce genre. Non ? Peut-être pourrait-on obtenir également des informations de ce côté-là. Celui du monde du crime.

— Il se pourrait que vous ayez raison, Viktor. De fait, Maurice a déjà laissé entendre que la mort de Zarco était un accident. Un passage à tabac qui serait allé trop loin. »

Je lui expliquai ce que Maurice m'avait dit dans la voiture.

Viktor hocha la tête.

« Vous savez, j'ai moi-même un peu d'expérience dans ce domaine. En Ukraine, pendant les derniers jours du communisme et le début de la nouvelle république, il n'existait plus ni droit des entreprises, ni droit contractuel, ni même de droit commercial, alors on agissait par nous-mêmes. Pas la mafia, juste des hommes d'affaires. Pour être franc, Scott, il arrivait que les choses aillent un peu trop loin là-bas aussi, vous savez. Alors ça ne m'étonnerait pas que Maurice ait raison. »

J'opinai.

« Je suis ravi que vous soyez d'accord, dit Viktor. Mais avant que vous acceptiez, laissez-moi vous dire qu'en plus du reste, vous aurez deux motivations très importantes pour dénicher l'assassin de Zarco, que n'auront pas l'inspecteur chef Jane Byrne et la police.

— À savoir ?

— D'abord, le poste de manager. Vous trouvez qui a tué Zarco, et vite – vous nous débarrassez de la police une fois pour toutes –, et le job de manager de London City est à vous, de façon définitive. Un contrat de cinq ans. Au même salaire que Zarco. Mêmes primes. Tout sera identique.

— C'est très généreux de votre part, Viktor. Et l'autre motivation ?

— Je sais que vous aimez les tableaux, Scott. » Il leva les yeux vers la peinture de l'homme nu. « Ce portrait vous plaît ?

— Je n'avais pas vraiment remarqué le visage.

— Ma femme, Elizabeth, ne l'aime pas. Elle est anglaise, comme vous le savez, et elle n'est pas ce qu'on peut appeler à l'aise avec le corps humain. Quand je l'ai vue pour la première fois, elle portait un maillot de bain dans le *banya*. »

Un *banya* désignait un sauna en russe.

« Quoi qu'il en soit, j'ai payé ce tableau dix millions de dollars en 2008. Il en vaut deux fois plus maintenant que Freud est mort. Peut-être même davantage. » Viktor se leva. « Venez avec moi. Il y a un autre portrait que je veux vous montrer. »

Nous traversâmes la maison pour entrer dans son cabinet de travail où, au-dessus d'un bureau d'une taille hitlérienne, était accroché un grand portrait, extrêmement saisissant, de João Zarco. J'avais lu un article sur ce portrait dans l'*Evening Standard* de Londres, au moment où il avait été commandé. C'était l'œuvre de Jonathan Yeo, un des jeunes artistes les plus vendus en Grande-Bretagne.

« Ça vous plaît ? demanda-t-il.

— Beaucoup. Je ne savais pas qu'il vous appartenait, Viktor.

— Un cadeau de João. Son idée d'une blague, je suppose, de m'offrir un portrait de lui. Mais il est très bien fait, vous ne trouvez pas ? C'est sa photo prise par Mario Testino – oui, la même photo – qui lui avait donné l'idée de commander un portrait à un peintre. »

Je hochai la tête.

« Je ne dirais pas qu'il lui ressemble beaucoup. C'est évident. Mais il a quelque chose de très vivant. J'aime bien le peu d'importance accordée aux vêtements – la façon dont ils s'effacent. Il semble ainsi davantage lui-même. Il ne sourit pas, mais ses yeux pétillent, comme s'il était encore sur le point de se fendre d'une remarque qui va lui attirer des ennuis.

— Vous ne savez pas à quel point vous avez raison, Scott. Lorsque Jonathas Yeo lui a montré le portrait, Zarco a dit qu'il ne l'aimait pas. Qu'il lui donnait l'air trop vieux et trop renfrogné. Voilà pourquoi il m'en a fait cadeau. Mais moi, je le trouve excellent. Je pense que, dans quelques années, une peinture de Jonathan Yeo sera aussi recherchée qu'un Lucian Freud. Eh bien, je veux que ce soit vous qui l'ayez, Scott. C'est l'autre motivation dont je vous ai parlé.

— Vous plaisantez. Vraiment ? »

Viktor enleva le portrait du mur ; il était lourd parce qu'il était sous verre, aussi je lui donnai un coup de main.

« Je suis parfaitement sérieux, Scott. Ce tableau est à vous, prenez-le et emportez-le chez vous ce soir. Je veux que vous l'ayez, afin que, chaque fois que vous le regarderez, vous entendiez João vous dire ceci : "Trouve la personne qui m'a tué et pourquoi, Scott. Trouve mon assassin. Je n'ai pas mérité ce qui m'est arrivé aujourd'hui. En aucune façon. Alors, prends toi-même cette partie en main et ne la laisse pas à d'autres, aux flics. S'il te plaît, Scott, pour moi et pour ma femme Toyah, tu dois découvrir qui m'a tué, d'accord ? La prochaine fois que tu me regarderas dans les yeux, je veux savoir que tu fais tout ton possible pour l'attraper. Sincèrement, je n'aurai pas la paix jusqu'à ce que tu aies fait ça pour moi." »

Viktor avait toujours été capable de faire une magnifique imitation de la voix sèche et monotone de Zarco et, pendant un instant, on aurait dit qu'il s'agissait de bien plus que d'une simple imitation.

« Voilà ce qu'il a l'air de dire, continua Viktor. Vous n'avez pas cette impression ? »

Je contemplai le tableau, appuyé à présent contre le bureau de Viktor. L'homme représenté me regardait droit dans les yeux, comme s'il m'adressait la même demande que Viktor.

« Si. »

Ce n'était pas tout à fait le fantôme du père d'Hamlet, mais je dois reconnaître une chose à Viktor Sokolnikov : il savait toujours comment obtenir ce qu'il voulait.

19

La Rolls-Royce de Viktor me ramena à Chelsea, avec la peinture. À vrai dire, sans celle-ci, j'aurais marché jusqu'à Kensington High Street pour prendre un taxi. Enfant, j'avais toujours rêvé de posséder une Rolls-Royce, mais à présent, je me sentais extrêmement gêné chaque fois que je me trouvais dans ce genre de voiture. Je détestais les regards qu'on me lançait quand elle s'arrêtait aux feux rouges. On pouvait deviner ce qui venait à l'esprit des Londoniens qui jetaient un coup d'œil à l'intérieur – même à Kensington et à Chelsea. *Salaud de friqué ! Pourriture !* Et qui pouvait leur en vouloir de penser ça de quelqu'un d'assez insensible pour se balader à l'arrière d'une bagnole coûtant dix fois le montant du salaire moyen à Londres ? Du reste, elle n'était même pas tellement confortable. Les sièges étaient trop durs. Et comme si ça ne suffisait pas, je ne m'attendais certainement pas à voir une armée de journalistes et de caméras de télévision devant chez moi, de sorte que je fus doublement embarrassé de descendre d'une Rolls, surtout avec un portrait de João Zarco sous le bras. Pour me frayer un chemin jusqu'à ma porte d'entrée, je n'eus pas d'autre choix que de me mordre la langue et de parler à tous ceux qui étaient massés sur les marches et le trottoir. C'était probablement une chance que les effets du cognac se soient légèrement dissipés.

« João Gonzales Zarco était sans l'ombre d'un doute le meilleur manager de football de sa génération, déclarai-je avec circonspection. Et l'un des hommes les plus remarquables que j'aie jamais rencontrés. J'ai eu le privilège de pouvoir le considérer comme un ami et un collègue, et le football tout entier a subi une perte immense avec sa mort prématurée. Il était généreux, un vrai gentleman, un homme formidable, et il ne cessera de me manquer. J'aimerais adresser mes condoléances à son épouse et aux membres de sa famille, et remercier tous les supporters qui lui ont déjà rendu hommage. Et je vais faire la même chose. Comme vous voyez, ceci est un portrait de Zarco par Jonathan Yeo, et je vais l'accrocher chez moi de ce pas. Merci. C'est tout ce que j'ai à dire pour le moment. »

Bien sûr, tous les journalistes voulaient savoir comment Zarco était mort, et si j'allais lui succéder comme manager de London City, mais il me parut plus prudent d'éviter de répondre aux innombrables variantes de ces deux questions ; malgré ça, il me fallut plusieurs minutes supplémentaires et l'aide du portier pour arriver à franchir sain et sauf la porte d'entrée avec le tableau.

Une fois enfin dans mon appartement, je me souvins que Sonja était à un congrès à Paris et, avant de faire quoi que ce soit, je l'appelai, histoire de retrouver mes repères. Entendre simplement sa voix était la meilleure des thérapies, et on comprenait aisément pourquoi elle était si bonne dans son boulot – même si je ne peux pas m'empêcher de me demander pourquoi il faudrait une psychiatre pour se persuader de ne pas manger un autre beignet.

Puis j'appelai mon père, qui était bouleversé par la nouvelle, comme on pouvait s'y attendre ; Zarco et lui avaient passé de nombreuses vacances à jouer au golf en Algarve au Portugal, où tous les deux avaient encore une maison.

Après lui avoir parlé, j'entrepris d'accrocher le portrait de Zarco dans mon propre bureau, où je garde tous mes souvenirs de football, dont une médaille de vingt-deux carats de vainqueur de la Coupe d'Angleterre datant de 1888 – remportée par West Bromwich Albion, au cas où vous vous poseriez la question – et le maillot que portait George Best lorsqu'il avait marqué six buts contre Northampton Town au quatrième tour de la Cup en février 1970. Quand le tableau fut installé sur le mur comme je le souhaitais, je m'assis et l'observai un instant ; je n'arrêtais pas d'entendre l'imitation de Zarco faite par Viktor. Eh bien, ça, c'est de la psychologie.

J'appelai Maurice chez lui.

« Tu avais raison. Sokolnikov m'a offert le poste de manager.

— Bravo ! Tu le mérites, fiston.

— Mais seulement comme intérimaire. Jusqu'à ce que je foire.

— Alors pas de stress.

— Tout ceci me semble un peu prématuré. Je veux dire, Zarco n'est même pas encore enterré.

— D'un autre côté, fit valoir Maurice, nous avons le match retour de Coupe de la Ligue contre West Ham à domicile, mardi soir.

— Que nous sommes censés jouer, je présume. À moins que la FA ne dise que nous pouvons le reporter en signe de respect.

— Battre ces enfoirés à plate couture. C'est le seul genre de respect que Zarco aurait souhaité de la part de London City. D'ailleurs, c'est télévisé, tu peux donc laisser tomber.

« — Je suppose que tu as raison. Écoute, tu as dit quelque chose cet après-midi, quand on fouillait Silvertown Dock. Que Sean Barry avait découvert que Claire baisait avec Zarco.

— Exact.

— Comment le sais-tu ?

— C'est Sarah Crompton qui me l'a raconté.

— Et comment le savait-elle ?

— Elle et Claire sont très copines.

— Alors pourquoi est-ce que Sarah te l'a raconté ?

— Parce que… disons que je suis ami avec Sarah. Ça te suffit comme explication ?

— Serais-je le seul mec à Silvertown Dock à ne pas m'être envoyé en l'air avec une des gonzesses qui y bossent ?

— Non. Il y a toi et aussi l'Allemand, Christoph Bündchen.

— Pourquoi lui ? demandai-je innocemment.

— Certains gars pensent qu'il ne s'intéresse pas tant que ça aux filles.

— Certains gars sont un peu excités pour tirer des conclusions aussi hâtives.

— Peut-être. Mais il a eu une érection sous la douche l'autre jour. Eh bien, c'est ce que j'appelle être sacrément excité.

— C'est également Sarah qui te l'a raconté ?

— Non. C'est Kwame. Ce n'est pas le genre de chose qui passe inaperçu, tu ne crois pas ?

— Je ne sais pas. Je ne l'ai pas vue. Son érection, je veux dire.

— Sacrément énorme, d'après Kwame. Et il doit le savoir.

— Vraiment ? » Changeant de sujet, je déclarai : « Sean Barry. Il est un peu excité lui aussi, pas vrai ?

— Ouais. Très.

— Alors c'est peut-être lui qui a tué Zarco. Mari jaloux et tout le reste. »

Maurice réfléchit une seconde.

« Ce n'est pas exclu, ouais. D'un autre côté, je l'ai vu juste après le match, et il paraissait OK. Vachement content du résultat, et en tout cas, il n'avait pas l'air d'avoir tabassé quelqu'un. Ou d'avoir demandé à quelqu'un d'autre de le faire non plus. Ce que je veux dire, c'est qu'il n'avait pas une tête de coupable. Mais on ne sait jamais avec un type comme Sean.

— Tu as dit aussi qu'il y avait quelques sales gueules sur le terrain quand tu faisais ton numéro de *Où est Charlie ?* cet après-midi. De beaux salopards, c'est ainsi que tu les as qualifiés, me semble-t-il. À qui faisais-tu allusion au juste ?

— J'ai dit ça ? Laisse-moi réfléchir. Il y avait Denis Kampfner – il n'était pas content du tout que Zarco ait demandé à Paolo Gentile d'être l'agent du transfert de Kenny Traynor. Il est passé à côté d'une commission d'un montant d'un million de livres. Salement furax, voilà ce qu'il était. Et puis il y avait Ronan Reilly. Tu te souviens de la prise de bec qu'il a eue avec Zarco lors du BBC Sports Personality of The Year.

— Bien sûr que je m'en souviens. C'est la seule chose intéressante qui se soit passée de toute la soirée. Ces émissions sont à mourir d'ennui.

— C'est une véritable castagne qu'ils ont eue ce soir-là, tu sais. Connaissant les deux zigotos, ça ne m'étonnerait pas qu'ils aient remis ça.

— Exact. Ils ne peuvent pas se saquer.

— Il y avait également cet arbitre que Zarco a engueulé, Lionel Sharp.

— J'espère que tu ne l'as pas vu, Maurice, sinon je commencerais à m'inquiéter à ton sujet. Il est mort.

187

— Non, mais son fils était au match aujourd'hui. Jimmy, qu'il s'appelle, je crois. Il est dans la Royal Navy. Les Marines, me semble-t-il. Qui d'autre ? Ah ouais. Quelques Qataris. Moins "Où est Charlie ?" que "Où est Ali ?". Des types douteux, si tu veux mon avis. Liés au pouvoir en place au Qatar, où le nom de Zarco est un blasphème. Ils ont une des loges VIP. Maintenant que j'y pense, ils doivent même en avoir trois ou quatre. J'ai entendu dire qu'ils aiment bien un peu de coke à la mi-temps, et elle ne sort pas d'une canette. De la coke, des Lamborghini et assez de fric pour te coller un mors en céramique dans la bouche.

— Bon Dieu, Maurice, tu as là plus de suspects potentiels qu'il n'y en avait dans l'Orient-Express.

— Sans compter Semion Mikhailov.

— Qui est-ce ?

— Un rival ukrainien de Viktor en affaires, apparemment. Une armoire à glace. Avec une tête comme une balle de bowling.

— Qu'est-ce que tu sais à son sujet ?

— Seulement que les gens ont peur de lui. Un des agents de sécurité qui s'occupent de la Mobicam – un Russe nommé Oleg – l'a repéré dans la foule. Oleg a dit qu'il était surpris que le ministère de l'Intérieur laisse entrer dans le pays quelqu'un comme ça. Un gros bonnet de la mafia, selon toute vraisemblance.

— Je me demande si Viktor sait qu'il était là.

— Il n'y a pas beaucoup de choses que Viktor ne sache pas.

— On dirait que nous n'avons que l'embarras du choix. » Je ris. « Est-ce qu'on a oublié quelqu'un ? Al-Qaida ? Lee Harvey Oswald ? Putain de merde !

— C'est un drôle de monde, fit remarquer Maurice.

— Écoute, Maurice, Viktor veut que je joue les Sherlock Holmes et que je voie si je ne peux pas trouver le coupable avant les flics. Pour lui éviter des histoires.

— Logique. Quand on a autant de pognon, on a aussi beaucoup à cacher.

— Il pense que le ministère de l'Intérieur est après lui ; et aussi que je déteste suffisamment la police pour avoir le cran de lui dire d'aller se faire foutre.

— Je n'ai pas souvenir que Sherlock Holmes ait dit ça à l'inspecteur Lestrade. Mais bon. J'imagine que ça fait de moi le docteur Watson, c'est ça ?

— Si tu veux. Bien, dresse-moi une liste de suspects possibles. Ou de personnes ayant une dent contre Zarco et qui se trouvaient à Silvertown Dock. Ou de voyous tout bonnement. Et commence à tendre l'oreille. Mais que ça reste entre nous. Pas de flicaille pour le moment, hein ?

— Je n'aime pas plus parler aux poulets que toi, patron. Surtout après ce soir. Cette bonne femme du Yard a vraiment essayé de t'aligner, pas vrai ?

— Je fais cet effet aux femmes, dis-je. Et pendant que tu y es, vérifie le contingent de billets alloué à Zarco. Qui étaient ses invités cet après-midi, s'il en avait. D'habitude, il ne s'agit que de sa famille, mais on ne sait jamais.

— Tu as raison, patron. »

Je passai encore une heure sous le regard attentif de Zarco à éplucher les messages et les appels sur ses téléphones portables.

Son « bagatelle » affichait une série de SMS à et de Claire Barry. Les plus anciens étaient pour la plupart terriblement obscènes. Ce qu'on appelle des sextos, si je ne me trompe. À plusieurs reprises, je levai les yeux vers son portrait et hochai la tête.

« Vieux dégueulasse. Quelle idée tu as eue ? Et si Toyah les avait trouvés ? »

Mais le ton de leurs échanges changeait subitement après que Claire eut révélé à Zarco que son mari avait découvert ses relations avec le manager de London City. La réputation de Sean l'avait précédé, et les SMS de Zarco devenaient tout à coup rigides et formels. Il annonçait à Claire sa décision de rompre, et il était évident, d'après les réponses de l'acupunctrice, que la fin de cette liaison l'avait beaucoup peinée – et lui aussi. Apparemment, ils étaient amoureux l'un de l'autre, quoique Zarco – catholique fervent – n'ait pas caché qu'il ne quitterait jamais Toyah. Je ne pouvais pas lui reprocher d'avoir eu le béguin pour Claire, c'était une jolie fille. J'envoyai à Toyah un message de condoléances – depuis mon propre portable – en lui disant que je passerais la voir dans la matinée si ça lui convenait.

En attendant, je notai le numéro de Claire et décidai d'essayer de lui parler de ce qui s'était passé la prochaine fois que je la verrais seule à Hangman's Wood.

La batterie du téléphone « autre chose » était à plat, et je n'avais pas le bon chargeur, je le mis donc dans mon tiroir de bureau ; de surcroît, j'avais à présent une tâche importante à accomplir en tant que nouveau manager de London City. J'appelai Phil Hobday pour lui dire ce qu'il savait déjà ; puis Ken Okri, le capitaine de l'équipe, pour l'informer que j'avais été nommé manager par intérim ; ensuite notre premier entraîneur d'équipe, Simon Page, et lui demandai s'il accepterait de prendre ma succession comme assistant manager et, ayant obtenu son accord, d'assurer l'entraînement le lundi matin.

« Est-ce que la police parle de ce qui est arrivé à Zarco ? Parce que le bruit court sur Twitter qu'il a été battu à mort. »

Simon était de Doncaster, et quand il parlait, il me faisait penser à Mick McCarthy.

190

« Ça semble être la théorie sur laquelle elle travaille.

— Tout le monde ne pouvait pas l'aimer comme toi et moi, Scott.

— C'était sa façon de faire, répondis-je. Il ne pensait pas la moitié de ce qu'il disait. Il s'amusait à lancer des piques. À jouer au plus fin.

— Dans n'importe quel autre métier, ce serait OK, mais pas le foot, fit valoir Simon. Pour beaucoup de gens, si tu fais des remarques pareilles, ils ne les oublient pas. Ils ne les oublient pas et ils en arrivent à te haïr. Les commentaires que j'ai vus sur Twitter sont loin d'être tous élogieux. "Grande Gueule a eu ce qu'il méritait", ce genre de trucs. Alors je suis content que tu aies fait ce discours sur lui à Hangman's Wood ce soir. Je viens de le revoir sur YouTube. En fait, je l'ai vu plusieurs fois. Tu as dit des choses justes, et ça compense pas mal de ces commentaires négatifs, tu sais ? Tout le monde l'a apprécié. J'espère seulement que je serai un aussi bon assistant que toi.

— Merci, Simon. Tu le seras. J'en suis sûr. »

Quand on eut fini de parler de l'équipe et de notre prochain match, j'allumai mon Mac et me regardai sur YouTube, comme le fait tout un chacun. En réalité, je voulais voir si j'étais à la hauteur de l'homme dont j'avais pris le relais et qui avait toujours été un maître en matière de motivation. Franchement, j'avais des doutes là-dessus.

Quelqu'un derrière moi avait enregistré le discours avec son iPhone – je ne savais pas qui et ça n'avait pas vraiment d'importance –, mais il avait également filmé les réactions de quelques joueurs, et quand je jetai un coup d'œil, ce fut un plan avec Ayrton Taylor qui attira mon attention. Taylor était le joueur que Zarco avait humilié devant tout le monde à la séance d'entraînement avant le match contre Leeds et qui avait été mis par la suite sur la liste des transferts. Il se trouvait juste derrière Ken Okri et, dans un premier temps, sans que je sache pourquoi, je fus frappé par quelque chose d'étrange chez lui. Et tout à coup, je compris ce que c'était ; au moment précis où il touchait ses cheveux avec sa main gauche, je vis que sa main était bandée.

Un bon entraîneur sait tout sur les blessures de ses joueurs – surtout ceux qui sont à vendre, car la première chose qui se passe avant qu'un transfert puisse être finalisé, c'est que le joueur subit un examen médical dans son nouveau club, et il me paraissait curieux que la main blessée de Taylor ait pu échapper jusque-là à mon attention, d'autant plus qu'il était gaucher.

J'aurais pu appeler Nick Scott, le médecin de l'équipe, et lui poser la question au sujet de la main de Taylor, mais il était déjà très tard, et je ne voulais pas le déranger chez lui si jamais je me trompais.

Aussi j'allumai la télévision et je sélectionnai la chaîne de sport de London City sur la Sky box. Accélérant sur l'hommage rendu à Zarco, je finis par trouver ce que je cherchais : la séquence des deux équipes entrant à Silvertown Dock quelques heures avant le match. Je me vis – ridicule dans mon affreux survêtement orange – en train d'accompagner les joueurs le long du tunnel en direction des vestiaires, Ken Okri plaisantant avec Christoph Bündchen, Xavier Pepe et Juan-Luis Dominguin, le visage caché par leur casque, et enfin Ayrton Taylor en tenue de ville.

J'appuyai sur « Pause » et, avec la télécommande de Sky, fis avancer la vidéo image par image jusqu'à ce que j'aie exactement celle que je voulais. Un plan de la main gauche d'Ayrton Taylor. On le voyait distinctement regardant l'énorme montre Hublot à son poignet – la même que Viktor m'avait offerte pour Noël.

La main de Taylor n'avait pas de bandage. La blessure qu'il s'était faite avait dû se produire entre l'arrivée de l'équipe à Silvertown Dock et mon discours à Hangman's Wood, autrement dit le laps de temps pendant lequel João Zarco avait probablement été battu à mort.

20

La domicile de João et Toyah Zarco à Warwick Square se trouvait à dix minutes en voiture de mon appartement de Chelsea. Pimlico est un quartier tranquille le dimanche à 7 heures du matin et, tout en conduisant la BMW de Sonja le long du quai, j'espérais arriver assez tôt pour ne pas rencontrer les journalistes et les photographes qui, selon le SMS de Toyah, avaient campé devant sa porte jusqu'à l'aube. Ce en quoi je me trompais. Ils étaient là au grand complet, à croire qu'ils y avaient passé la nuit. Jurant à voix basse, je tournai plusieurs fois autour des jardins communautaires avant de laisser la voiture de l'autre côté du square, devant la grande maison que les Zarco faisaient transformer, et qui était couverte d'échafaudages dissimulés derrière une peinture murale visant à lui donner l'aspect de la maison d'à côté et censée être « anti-bruit ». Installée par les entrepreneurs pour éviter les plaintes du voisinage, elle ne semblait pas très efficace ; bien qu'on soit dimanche, j'entendais déjà le bruit des perçeuses. J'envoyai un SMS pour prévenir Toyah que j'arrivais

194

et fis le tour à pied jusqu'à l'élégante maison blanche de six étages en stuc blanc que les Zarco avaient louée pendant que la Lambton Construction Company s'efforçait de mener à bien dans le temps imparti les nombreuses modifications.

À la dernière minute, la mêlée de journalistes, hommes et femmes, me reconnut et, désireux d'obtenir à tout prix ne serait-ce qu'un mot dont ils pourraient se servir, ils m'entourèrent comme une meute d'épagneuls, tandis qu'un policier m'aidait à monter les marches, où la porte d'entrée s'ouvrait déjà.

« Scott ! Scott ! Par ici, Scott !

— Navré pour M. Zarco, monsieur, dit le policier. C'est une grande perte pour le football. Je suis moi-même un fan de London City.

— Merci », répondis-je, avant de pénétrer rapidement dans le hall.

Les journaux du dimanche, non lus, jonchaient le sol carrelé noir et blanc, ce qui était probablement la place qui leur convenait. Ils étaient remplis d'articles sur le meurtre de Zarco, la plupart reproduisant une liste de quelques-unes de ses déclarations, comme pour suggérer que c'était la raison pour laquelle on l'avait assassiné : il parlait trop. Et en mon for intérieur, je pensais qu'ils n'avaient pas tout à fait tort.

Une blonde grande et mince portant des lunettes à monture noire referma la porte derrière moi et poussa un long soupir.

« Bonjour, Toyah. Comment est-ce que tu t'en sors ?

— Pas très bien. Ce serait déjà assez épouvantable sans tout ça en plus. » Elle fit un signe de la tête vers la porte. « Je me sens comme une prisonnière chez moi. Ils sont restés là toute la nuit… Je les entendais bavarder, comme s'ils faisaient la queue pour un match à Wimbledon. Eux et la radio de ce flic. Je voulais lui demander de baisser le son, mais pour ça il m'aurait fallu ouvrir la porte. »

195

Je pouvais entendre le chagrin étouffer sa voix. Elle hocha la tête d'un air las, retira ses lunettes, essuya ses yeux bleu pâle, puis se moucha avec un mouchoir qui paraissait trop petit pour faire face à autant de malheur. Mettant ses bras minces autour de mon cou, elle dit :

« Je n'arrivais pas à dormir, de toute façon, avec tout ce qui me trotte dans la tête en ce moment. Je suppose qu'ils ne font que leur boulot, mais je ne sais vraiment pas ce qu'ils veulent. Une photo de moi le visage défait, j'imagine ; les larmes de la veuve éplorée. C'est ce qui fait vendre les journaux, n'est-ce pas ? » Elle poussa un soupir. « Étrangement, ce sont les voisins que je plains. En plus de tout ce qu'ils ont dû supporter à cause de nous depuis qu'on s'est installés ici, ils doivent maintenant se taper le cirque des médias. »

Elle sentait le vin blanc et le parfum et avait l'air épuisée. Ses cheveux blond vénitien étaient tirés sévèrement en arrière et attachés par un chouchou noir. Comme beaucoup d'Australiennes, Toyah essayait d'éviter le soleil, mais son T-shirt et son pantalon noirs la faisaient paraître encore plus pâle que nature.

« Je suis vraiment désolé.

— Merci d'être venu, répondit-elle à voix basse.

— Il va beaucoup me manquer. Plus que je ne saurais le dire.

— Un ami m'a envoyé un lien avec ton discours sur YouTube. C'était très gentil. Et je me suis dit… à l'enterrement, j'aimerais que tu parles de lui. Si ça ne te dérange pas.

— Bien sûr. Tout ce que tu voudras. »

Comme elle se remettait à pleurer, je la pris dans mes bras et l'étreignis. Au bout d'un moment, elle s'écarta et se moucha de nouveau.

« Je dois avoir une sale tête.

— Quelle tête est-on censé avoir à la mort de son mari ?

— La tête de lady Macbeth, je présume. *Ce qui est fait ne peut être défait.* J'ai joué le rôle, tu sais. À l'Old Vic. C'est là qu'on s'est rencontrés, Zarco et moi. Patrick Steward, le comédien, nous avait présentés. Il soutient le Huddersfield Town Football Club. Ça plaisait à Zarco qu'il soit resté un supporter de l'équipe de sa ville natale.

— Je sais. João me l'a dit.

— Tu veux un café, Scott ?

— Oui, merci. Si tu as envie d'en faire. »

Nous descendîmes un escalier métallique menant à une cuisine Bulthaup, aussi propre et fonctionnelle qu'un laboratoire suisse. Sur le mur, un grand tableau représentant Ned Kelly, le hors-la-loi, tel qu'imaginé par Sidney Nolan. Je savais que Zarco avait voué une grande admiration à ce bandit célèbre pour la simple raison que, à l'instar de Kelly, il se considérait comme un opposant à l'élite dirigeante, tout au moins dans le monde du football. Plus d'une fois il avait laissé entendre que le meilleur moyen d'améliorer les choses dans le sport anglais serait « d'acheter une guillotine et de couper quelques têtes ».

« Tu es seule à la maison ? demandai-je en cherchant la femme de ménage brésilienne qui se trouvait d'habitude chez les Zarco.

— J'ai renvoyé Jerusa chez elle. Elle va toujours à la messe à la cathédrale de Westminster le dimanche matin. J'irais moi aussi si je pouvais franchir la porte. En outre, c'est Zarco qui l'a engagée, et je ne suis pas sûre qu'elle soit déclarée. Avec tous les flics qui allaient et venaient ici hier soir, il m'a paru plus prudent de l'éloigner.

— Probablement une bonne idée, dis-je. Mieux vaut ne pas les tenter. »

Toyah s'arrêta devant la cafetière Miele encastrée et poussa un soupir d'exaspération.

« Désolée, je ne sais pas comment marche ce truc. Zarco aimait bien jouer les *baristas*. Je n'ai jamais appris à m'en servir.

— Laisse-moi faire. J'ai la même à la maison. »

Elle acquiesça.

« Oui, j'avais oublié. Tu adores le café, non ? »

S'appuyant contre le plan de travail, elle me regarda avec attention mettre la machine en route.

« C'est bien l'inspecteur chef Byrne qui est venu te voir ? demandai-je.

— Je ne sais pas. Je ne me souviens plus.

— Une femme. Avec un faux air de Tilda Swinton. »

Elle fit oui de la tête.

« T'a-t-elle dit comment ils pensaient que Zarco avait trouvé la mort ?

— Un coup à la tête, d'après elle. Et il y avait d'autres blessures laissant supposer qu'il avait été passé à tabac. » Elle haussa les épaules. « Elle a ajouté deux ou trois choses, mais j'avais déjà arrêté d'écouter depuis un moment.

— Je vois.

— Elle a dit aussi que tu t'étais proposé pour identifier officiellement le corps. C'est vrai ? Parce que je donnerais n'importe quoi pour ne pas voir Zarco étendu sur une table de dissection à la morgue. J'ai toujours détesté les hôpitaux et l'odeur de l'éther. Je crois que je pourrais m'évanouir. C'est une des raisons pour lesquelles nous n'avons jamais eu d'enfant, lui et moi. Je suis extrêmement sensible. Rien que la vue du sang me donne des frissons.

— Les flics me font le même effet. Cela dit, je l'identifierai, bien sûr. Ça ne me pose pas de problème.

— Merci, Scott.

— Si tu as besoin de quoi que ce soit d'autre, n'hésite pas à m'appeler. Manresa Road n'est qu'à dix minutes en voiture. Et si tu n'as pas envie de rester toute seule, tu peux toujours venir habiter avec Sonja et moi.

— Merci, mais je préfère rester ici. Pour le moment, en tout cas. D'ailleurs, la police va repasser cet après-midi. Pour poser encore des questions, j'imagine.

— Ça me rend toujours un peu nerveux quand il y a un tas de flics dans les parages, dis-je. Alors ça ne me réjouit pas non plus. Je dois aller à Hangman's Wood tout à l'heure. Elle – Byrne – veut interroger toutes les personnes qui se trouvaient à Silvertown Dock hier après-midi.

— Ça paraît un peu excessif. » Toyah eut un mince sourire. « Il y avait soixante mille spectateurs hier.

— Du moins, toutes celles qui appartiennent au club. Depuis le responsable de l'équipement jusqu'à notre attaquant vedette. Même Viktor Sokolnikov sera interrogé.

— Bien. Parce que, personnellement, je le mettrais en haut de la liste des suspects potentiels.

— Que veux-tu dire ?

— Oh, allons. Tu le sais très bien. Ses antécédents en Russie. Tous ces oligarques sont des personnages plutôt louches, Scott. Et Viktor Sokolnikov davantage que la plupart. En ce qui me concerne, je n'ai jamais eu confiance en lui. Je veux dire, personne n'a envie de décevoir des types comme ça, tu ne crois pas ? Je suis persuadée que Zarco avait peur de lui.

— Non, je ne pense pas.

— Et toi ?

— Moi non plus. Pas du tout.

— Ça m'étonne. Tu as vu les brutes qu'il a autour de lui ?

— Ce sont des gardes du corps. Il doit se montrer prudent. D'accord, je n'aimerais pas avoir des embrouilles avec un de ces gorilles. Mais Viktor est quelqu'un de correct. Vraiment. » Je m'interrompis un instant. « Écoute, Toyah, il m'a demandé de reprendre le flambeau comme manager. Je voulais que tu sois la première à le savoir. Avant d'informer quiconque que j'ai dit oui. Il est trop tôt pour nommer quelqu'un de nouveau, mais...

— Mais il y a un match de Coupe de la Ligue mardi. Oui, je sais. » Elle hocha la tête. « Je te suis reconnaissante de m'en avoir parlé, Scott. Malgré tout, j'espère que tu sais où tu mets les pieds. Et souviens-toi de ce que je t'ai dit. Que Zarco avait peur de lui.

— Merci pour l'avertissement. Mais par rapport à quoi au juste ?

— Tu te souviens des remarques que Zarco a faites sur la Coupe du monde au Qatar.

— Bien sûr.

— C'est Viktor qui le lui avait suggéré.

— Et pourquoi ça, bon Dieu ?

— Je l'ignore. Mais à mon avis, ça avait un rapport avec les droits de nomination du stade de la Couronne d'Épines. Ne me demande pas de t'expliquer parce que j'en suis incapable.

— D'accord. Tu l'as signalé à l'inspecteur Byrne ?

— Qu'il avait peur de Viktor Sokolnikov ? J'y ai peut-être fait allusion. Mais je n'ai pas mentionné les Qataris.

— Qu'est-ce qu'elle t'a demandé d'autre ?

— Rien de particulier. Des choses générales, en fait. Si on avait reçu des menaces à la maison. Des coups de fil anonymes. S'il avait des soucis d'argent.

— Et il en avait ?

— Non, je ne pense pas. Mais il ne me parlait jamais de ce qu'il croyait pouvoir m'inquiéter. Quoi qu'il en soit, elle n'a pas arrêté de me questionner sur une photo de Zarco trouvée dans un trou dans la pelouse de la Couronne d'Épines. Je n'étais absolument pas au courant. Il ne m'avait rien dit. J'avais l'air d'une idiote. Tu étais au courant, toi ?

200

— Oui. Il m'avait conseillé d'oublier ça. De n'en parler à personne. Il pensait qu'il s'agissait de hooligans, et moi aussi. Je suppose qu'il ne voulait pas que tu te fasses du mauvais sang. »

Quand le café fut prêt, je lui tendis une tasse. Elle la garda dans ses mains pour se réchauffer. De fait, il ne faisait pas très chaud dans la cuisine. J'avais gardé mon manteau, ce qui n'était pas de trop.

« Et qu'est-ce que tu lui as répondu ?

— À quel sujet ? Les menaces, les ennemis et le reste ? »

J'acquiesçai.

« Tu veux dire, en dehors des menaces et des insultes qu'on vous balance pendant un match à Liverpool ? Ou à Manchester ? Qu'est-ce qu'ils chantaient sur lui dans la Stretford End ? *João Zarco, il n'y a qu'un João Zarco. Avec son baratin et son air hautain, Zarco est un foutu pédo.* Charmant, n'est-ce pas ? Je ne sais pas comme tu peux supporter ça, Scott. Vraiment.

— C'est parfois rude.

— Non que Zarco ait été précisément un saint. Personne ne sait mieux que toi comment il était, Scott. Je n'ai jamais rencontré quelqu'un qui pouvait faire sortir les gens de leurs gonds à ce point. Moi incluse. Je n'aurais probablement pas dû dire à cette femme flic que, par moments, j'aurais été capable de le tuer de mes propres mains. Mais je l'ai dit, et c'était vrai. »

Elle avala bruyamment une gorgée de café.

« Eh bien, oui. Il avait des ennemis. J'aimerais pouvoir te dire que les choses étaient différentes à la maison. Mais on ne risquait pas de gagner de concours de popularité dans les environs non plus. Depuis qu'on a commencé les travaux au numéro 12, on a reçu de nombreuses plaintes. Sans parler de plusieurs procès pour nuisances sonores. C'est drôle, non ?

Moi qui ai joué pendant des années dans la série *Neighbours*. Zarco a même réussi à s'engueuler avec nos satanés entrepreneurs.

— À quel sujet ?

— Ils ont démoli au 12 une salle de bains que nous voulions garder. Il y avait deux baignoires victoriennes, disposées côte à côte, qui ont tout simplement disparu. Volées, d'après nous. Quoi qu'il en soit, la question faisait encore débat il y a quelques semaines. Il semble donc que le problème ait été réglé. Mais ça n'a plus guère d'importance à présent.

— Que comptes-tu faire ?

— Retourner en Australie, répondit-elle. Tout de suite après l'enterrement. Terminer la maison et la vendre. Je n'en peux plus de vivre ici. Je ne pourrais pas me sentir moins à l'aise dans ce quartier si j'étais une espèce de criminelle nazie. »

Je hochai la tête.

« Écoute, Toyah, je sais que c'est difficile, mais si jamais il te revenait un détail – un détail susceptible d'aider la police à trouver son assassin – eh bien, je te serais reconnaissant de m'avertir. Ça pourrait être n'importe quoi. Tout ce qui te semble bizarre. Tout ce que tu ignorais. Tout ce qui pourrait combler un certain nombre de lacunes, peut-être. Comme tu sais, j'ai quelques raisons de me méfier de la police et je tiens à m'assurer que rien n'a été négligé pour trouver l'assassin de Zarco. Même si je dois me transformer moi-même en limier.

— Bien. Ça me fait plaisir. » Elle hocha la tête. « Il avait raison à ton sujet, Scott. Il disait toujours que tu étais le type le plus fiable de tout le club. Alors fais en sorte qu'il soit fier de toi, d'accord ? C'est tout ce que je demande. Gagne le prochain match pour Zarco. »

21

Je retournai à Manresa Road pour que Sonja puisse disposer de sa voiture à son retour à Londres après son congrès. Nous parlâmes de nouveau au téléphone, et elle me dit qu'elle se rendait à la gare du Nord pour prendre l'Eurostar, ce dont je me réjouis. Rien que de la savoir dans les parages me faisait me sentir mieux.

Dès que la compagnie de taxis m'eut envoyé un SMS m'informant que la voiture était devant mon immeuble, je pris mon sac et sortis. C'était une journée de janvier absolument glaciale, et le soleil était si mal défini dans le ciel uniformément blanc qu'il en devenait presque invisible. Le visage enveloppé dans le col remonté de mon nouveau manteau d'hiver – le cadeau de Noël de Sonja –, je me frayai un chemin à travers la horde de cameramen et montai à l'arrière du monospace. J'essayais de me dire que j'avais de la chance de travailler dans un sport capable d'attirer autant l'attention des médias, qu'il n'y aurait eu personne s'il s'était agi de n'importe quelle autre discipline, ça ne marcha pas. Je me sentais aux abois et sous pression – pas seulement à cause de la presse, mais aussi de mon nouveau job et des responsabilités supplémentaires que m'avait confiées mon employeur. Comment pouvais-je à la fois gérer une équipe de Premier League et résoudre un homicide ?

L'instant d'après, comme s'il avait lu dans mes pensées, je reçus un message de Simon Page me demandant si, à mon avis, on devait faire jouer l'équipe-type ou la réserve contre les Hammers dans une compétition telle que la Coupe de la Ligue. C'était une question à laquelle il était facile de répondre. Contrairement à ce que croyaient les fans avides de titres, vous laissiez toujours l'argent penser à votre place : se maintenir en Premier League rapportait à un club entre quarante et soixante millions de livres par an ; une place en Ligue des Champions, vingt-cinq millions ; la Coupe de la Ligue, des queues de cerise ou quasiment. Je n'étais même pas sûr de vouloir qu'on reste dans cette compétition ; avec la coupe Mickey-Mouse, la défaite était parfois préférable à la victoire et, en matière de cadeau empoisonné, la Coupe de la Ligue était encore plus nocive. Mais encore pire que de gagner celle-ci était la perspective pour le vainqueur de devoir disputer l'Europa League, une compétition qui représentait un des casse-tête les plus sacrément épineux dans le football. Je lui renvoyai un seul mot : RÉSERVE. Qui sait ? Peut-être trouverions-nous une autre vedette comme Christoph Bündchen ; si Zarco n'avait pas viré Ayrton Taylor, Bündchen serait toujours sur le banc de touche.

J'empochai mon iPhone pour reporter mon attention sur mon iPad. J'avais téléchargé le *Sunday Times* pour le lire pendant le trajet jusqu'à Hangman's Wood. Il y avait quelques jolis hommages à Zarco par d'autres joueurs et managers, mais quant aux circonstances de sa mort, les journalistes n'avaient pas grand-chose à raconter, et la plus grande partie du canard était consacrée à l'homme susceptible de remplacer Zarco à court terme et à son passé haut en couleur ; en d'autres termes : moi.

Je lus ces lignes avec le genre de fascination horrifiée que j'aurais probablement éprouvée en lisant ma propre nécrologie, ce qui, compte tenu du fait qu'une petite partie de moi-même était morte avec Zarco, n'était pas si loin de la réalité :

À la suite du meurtre de João Zarco, les rumeurs circulent concernant la nomination d'un nouveau manager de London City, mais à court terme tout au moins, cette fonction devrait être confiée à l'assistant de Zarco, Scott Manson, 39 ans. Né en Écosse, Manson est le fils de Henry « Jock » Manson, qui joua pour Heart of Midlothian, le club de football d'Édimbourg, et compta cinquante-deux sélections pour son pays. Il joua également pour Leicester City, avant de créer en 1978 sa propre société de chaussures de sport, Pedila Sports Shoe Company, qui dégage actuellement un bénéfice net par an de près d'un demi-milliard de dollars. Manson a refusé récemment une proposition de rachat de l'entreprise par le géant russe de vêtements de sport Konkurentsiya pour un montant de cinq milliards de dollars. Henry Manson était un vieil ami du manager portugais, l'un des premiers joueurs à avoir choisi les chaussures à crampons Pedila alors qu'il jouait au Celtic.

Membre du conseil d'administration de la société de son père, ce qui lui vaut en outre un salaire de plus de deux millions de livres par an, Scott Manson se fit remarquer très tôt par ses talents de footballeur et joua pour Northampton alors qu'il fréquentait encore le collège local. Il fut membre de l'équipe qui remporta le championnat de quatrième division de 1986-1987, avec un total record de 99 points.

Ayant préféré un cursus universitaire en langues modernes à l'université de Birmingham à une carrière dans le football, Manson fut joueur et entraîneur de l'équipe de son université, puis joua à temps partiel pour les Stafford Rangers, où il fut découvert par le célèbre John Griffin et, après avoir décroché son diplôme, rejoignit Crystal Palace comme défenseur central sous la direction de Dave Bassett. Après une saison infructueuse en Premier League, Palace fut relégué et Manson cédé à Southampton, où il marqua seize buts sous la direction de Glenn Hoddle, puis de Gordon Strachan. Southampton ayant obtenu de bons résultats durant la saison 2001-2002, et de meilleurs encore l'année suivante, Manson, alors âgé de vingt-sept ans, fut vendu à Arsenal. Mais sa carrière de joueur prit brusquement fin en 2004, lorsqu'il fut injustement déclaré coupable du viol d'une femme dans une station-service de l'autoroute A414 dans le district londonien de Brent. Manson purgea dix-huit mois de sa peine de huit ans d'emprisonnement avant que la cour d'appel n'annule sa condamnation, et depuis lors il a gravi peu à peu les échelons du management de club, en qualité d'entraîneur stagiaire au FC Barcelone, puis au Bayern Munich.

Zarco avait été manager de Braga et de l'équipe brésilienne de l'Atletico Mineiro avant sa première période à London City, mais, limogé en 2006 à la suite d'un différend avec le propriétaire milliardaire du club, Viktor Sokolnikov, il était parti s'occuper de l'AS Monaco, jusqu'à sa réintégration à London City en 2013, avec Scott Manson comme assistant. De mère allemande, Manson est bilingue ; il parle également l'espagnol, le français, l'italien et le russe, raison pour laquelle il pourrait bien s'entendre avec Sokolnikov, né en Ukraine. Manson, qui est titulaire d'un master de gestion des entreprises de l'INSEAD, l'école française de management, est généralement considéré comme l'un des hommes les plus intelligents du milieu du football. Il partage un luxueux appartement de Chelsea avec Sonia Dalek, psychiatre consultante, spécialiste des troubles alimentaires et auteur de plusieurs ouvrages sur le sujet.

La disparition de Zarco marque la fin d'un mois tragique pour le football anglais ; voici une quinzaine de jours, Matt Drennan, l'ex et turbulente vedette de l'équipe d'Angleterre, *ami proche de Scott Manson et son ancien coéquipier à Arsenal, a en effet mis fin à ses jours.*

Sonia Dalek était en réalité Sonja Halek – on la surnommait Dalek Queen[1] à l'école, et je savais qu'elle n'aimait pas beaucoup qu'on écorche son nom, de sorte qu'un tel souvenir ne lui plairait sans doute pas beaucoup. J'avais quarante ans et non trente-neuf et je n'avais marqué que quatorze buts quand j'étais à Southampton. Je ne parlais pas un mot de russe, même si j'avais souvent voulu l'apprendre. Mon master était de la London Business School et je ne touchais pas de salaire de Pedila, mais des dividendes annuels, bien inférieurs à deux millions de livres. Quant à la firme russe Konkurentsiya, elle avait proposé en fait un milliard de livres pour le rachat de Pedila, après avoir acquis 27 % du capital de la société.

À part ça, le contenu de l'article était exact à cent pour cent.

La presse était également présente devant le portail de Hangman's Wood, mais l'entrée du centre d'entraînement se trouvait tellement éloignée des bâtiments de faible hauteur que ça ne semblait guère valoir la peine de venir, et j'avais presque pitié de ces pauvres bougres. Je savais que la plupart des joueurs étaient déjà arrivés car le parking ressemblait au Salon de l'automobile de Genève.

Nous allâmes jusqu'à l'entrée, où l'entraîneur s'apprêtait à emmener tout le monde à Silvertown Dock. Je descendis de voiture ; pendant un moment, je regardai à travers le mur de verre du terrain en salle où quelques-uns des joueurs de l'équipe réserve tapaient machinalement dans la balle.

Ils avaient l'air très jeunes – trop jeunes pour se mesurer à une bande de brutes comme celle de West Ham –, et

---

1. Reine d'une espèce d'extraterrestres, les Daleks, dans la série télévisée britannique *Doctor Who*.

je comptais sur le fait que, bien que le club figurât en bas du classement, le manager des Hammers prendrait la même décision que moi ; j'imaginais qu'ils avaient encore plus besoin que nous de l'argent du maintien en Premier League.

Un joueur retint rapidement mon attention : Zénobe Schuermans, un milieu de terrain belge de seize ans que nous avions acheté en été au FC Bruges pour un million de livres. Je l'avais vu sur la vidéo d'un match amical contre Hambourg, où il avait marqué un but sur un corner direct. Que Simon Page considère Schuermans comme l'adolescent le plus doué qu'il ait vu depuis Jack Wilshere n'avait rien d'étonnant. Tandis que je l'observais, il se lança soudain dans une démonstration de dextérité digne d'une publicité Nike de football acrobatique ; c'était fascinant – la meilleure performance à laquelle il m'ait été donné d'assister depuis que j'avais regardé Zlatan Ibrahimović jongler avec un morceau de chewing-gum –, et pendant un instant je me pris à rêver à ce qu'un gamin comme lui pourrait nous apporter.

La seconde suivante, je faillis avoir une crise cardiaque alors qu'un ballon égaré heurtait le mur de verre juste devant mon visage. L'impact ne brisa que le fil de mes pensées. Je pivotai et franchis la porte d'entrée.

22

Plusieurs des joueurs les plus âgés attendaient patiemment à l'intérieur et se turent à mon arrivée. Ils avaient tous l'air morne de circonstance. Quelques-uns étaient déjà tout de noir vêtus ou portaient des brassards de deuil. Simon Page laissa tomber le *Mail on Sunday* et se leva comme un ressort du canapé de la salle d'attente pour me saluer ; Maurice fit de même. Pour ma part, je n'aurais pas pu avoir moins l'impression d'être le vrai manager de London City si j'avais eu une crosse à la main. Je présume que tout le monde avait conscience du fait que la dernière fois que l'équipe s'était livrée à ce rituel, Zarco était encore en vie.

C'est alors que je m'aperçus de la présence d'un prêtre catholique à côté de Ken Okri.

« Tout le monde est là ? demandai-je, un œil sur le prêtre.

— Oui, patron », répondit Simon.

Dès que j'eus leur attention, je leur dis ce qu'ils savaient tous probablement déjà, à savoir que j'avais accepté la proposition de Viktor pour le poste de manager.

« C'est tout pour le moment. Vous aurez bientôt suffisamment d'occasions de m'entendre. Ce qui me fait penser : allez-y doucement avec vos tweets. Bon, eh bien, montons dans le car. Plus vite on sera là-bas, plus vite on rentrera. Et à propos, pas de casques ni de Skullcandy, s'il vous plaît. C'est le jour le plus funeste de l'histoire de ce club, alors faisons en sorte que, lorsque nous arriverons au dock, nous ayons l'air de le savoir.

— Patron, dit Ken, voici le père Armfield, de l'église St John de Woolwich. Avant de prendre le car, si vous êtes d'accord, les gars aimeraient qu'il fasse une courte prière pour M. Zarco. C'est dimanche, vous savez.

— Bien sûr », répondis-je, avant d'incliner la tête pour la prière en question, tout en regrettant de ne pas avoir eu le bon sens de faire venir le prêtre ce matin-là.

Zarco était un catholique fervent et moi aussi. C'est la religion qui m'avait aidé à supporter la prison. En tout cas, c'est ce que je me disais. La présence du prêtre était une agréable surprise. Mais il y en eut d'autres lorsque nous prîmes le car. De façon inattendue, tous les gars se mirent à entonner l'hymne de la Coupe d'Angleterre, *Abide with Me*. J'étais étonné qu'ils connaissent les paroles – beaucoup d'entre eux étaient des étrangers, après tout –, jusqu'à ce que je me rende compte qu'ils les avaient téléchargées sur leurs portables. J'aurais pu chanter avec eux, mais j'en étais incapable tellement l'émotion me serrait la gorge et, pendant un moment, je fus transporté au Millenium Stadium de Cardiff en 2003 et à la seule finale de la Coupe d'Angleterre à laquelle j'aie jamais participé. J'étais extrêmement impressionné par cette démonstration de fidélité envers Zarco et mon seul regret était que Matt Drennan ne soit pas là pour l'entendre, car personne n'aimait cet hymne plus que lui.

L'itinéraire du car par la B1335 à travers Aveley et Wennington était assez bien connu des habitants de l'est de Londres, et à notre grand étonnement – car London City était, après tout, un club récent –, nombre d'entre eux s'étaient alignés le long du parcours, en hommage à Zarco. Vingt minutes plus tard, nous franchissions les grilles de Silvertown Dock, lentement, pour ne pas écraser les centaines de supporters qui s'étaient massés là, ni les nombreux bouquets de fleurs posés par terre. Les portes elles-mêmes étaient presque invisibles, cachées sous une multitude de foulards orange. Des bougies avaient été allumées et toute la zone ressemblait à présent au théâtre d'une catastrophe nationale – accident ferroviaire ou décès royal.

« Est-ce que le président va nous rejoindre ? demandai-je à Maurice.

— Oui.

— Et Viktor ?

— Il arrivera plus tard avec Ronnie. Il a décidé qu'il était préférable de les rencontrer ici plutôt que de les inviter à KPG.

— Une fois qu'on sera entrés, tu devrais emmener les gars à la salle d'analyse vidéo, dis-je à Simon. Ils pourront regarder le match contre Tottenham en attendant leur tour d'être interrogés par l'inspecteur chef Byrne.

— Entendu, patron.

— Maurice ? Viens avec moi dans mon bureau. On a un tas de choses à discuter.

— Ça, c'est sûr. »

Nous passâmes en groupe la porte de l'entrée sud, où la photographie encadrée de Zarco trônait sur un chevalet avec une couronne de lauriers noire – un tirage plus grand du portrait fait par Mario Testino qu'on avait trouvé dans la tombe.

Des agents en uniforme et des hommes de la police de l'Essex étaient déjà là, bien sûr. Ils y avaient probablement passé la nuit. Le couloir menant à la scène de crime avait été sécurisé par un ruban.

Simon emmena les joueurs à la salle d'analyse vidéo, pendant que Maurice et moi montions au restaurant VIP, où je trouvai l'inspecteur chef Byrne et les membres de son équipe, sauf qu'elle était maintenant accompagnée de deux inspecteurs qu'elle avait fait détacher pour ses investigations : Denis Neville, qui avait enquêté sur le trou dans la pelouse, et Louise Considine, qui, à ma connaissance, travaillait toujours sur le suicide de Matt Drennan. Ces deux événements paraissaient déjà bien lointains.

Je dis bonjour à Jane Byrne, tout en faisant de mon mieux pour dissimuler mon dégoût ; après tout, elle avait comploté afin de me faire coffrer pour conduite en état d'ivresse. Elle esquissa un sourire, se demandant sans doute si j'allais en parler. Je me le demandais aussi.

« Vous vous souvenez de l'inspecteur Neville et de l'inspecteur Considine, déclara-t-elle.

— Bien sûr, répondis-je. Merci d'avoir sacrifié votre dimanche pour être là. Nous vous en sommes reconnaissants. Inspecteur Neville ?

— Oui, monsieur ?

— J'aimerais vous présenter mes excuses pour ne pas avoir été suffisamment coopératif avec vous lors de notre dernière rencontre. Peut-être que si j'avais pris les choses un peu plus au sérieux, vous ne seriez pas là de nouveau. »

Neville sourit avec ironie, comme s'il ne me croyait pas tout à fait.

« Non, vraiment, je suis sincère. Mais s'agissant de la photo que nous avons trouvée dans cette tombe, la décision ne venait pas de moi. C'était celle de Zarco.

— Je comprends, monsieur.

— Est-ce qu'on s'occupe bien de vous ? demandai-je à l'inspecteur Byrne. Avez-vous tout ce qu'il vous faut ? Quelque chose à boire, peut-être ? Du thé, du café ?

— Miles Carroll et ses collègues se sont montrés très aimables. » Miles Carroll était le secrétaire du club. « Ils nous ont ouvert la cantine du personnel.

— Parfait. Et n'hésitez pas, commandez tout ce qui vous fait plaisir. Petit déjeuner. Déjeuner. Dîner. C'est le club qui paie.

— Juste pour votre information, nous avons demandé à tous ceux qui se trouvaient hier au restaurant VIP de revenir aujourd'hui. Nous allons interroger M. Sokolnikov, M. Hobday et tous les invités du conseil municipal. Parallèlement, nous interrogerons les joueurs et le personnel sportif par ordre alphabétique.

— Par conséquent, je risque d'avoir pas mal à attendre, c'est ça que vous voulez dire ?

— En fait non, j'aurais aimé avoir un entretien avec vous tout de suite et que vous fassiez ce que vous avez promis hier soir.

— C'est-à-dire ?

— M'aider à identifier qui le détestait suffisamment pour le tuer. Après tout, vous le connaissiez mieux que quiconque ici.

— C'est exact.

— A-t-il toujours eu une aussi grande gueule ? »

La question me fit légèrement grimacer, mais je ne relevai pas.

« Zarco appelait un chat un chat.

— J'espère bien que non, répliqua-t-elle. Cela rendrait mon travail encore plus difficile qu'il ne l'est déjà. »

Je fronçai les sourcils, me demandant ce que signifiait cette remarque.

« Pardon ?

— Je veux dire qu'apparemment il faisait de son mieux pour exaspérer les gens, vous ne trouvez pas ?

— Il se plaisait à jouer au plus fin avec les autres managers et les autres équipes. Tout le monde le fait. Mais Zarco étant ce qu'il était, on y prêtait davantage attention. C'était un personnage plutôt charismatique : séduisant, bien habillé et qui savait s'exprimer. Un bol d'air frais après tous ces managers écossais austères qui dominaient autrefois le football : Busby, Shankly, Ferguson et les autres.

— Si vous le dites. Mais à mon avis, il s'agit en l'occurrence de bien plus que de jouer au plus fin. Vous serez d'accord, j'en suis sûre, que les quolibets d'avant-match sont une chose, mais que ceci a dû être beaucoup plus grave. Dans cette optique, monsieur Manson, j'espérais que nous arriverions, vous et moi, à établir une liste précise de ses ennemis.

— Certainement, pourquoi pas ? Cela vous évitera de chercher sur Google, je présume.

— Oh, c'est déjà fait. » Elle me montra sur sa tablette une douzaine de noms que je reconnus. « Tenez. »

J'opinai.

« Les suspects habituels. Bien. Alors, tout ce qu'il vous reste à faire, c'est de les arrêter. Comme le capitaine Renault dans *Casablanca*.

— En fait, j'espérais que vous pourriez m'aider à réduire la liste. » Elle haussa les épaules. « Ou peut-être à y ajouter un nom ou deux qui n'y figurent pas. C'est ce que j'entendais par une liste précise.

— D'accord.

— Je vous en prie. Venez vous asseoir. Je vous écoute, monsieur Manson. »

Je la suivis au bout de la salle. Depuis la fenêtre de forme irrégulière, on pouvait voir la structure en acier tout aussi irrégulière qui constituait l'extérieur du stade. La pluie s'était changée en neige ; je plaignais les supporters qui étaient toujours dehors. Je m'assis sur le canapé en cuir et relus la liste sur son iPad. Nos genoux se touchaient légèrement. On ne pouvait pas en dire autant de nos caractères. Elle avait beau être pas mal, ce n'était qu'une connasse.

« Eh bien, qu'en pensez-vous ? demanda-t-elle.

— À propos de cette liste ? Vous savez, si vous deviez écrire un papier pour un journal sur les personnes qui n'aimaient pas João Zarco, vous auriez déjà fait le tour avec la plupart de ces noms. Mais il y a une différence de taille entre ne pas aimer quelqu'un au point de l'injurier et le haïr suffisamment pour souhaiter activement sa mort. Quelques-uns de ces types sont des figures hautement respectées du football. Après tout, ce sport inspire des sentiments puissants. Ç'a toujours été le cas. Je me rappelle quand mon père m'a amené à un match de l'Old Firm le jour de l'an. Les Rangers contre le Celtic, vous savez. C'était bien avant les lois ridiculement appelées "Comportement offensant en football" et "Communication menaçante", ce qui a l'air d'un oxymore. La férocité de la rivalité historique et religieuse entre les supporters des deux camps était vraiment quelque chose à voir. Et il est juste de dire que des meurtres ont été commis parce que quelqu'un portait les mauvaises couleurs dans la mauvaise partie de la ville. Cela dit…

— C'est là que vous commencez à parler du beau jeu ?

— Je n'en avais pas l'intention. Mais si vous me demandez si une des personnes de cette liste a pu tuer João Zarco, alors je vous répondrai par un non catégorique. » Je lui rendis l'iPad. « Si vous voulez que je vous dise franchement ce que je pense, le meurtrier se trouve parmi les supporters. Des voyous de Newcastle décidés à casser la figure au manager de l'équipe adverse. Pas ces hommes-là.

— Je vous entends bien. Et pourtant, il semblerait que quelques-uns des individus inscrits sur ma liste soient enclins à la violence. Par exemple, Ronan Reilly. »

215

Elle toucha son iPad et ouvrit un dossier pour révéler une photo de celui-ci. En compagnie de Charlie Nicholas, Jeff Stelling, Matt Le Tissier et Phil Thompson ; il avait l'air d'être à l'émission de Paul Merson, Gillette Soccer Saturday.

« Joli costume. Je suis moins sûr pour les boucles d'oreilles. Et donc ?

— Reilly et Zarco en sont bel et bien venus aux mains l'année dernière, lors de la soirée de la BBC pour désigner la personnalité sportive de l'année, n'est-ce pas ?

— Et alors ? Reilly est un dur à cuire aux idées bien arrêtées. J'ai du respect pour ça.

— Il s'emporte facilement, c'est certain. J'ai lu qu'en 1992, première année de l'existence de la Premier League, il a reçu plus de cartons rouges que n'importe quel autre joueur.

— Je vous crois sur parole. Mais écoutez, ça s'est passé il y a plus de vingt ans. Et il a sans doute pris la plus grosse partie de ces cartons rouges pour l'équipe. « Fautes utiles » et ce genre de trucs. Aux dernières nouvelles, la police métropolitaine ne poursuivait pas encore les gens pour avoir écopé d'une suspension. Mais l'avenir le dira ; ce serait un moyen commode de coller un gus au trou.

— Et pourtant, il semble que, même quand il n'est pas sur le terrain, il ait une prédisposition pour ce type de comportement. Il est adroit de ses poings, M. Reilly. Quand il jouait à Liverpool pour les Reds, il y a eu un incident dans une boîte de nuit ; on a jeté des chaises et un homme s'est fait agresser. Reilly a été inculpé de violence en réunion.

— Il est passé en jugement et a été acquitté.

— Oui, le procès a eu lieu à Liverpool, ajouta l'inspecteur Byrne. Où il était très populaire auprès de la moitié rouge de la ville.

— Exact. Le résultat aurait sans doute été différent s'il y avait eu plus de *toffees*[1] parmi les jurés. Ou si quelques ripoux avaient témoigné contre lui. C'est toujours utile pour le taux local de résolution des crimes. »

Elle fit semblant de ne pas avoir entendu.

« Et puis, avant d'être à la télévision, il a été manager de Stoke City. Où il a donné un coup de poing à un joueur et lui a de toute évidence cassé la mâchoire ; à la suite de quoi il a failli être limogé. » Elle sourit. « Franchement, qu'on puisse appeler ça le beau jeu dépasse mon entendement.

— Je vous le répète, il arrive que les passions se déchaînent. D'ailleurs, je ne pense pas me tromper en disant que le joueur en question – qui n'était pas un ange non plus – a retiré sa plainte.

— Reilly était ici hier. À Silvertown Dock. Le saviez-vous, monsieur Manson ?

— Oui, et ça ne me surprend pas. C'était un match important. Et aussi plutôt bon pour nous. » Je hochai la tête. « Écoutez. Vous m'avez demandé mon opinion. Et il ne s'agit que de ça. Mon opinion. Je connais Ronan Reilly. Ce n'est pas un mauvais bougre. Juste un peu soupe au lait. Cette bagarre à la soirée de la BBC, ce n'était qu'une vétille.

— Ce n'est pas l'impression que j'ai eue. Je l'ai regardée sur YouTube. Du sang a coulé. Je pourrai vous montrer la vidéo si vous voulez. Afin de vous rafraîchir la mémoire.

— Non, merci. J'ai vu assez de vidéos sur YouTube pour le week-end. Peut-être s'attendaient-ils à ce qu'on les sépare plus tôt. De plus, ils avaient bu un verre tous les deux, et même plusieurs, probablement. Moi, je sais que oui.

— Et c'est une justification suffisante, j'imagine, monsieur Manson.

---

1. Surnom donné à l'équipe d'Everton, l'autre club de Liverpool.

— Non. Mais ça permet de mieux comprendre.

— Seriez-vous étonné d'apprendre que M. Reilly s'est absenté de sa place quinze minutes au cours du match d'hier ?

— Avez-vous déjà essayé d'acheter une boisson à la mi-temps ? Cela peut prendre un certain temps.

— Oh, ce n'était pas à ce moment-là, mais durant la première période. Voyez-vous, les gens de Sky Sports ont mis toutes leurs prises de vue à notre disposition, de toutes les caméras, ce qui nous a permis de calculer son absence avec précision. Et il n'est visiblement pas à sa place pendant une bonne quinzaine de minutes, à peu près à la même heure où l'on a commencé à se rendre compte que João Zarco avait disparu. Je peux vous le montrer également, si vous voulez.

— Quinze minutes à regarder quoi, un siège vide ? J'ai mieux à faire de mon temps.

— Voyons, monsieur Manson. Qu'est-ce qui peut être plus important que de trouver l'assassin de votre ami ?

— Eh bien, avez-vous demandé à Reilly où il était ?

— Pas encore. Mais j'ai l'intention de le faire cet après-midi. Je voulais juste avoir votre avis d'abord.

— À propos de quoi ? De la personnalité de Reilly ? De ses antécédents judiciaires ? Écoutez, je ne suis que le manager par intérim ici.

— Vous avez l'air de vous occuper de beaucoup de choses actuellement, monsieur Manson.

— J'ai intérêt, semble-t-il, avec des flics comme vous dans les parages, mademoiselle Byrne.

— À propos, félicitations.

— Pour quoi ? Pour avoir échappé à la taule hier soir ? Ou pour avoir décroché ce job ? »

Elle sourit.

« Pour le job, bien sûr. Encore que, se tirer indemne d'un Alcootest, il y de quoi se réjouir également. De surcroît, contrairement à tant d'autres footballeurs, vous n'avez même pas eu à faire appel à du piston.

— Vous avez un sacré culot.

— Je ne comprends pas ce que vous voulez dire, monsieur Manson.

— Essayer de me piéger de cette manière. Inutile de le nier. Je sais que vous étiez derrière ce petit coup monté. Vous et votre copain, le commandant Clive Talbot, officier de l'ordre de l'Empire britannique, vous avez cru que vous pouviez m'intimider, pas vrai ? Me rendre plus coopératif ? La prochaine fois que vous vous servirez des toilettes pour dames ici, je vous conseille de vérifier que vous êtes la seule dame à l'intérieur. Pour prendre ce terme dans le sens le plus général. »

Elle fronça les sourcils comme si elle essayait de se rappeler avoir pris la peine de vérifier toutes les cabines, puis elle s'empourpra légèrement.

« Je vois.

— Je regrette de ne pas avoir pu vous être plus utile. Je ne me souviens de personne qui, à mon avis, aurait pu tuer Zarco. En revanche, je me suis souvenu de la raison pour laquelle je n'aimais pas la police.

— Comme si vous l'aviez oubliée.

— Nous en avons fini ? Je peux m'en aller ?

— Pas tout à fait. Mme Zarco prétend que son mari avait une liaison avec l'acupunctrice du club, poursuivit l'inspecteur chef Byrne. Il s'agit bien de Mme Claire Barry ?

— C'est son nom.

— Son mari, Sean, dirige une société de sécurité privée appelée Cautela. Laquelle, selon Google, vient de décrocher un gros contrat pour s'occuper de plusieurs équipes durant la Coupe du monde en Russie et au Qatar. M. Zarco n'était pas très élogieux à l'égard des Qataris, n'est-ce pas ? De nombreux employés de Cautela sont des anciens du MI5 et du MI6. Ils pourraient perdre leur travail si jamais ce contrat tombait à l'eau. De ce fait, ils auraient très bien pu lui en vouloir. À double titre. Financier et personnel. Peut-être suffisamment pour le passer à tabac.

— Je l'ignore, mademoiselle Byrne. C'est vous qui avez toutes les connexions nécessaires avec le ministère de l'Intérieur. » Je me levai. « Autant que vous le sachiez : João Zarco était mon ami. Mais peu m'importe en réalité que vous réussissiez à trouver son assassin. Ce n'est certainement pas ça qui va le faire revenir. Tout ce qui m'intéresse, c'est ce club de football, ses supporters et le match de mardi soir.

— Vous avez été parfaitement clair, monsieur Manson. Cela étant, permettez-moi d'être claire également. Je déteste le football. Depuis toujours. C'est le pire fléau de la vie moderne, à mon avis. Jusqu'à hier, l'unique fois où j'ai mis les pieds sur un terrain, c'est en mai 2002, alors que, jeune agent, je participais au maintien de l'ordre durant une rencontre au stade du Den. Millwall a perdu un match de barrage contre Birmingham City, et j'ai été un des quarante-sept officiers de police blessés en essayant de contenir la violence qui a suivi – sans parler des vingt-quatre chevaux de police. Quel genre d'individu peut frapper un cheval avec un tesson de bouteille ? Ou un jeune flic ? Moi, en l'occurrence. Alors je n'ai que mépris pour les gens qui vont à des matchs de football. Que mépris pour les adolescents surpayés qui pratiquent ce sport – et je ne parle pas des égocentriques qui gèrent ces prétendus clubs. Je trouverai l'assassin de M. Zarco. Je vous le promets. Mais si, en le faisant, je peux aussi couvrir de honte ce jeu et cet endroit, cela n'en sera que mieux.

— Faites. Mais j'ai comme l'impression que ce ne sera rien comparé à la façon dont la police s'est couverte de honte à Hillsborough[1]. »

---

1. Le 15 avril 1989, dans le stade de Hillsborough, à Sheffield (Yorkshire), lors d'un match entre Liverpool et Nottingham Forest, un mouvement de foule a fait quatre-vingt-seize victimes, la police ayant été débordée par l'ampleur du désastre.

23

« Comment ça s'est passé ? demanda Maurice.

— Aussi bien qu'on pouvait s'y attendre. C'est-à-dire pas bien du tout. L'inspecteur chef Jane Byrne est un sacré numéro, ça ne fait pas de doute. À mon avis, on peut dire sans risquer de se tromper qu'on se déteste déjà.

— Après ce qui s'est passé hier soir, ça ne m'étonne pas beaucoup. Mais d'après un de mes amis du Yard, elle est destinée à atteindre le sommet.

— Le sommet de quoi ? D'un tas de merde ?

— C'est à ce point-là ?

— Disons que ce n'est pas une fana de foot. Pour le moment, elle semble avoir une préférence pour Ronan Reilly comme meurtrier de Zarco.

— Je n'ai jamais pu blairer ce connard, moi non plus.

— Pour lui ou pour Sean Barry.

— Sean ? » Maurice fit la moue. « Honnêtement, je ne crois pas que Sean aurait pu tuer Zarco.

— Non ? »

Le téléphone sur mon bureau se mit à sonner. C'était Simon Page.

« Il y a ici deux types de la FA, dit-il. Apparemment, ils nous ont ratés à Hangman's Wood.

— La FA ? Qu'est-ce qu'ils veulent, bordel ?

— C'est le CDO et le FATSO. Ils réclament des échantillons d'urine de quatre joueurs pris au hasard. »

Le CDO était l'agent de contrôle de l'agence britannique antidopage et le FATSO[1] le nom qu'on donnait au superviseur de la fédération. Ils disposaient de pouvoirs énormes, et il était judicieux de coopérer avec eux à leur gré ; tout le monde se souvenait qu'une équipe antidopage avait fait subir un test au joueur de tennis Andy Murray alors qu'il s'apprêtait à se rendre à Buckingham Palace pour recevoir son titre d'officier de l'ordre de l'Empire britannique.

« Ils ont choisi leur moment, pas vrai ? Tu ferais bien de leur donner ce qu'ils désirent. »

Je raccrochai.

« Qui était-ce ? demanda Maurice.

— Test de dopage. Comme si avoir la police ici n'était pas assez enquiquinant. Alors tu disais ? À propos de Sean Barry.

— Il semble que la découverte de la liaison de Zarco avec sa bourgeoise l'ait incité à révéler que lui-même avait une petite amie. Plus d'une, en l'occurrence. Nous pouvons donc exclure le motif de la jalousie. Apparemment, il est plus bouleversé par la mort de Zarco que sa femme. Il pense que ça risque de nuire à nos chances de gagner quoi que ce soit cette saison.

— Il a peut-être raison. C'est ta copine Sarah Crompton qui t'a raconté tout ça, je suppose ?

— Oui.

---

1. Littéralement : « gros plein de soupe ».

— Alors nous pouvons le rayer de la liste de notre première équipe de suspects.

— Je pense.

— Et le fils de Jimmy Sharp, l'arbitre ? Qu'est-ce que tu as déniché de ce côté-là ?

— Sur la touche également. Il a candidaté à Campion Hall, à l'université d'Oxford. Souhaite étudier la théologie dès qu'il aura fini son service dans les Royal Marines. Il paraît qu'il veut entrer dans les ordres. Il y avait un article sur lui dans le *Daily Telegraph* il y a quelques semaines.

— À première vue, pas tout à fait le genre assoiffé de vengeance.

— Excellente couverture, néanmoins. Je veux dire, si tu voulais trucider quelqu'un, tu ne pourrais pas trouver mieux pour donner le change que de faire croire que tu en pinces pour Jésus. N'oublie pas le révérend Green dans le Cluedo.

— C'est devenu M. Green ces derniers temps. Plus politiquement correct. Apparemment, les Amerloques ayant acheté les droits du jeu ont protesté contre le fait qu'un curé puisse être un assassin.

— Bande d'andouilles ! » Maurice rit. « Denis Kampfner, je ne sais pas. Pas encore. Quant à ce Russe – Semion Mikhailov –, il est propriétaire d'une importante société dans le secteur de l'énergie, sans parler d'une banque ou deux et d'un club de football russe, le Dynamo Saint-Pétersbourg.

— Intéressant. Viktor est en train de leur acheter un joueur. Il dit qu'ils lui doivent de l'argent.

— D'après ce que j'ai entendu, je ne sais pas ce qu'il y a de pire, être créditeur ou débiteur de Mikhailov. Il est vraiment craignos, ce type. Mais jusqu'à présent, je n'ai pu récolter que quelques bribes d'information. Il cherche une baraque à Chelsea, apparemment. Tout à fait le quartier qu'il lui faut, à mon avis. Mais je ne pense pas qu'il pourrait se permettre de mal se conduire tout en essayant de s'installer ici. Attends une seconde… Viktor n'achète tout de même pas le diable rouge ?

— C'est ce qu'il prétend. Mais motus !

— Je lui souhaite bonne chance. On dit que Bekim Develi détestait encore plus la bouffe française que d'acquitter le taux maximum d'imposition français. Il aurait pris quinze kilos depuis qu'il est retourné jouer en Russie.

— Exactement ce qu'il nous faut, bonté divine ! »

Phil Hobday apparut dans l'embrasure de la porte.

« Comment ça se passe, Scott ?

— Je commence seulement à me rendre compte de la quantité de travail qui m'attend.

— Tout ce qui en vaut la peine exige un prix à payer, Scott, et le prix, c'est toujours du travail et de l'abnégation. Et encore plus si tu cherches l'immortalité sportive ; dans ce cas-là, il faut seulement que tu meures un peu, peut-être deux ou trois fois par semaine.

— Tu permets que je t'emprunte ça pour ma prochaine causerie ?

— Ce n'est pas exactement *Henry V*, mais je t'en prie. Le match de mardi soir, on devrait peut-être essayer d'obtenir de la FA qu'il soit reporté. »

Je réfléchis un instant.

« Et foutre en l'air le reste de la saison ? Je ne pense pas. On pourrait éventuellement se servir de la mort de Zarco, si ça n'a pas l'air trop cynique. Je veux dire, on pourrait peut-être tirer le meilleur des garçons en signe de respect pour lui. D'ailleurs, je suis sûr que tous les fans aimeraient marquer sa disparition.

— Eh bien, c'est toi le patron à présent.

— C'est ce que je n'arrête pas de me répéter.

— Les décisions difficiles sont le lot du manager. Il va falloir t'y habituer.

— Maurice ? Va voir si les flics en ont fini sur la scène de crime, s'il te plaît. J'aimerais aller jeter un coup d'œil un peu plus tard à l'endroit où Zarco est mort. Et ferme la porte derrière toi. J'ai une question embarrassante à poser au président du club. Peut-être même deux.

— Oui, patron. »

Phil s'assit sur le canapé le long du mur en attendant que Maurice ait quitté mon bureau. Même le dimanche, il portait un costume trois-pièces bien coupé et une cravate Hermès avec une pochette en soie assortie. La soixantaine, de taille moyenne, Phil avait une épaisse chevelure blanche. Il avait commencé sa vie professionnelle dans un des meilleurs cabinets d'avocats américains, Baker & McKenzie, qui, en 1989, était devenu un des premiers cabinets de droit international de Moscou, et c'est là qu'il avait rencontré Viktor lors de la privatisation de la société automobile Volga. Phil avait contribué à faire de Volga le fabricant de voitures le plus populaire de Russie. Il avait beau ne pas connaître grand-chose au football, il était imbattable en ce qui concernait les fusions, acquisitions et transactions sur les marchés financiers ; et – selon Viktor – il connaissait parfaitement le russe.

« Puisque tu as parlé d'immortalité, dis-je, ce serait peut-être le moment de songer à commander une statue de Zarco.

— Eh bien, demande à Viktor. Tu vas le voir beaucoup à partir de maintenant, fiston. Plus que tu ne peux imaginer.

— Oui, mais je me suis dit que tu étais l'homme de la situation pour ce genre de choses. Après tout, il y a une statue de toi à – où se trouve-t-elle déjà ? À l'usine Volga de Nijni Novgorod. Je veux dire, vers qui peut-on se tourner pour arranger ça ?

— Tu crois vraiment que nous devrions avoir une statue de Zarco devant la Couronne d'Épines ?

225

— Oui. Du moment qu'elle ne ressemble pas à celle de Billy Bremner. Surtout si elle ne lui ressemble pas du tout.

— J'en toucherai un mot à Viktor. » Phil sourit. « Mais ce n'est pas de ça que tu voulais me parler en privé, n'est-ce pas ?

— Non. Tu sais, Viktor m'a demandé de déroger à notre traditionnel 4-4-2. Il voudrait que je joue un nouveau rôle – une sorte de supermilieu de terrain qui rattraperait les erreurs des uns et des autres et qui éviterait tout travail défensif à nos quatre arrières.

— Je comprends. Quelqu'un avec un vrai sens du placement et une pleine confiance dans ses capacités. Un joueur qui sait conserver la balle et qui soulage tout le monde. Un peu comme David Luiz.

— Plutôt Hercule Poirot, j'aurais pensé.

— Pour qui joue-t-il ? Anderlecht ?

— Voyons, Phil. Je parie que c'était ton idée.

— Pourquoi ça ?

— Parce que c'est la chose intelligente à faire.

— Viktor est intelligent.

— Si Viktor était si intelligent que ça, il aurait un yacht plus petit. Un qui n'attire pas l'attention, comme le tien. Ce que n'a pas manqué de souligner *The Times* quand il t'a interviewé. Tu as été décrit comme un des avocats les plus en vue du Royaume-Uni. Mais d'après tes déclarations, j'ai eu l'impression que tu préférais et de loin garder profil bas. Que tu étais l'éminence grise derrière ce cardinal-là.

— Tu n'es pas bête non plus, Scott. Je ne connais pas beaucoup de managers de football qui connaissent les livres d'Aldous Huxley.

— Il y a moi et Roy Hodgson. Seulement, ne le dis à personne. Être intelligent dans le football est presque aussi mal vu que d'être homo. Et donc ?

226

— Tu sais, c'était peut-être mon idée, je ne me souviens pas au juste. Toutefois, si j'ai un conseil à te donner, c'est celui-ci : dans ce club, si tu as une bonne idée – si tu souhaites faire quelque chose d'important –, il vaut généralement mieux laisser Viktor croire que c'était la sienne en premier lieu.

— Bien. Était-ce l'idée de Viktor d'inciter Zarco à débiner la Coupe du monde au Qatar, ou la tienne ?

— Qui t'a dit ça ?

— Toyah.

— D'accord. » Il opina. « C'était effectivement mon idée.

— Pour quelle raison ?

— Tu sais que nous n'avons toujours pas vendu les droits de dénomination du stade. Ni trouvé de sponsor pour les maillots. Mais nous avons négocié un marché avec une banque qatarie. La Sabara Bank du Qatar. Un contrat d'environ deux cents millions de livres.

— Oui, je comprends aisément pourquoi vous auriez envie de les faire chier, c'est sûr.

— De fait, c'est exactement ce que nous voulions. Les faire chier dans les grandes largeurs. Nous étions arrivés à un accord avec Sabara. Et puis, juste avant l'annonce de la transaction, Viktor a trouvé un autre sponsor intéressé. Jintian Niao-3Q Limited.

— Un nom accrocheur. Je vois bien ça sur un maillot. Mais seulement si nous achetons quelques joueurs vraiment gros – comme Bekim Develi.

— D'après *Forbes*, Jintian est le premier opérateur de téléphonie mobile de Chine. Plus important que Vimpelcom, et qui représente dans les trente milliards de dollars. Et ils s'apprêtent à lancer un nouveau smartphone ainsi qu'un réseau 4G au Royaume-Uni. Jintian était prêt à nous payer cinq cents millions de dollars pour un contrat sur dix ans. Nous avons donc eu l'idée d'un stratagème susceptible de persuader les Qataris de changer d'avis et d'annuler leur parrainage. C'est là que Zarco est entré en scène avec ses commentaires sur la Coupe du monde de 2022. Et ça a marché. Les Qataris en avaient sérieusement marre de nous. Et il semblait que le stade de Doha ne serait jamais construit.

— Jusqu'à hier. Quand Zarco a été tué.

— Je le crains. Maintenant, pour eux, le seul obstacle majeur à la conclusion du marché a été levé.

— Tu sais, c'est là un motif largement suffisant pour tuer quelqu'un, Phil.

— Je ne pense pas que les Qataris aient quoi que ce soit à voir avec ça. Ils étaient remontés contre nous, mais pas tant que ça non plus.

— Deux cent millions de livres étant le genre de somme insignifiante sur laquelle n'importe qui fermerait les yeux.

— Je connais ces types. J'ai déjeuné avec eux. Ces trucs-là ne sont tout simplement pas leur style.

— Si tu le dis. Ce n'est qu'une supposition, Phil, mais j'imagine que c'est le type d'information que nous espérons dissimuler aux flics.

— Tout à fait. Ça n'a rien d'illégal, remarque. C'est juste une question de confidentialité commerciale.

— Je comprends quel était l'intérêt pour Viktor. Et pour toi à la rigueur. Mais pour Zarco ?

— Le football devient de plus en plus onéreux, Scott. Trois cent cinquante millions de livres dépensés par les clubs anglais en frais de transfert cet été. Une nouvelle acquisition record pour une somme astronomique au Real Madrid. Cet argent supplémentaire venant du parrainage des Chinetoques aurait été bien utile. Même pour quelqu'un d'aussi riche que Viktor Sokolnikov.

— Il n'y a pas de petits profits, hein ? Je suis persuadé qu'il fait ses courses chez Tesco lui aussi.

— Tu sais, je te parie que, dans cinq ans, trois cents millions ne seront pas suffisants pour un transfert record.

— Tu pourrais bien avoir raison. Espérons que ce sera nous qui ferons la vente. »

Phil se leva et se dirigea vers la porte.

« Avant que tu partes, dis-je, j'ai un nom russe pour toi : Semion Mikhailov. »

Phil s'immobilisa à mi-chemin.

« Et alors ?

— Il a été vu au stade hier après-midi.

— Vu par qui ?

— Par quelqu'un travaillant ici. J'ai entendu dire qu'il était dangereux.

— Très dangereux. Mais pas pour nous. Tu peux me croire sur parole. Viktor lui prend Bekim Develi en remboursement partiel d'une dette quand il ira en Russie demain. Mikhailov ne fera rien qui puisse compromettre l'opération.

— Tu sais, si je dois mettre la main sur l'assassin de Zarco avant les flics, il serait utile que je sache ce que tu sais.

— Vas-y.

— Est-ce que Zarco avait des raisons d'avoir peur de Viktor ?

— Pourquoi aurait-il eu peur de Viktor ?

— Et peut-être pas seulement de Viktor. De toi aussi, Phil.

— Moi ? Qu'est-ce qui te fait dire ça, bon Dieu ?

— Parce que Viktor connaît des gens louches, comme Semion Mikhailov ; et toi également.

— C'est encore Toyah, pas vrai ? On voit bien qu'elle a été actrice – elle a une imagination débordante. Écoute, Scott, est-ce que nous te demanderions, Viktor et moi, de t'occuper de la mort de Zarco si nous avions quoi que ce soit à y voir ?

229

— Parfois, quand on veut empêcher l'autre camp de marquer, on place tous ses joueurs devant le but. De la même façon, me demander d'enquêter sur sa mort ne fait que gêner la police, leur rendre plus difficile d'aboutir à un résultat. C'est ainsi que ça marche. Si tout ce qu'on veut, c'est ne pas encaisser de but, alors on réduit sérieusement leurs chances de gagner.

— Exact. Mais il me semble que Viktor a parlé de bonus, n'est-ce pas ? Peut-être dois-je en redire un mot. Grâce à ton père, tu es déjà à l'aise, bien sûr. Mais je te connais suffisamment pour savoir que tu es quelqu'un qui désire réussir par ses propres mérites. Ce club va devenir un des meilleurs, Scott. Tu pourrais accomplir de grandes choses à London City. Des choses que tu n'as jamais pu réaliser en tant que joueur de Southampton ou d'Arsenal. Tout ce tu as à faire, c'est de prouver que tu veux vraiment ce boulot de manager. »

24

Juste après 11 heures, Sarah Crompton apparut dans mon bureau pour me montrer l'ébauche d'un communiqué de presse annonçant que j'allais être le nouveau manager de London City.

Sarah était une très jolie brunette d'une quarantaine d'années, mince et élégante, et qui portait toujours des ensembles Chanel, Max Mara et autres marques prestigieuses. Avant de rejoindre London City, elle avait travaillé chez Wieden + Kennedy à Amsterdam, une agence de publicité américaine responsable de la campagne « Écris ton avenir » de Nike, sortie sur les écrans avant la Coupe du monde de 2010. Celle où un Wayne Rooney barbu vit dans une caravane parce que Franck Ribéry l'a empêché de marquer un but. Sarah était intelligente, savait bien s'exprimer et, tout en lui parlant, alors même que Maurice McShane était encore dans la pièce, je me demandais ce que ces deux personnes pouvaient bien avoir en commun hormis l'amour du sport ; Sarah était une golfeuse accomplie, et avec un handicap de six seulement, elle m'aurait facilement battu. J'avais plein de temps pour cette femme-là. Pour n'importe quelle femme au cerveau comme le sien. À bien des égards, elle me rappelait Sonja.

Viktor et Phil ayant déjà approuvé le communiqué de presse, je n'avais pas grand-chose à modifier, à part que je n'avais pas « hâte de relever le défi ». « Essayer de me montrer à la hauteur de l'exemple donné par un des plus grands managers de tous les temps » était une formulation qui me convenait beaucoup mieux, comme je lui en fis la remarque – il y avait déjà suffisamment de clichés dans le journalisme footballistique sans que j'ajoute à cette ziggourat déjà énorme.

Je lui dis aussi que je refusais de donner des interviews jusqu'à l'enterrement de Zarco.

« Je ne veux pas compliquer ton travail, mais je suis bouleversé par ce qui s'est passé et j'ai besoin d'un peu de temps pour m'en remettre. Et aussi pour prendre mes marques avant de me sentir ne serait-ce qu'à moitié à l'aise de disserter en tant que manager de ce club.

— Le *Guardian* s'intéresse beaucoup au fait que tu sois un des quatre managers de couleur de la Football League : toi, Chris Hughton, Paul Ince et Chris Powell.

— Je n'y avais jamais songé sous cet angle-là.

— Tu devrais peut-être, répondit Sarah.

— Non. Les joueurs s'achètent parce qu'ils sont bons, indépendamment de la couleur de leur peau. Et on engage des managers parce qu'ils sont performants. Je ne pense pas une seconde que des mesures de discrimination positive de la part de la FA régleraient quoi que ce soit. Si on pouvait avoir quelques joueurs dans le comité de la FA – n'importe lesquels, pas forcément de couleur –, les choses pourraient sans doute s'améliorer. Mais tant que la FA restera un club pour membres de la famille royale désœuvrés et gros hommes d'affaires blancs, il n'y a aucun changement réel à espérer.

— Alors dis ça !

— Peut-être quand je serai un peu mieux installé dans mes pantoufles. Que London City aura remporté un titre. Pas avant.

— Bien. Mais il y a tout de même une interview que tu devrais accorder sans attendre. À Hugh McIlvanney, du *Sunday Times*. Tu le connais, non ? »

Je hochai la tête.

« Un peu.

— Il m'a envoyé un mail. Un mail très gentil, en fait. Il prépare un article sur Zarco pour le numéro de dimanche prochain et il aimerait beaucoup que tu y contribues. Et n'oublions pas que c'est le meilleur journaliste sportif du pays. »

Je ne pouvais qu'être d'accord avec ce jugement. Si je l'appréciais, ce n'était pas parce qu'il était écossais, mais à cause de ses talents d'écrivain, purement et simplement. Il ne décevait jamais. À la mort de George Best en novembre 2005, c'est McIlvanney qui avait parlé de George avec le plus d'éloquence dans sa rubrique « La voix du sport ». Je me souvenais encore de cette formule qu'il avait eue alors et qui était une de mes préférées : « Essayer d'expliquer comment et pourquoi le spectacle d'hommes jouant avec un ballon peut captiver des millions de personnes depuis leur enfance jusqu'à un âge avancé est une tâche allant au-delà des arguments rationnels. Mais nous n'avions jamais besoin de quelque chose d'aussi trivial que la logique quand George se trouvait parmi nous. » Ainsi soit-il. Mac n'avait pas toujours écrit des choses gentilles sur João Zarco – une fois, il avait même qualifié son approche du football de « médico-légale » et l'homme lui-même de « champion en titre de la realpolitik sportive » –, mais il était toujours d'une équité scrupuleuse.

« Oui, dis-je à Sarah. Je vais lui parler. Mais seulement parce qu'il s'agit d'un article sur Zarco. »

Sarah mit le communiqué de presse sur Twitter et presque aussitôt commencèrent à affluer des SMS d'autres managers, messages où se mêlaient de façon bien compréhensible condoléances et félicitations. De Porto – la ville natale de Zarco –, je reçus un Instagram de l'Estádio do Dragão où, sous une peinture murale du célèbre dragon du club, s'étalait maintenant une gigantesque photographie d'un Zarco à l'air songeur, flanquée de deux membres de la garde nationale républicaine portugaise. Tandis qu'à Glasgow, où Zarco avait terminé sa carrière en tant que joueur extrêmement populaire du Celtic, des rubans noirs recouvraient à présent chaque centimètre de la grille verte entourant la statue de Jock Stein. Dans la ville brésilienne de Belo Horizonte, où pendant quelque temps Zarco avait été manager de l'Atlético Mineiro, l'Estádio Raimundo-Sampaio – un terrain qui me rappelait toujours Highbury, l'ancien stade d'Arsenal – était jonché de fleurs. Apparemment, sa disparition avait touché les gens aux quatre coins du monde.

Je répondis à quelques-uns de ces messages, mais j'étais davantage intéressé par la lecture des centaines de SMS contenus dans le téléphone portable « autre chose » de João Zarco. La plupart venaient de ou étaient adressés à Paolo Gentile, qui avait été non seulement l'agent de Zarco, mais aussi celui du club – du moins l'avait-il été lors du récent transfert de Kenny Traynor. Les SMS entre Gentile et Zarco étaient non datés et souvent volontairement vagues, mais je compris très vite que Zarco avait pris un dessous-de-table sur le transfert de Traynor. Pour un transfert de neuf millions de livres, un agent aurait touché près d'un million de commission. Un salaire normal pour un agent de football parmi les dix plus importants comme Paolo Gentile, et de fait celui-ci avait empoché des honoraires bien supérieurs sur des joueurs plus chers. Lorsque Henning Bauer avait été transféré du Bayern Munich à Monaco, Gentile était reparti avec la coquette somme de cinq millions d'euros.

Pour dire les choses simplement, un dessous-de-table est un paiement illicite destiné à garantir qu'une opération de transfert de joueur se déroule de façon satisfaisante ; un club autorise le paiement d'une certaine somme à un agent, lequel en reverse discrètement une partie en liquide au manager. On se souvient que, lors du scandale ayant éclaté à la suite du transfert de Teddy Sheringham à Nottingham Forest, Terry Venables avait prétendu que Brian Clough « aimait les pots-de-vin ». Et la situation n'a guère changé. Les managers et les agents sont peut-être un peu plus prudents vis-à-vis de la FA et du fisc, mais comme tout le monde vous le dira dans le football, les paiements illicites sont plus ou moins impossibles à contrôler. Quant à moi, jamais je ne prendrais de bakchich, mais si un agent et un manager décident entre eux que de l'argent liquide doit changer de mains, je ne vois pas comment on pourrait les en empêcher.

Zarco et Gentile étaient suffisamment avisés pour rester sibyllins. Les sanctions pour avoir accepté un dessous-de-table étaient sévères, comme pouvait en témoigner l'ancien manager d'Arsenal, George Graham ; il avait été la première et unique victime du scandale de pots-de-vin qui avait secoué le monde du football en 1995. Ce qui lui avait valu de perdre son boulot et d'être interdit d'activité par la FA pendant un an.

Il était moins évident de comprendre de quelle manière et quand le dessous-de-table sur le transfert de Kenny Traynor serait versé à Zarco. Je dus relire plusieurs fois les SMS avant d'avoir la moindre idée de ce qui s'était passé entre les deux hommes.

25

Zarco mardi 20 h 45
D'après VS, DK appartient
à l'histoire ; KT est à toi maintenant.

Gentile mardi 20 h 47
KT marchera ?

Zarco mardi 20 h 48
S'il veut venir à SD, il a intérêt.

Gentile mardi 20 h 49
J'aurais bien aimé voir la tête
de DK quand tu lui as balancé ça.

Zarco mardi 20 h 52
Il était salement furax.

Gentile mardi 20 h 53
Excellent. J'appelle KT ce soir ?

Zarco mardi 20 h 54
Il attend ton appel chez lui.

Gentile mardi 21 h 00
OK. Je le fais maintenant.

Zarco mardi 21 h 03
Bien. NB : il est écossais. Au cas
où tu ne pigerais pas ce qu'il raconte,
son anglais est meilleur à l'écrit qu'à l'oral.

Je supposais que VS désignait Viktor Sokolnikov, DK Denis Kampfner, KT Kenny Traynor et SD Silvertown Dock.

Gentile mardi 21 h 45
OK, je l'ai appelé. Il est d'accord. Affaire à suivre. On va de nouveau se parler demain matin. Pour finaliser les détails.

Zarco mardi 22 h 00
WTF ? Pourquoi pas ce soir ?

Gentile mardi 22 h 11
Parce qu'il a des scrupules à l'égard de DK. Il travaille avec lui depuis deux ans. Il pense qu'ils sont amis.

Zarco mardi 22 h 15
Tu lui as dit que VS ne prendrait pas DK. Point final. Il ne lui fait pas confiance.

Gentile mardi 22 h 20
Qui a confiance en lui ? Bien sûr que je lui ai dit. Écoute, t'en fais pas, il s'en remettra.

Zarco mardi 22 h 21
J'espère pour toi.

Gentile mardi 22 h 25
Crois-moi, quand on leur dit combien ils vont gagner par semaine, ils s'en remettent toujours.

Zarco mardi 22 h 29
Je ne comprendrai jamais ça. Les joueurs sont payés au mois comme tout le monde.

Gentile mardi 22 h 40
Oui, mais ils ne pigent ce genre de chiffres qui si on leur dit combien par semaine. De vrais autistes.

Zarco mardi 22 h 45
Je croyais que les autistes étaient forts en maths. Comme Rain Man.

Gentile mardi 22 h 50
Alors, ils sont bouchés. Tous les footballeurs sont bouchés quand il s'agit de chiffres. Normal. Sinon ils n'auraient pas besoin d'agents.

Zarco mardi 22 h 55
Exact. Tu as l'étoffe des Borgia.
Ce ne serait pas des parents à toi par hasard ?

Gentile mardi 23 h 00
Lol.

Jusque-là, ça paraissait parfaitement limpide, mais au fur et à mesure que les messages se faisaient plus mystérieux et plus chiffrés, il devenait paradoxalement évident qu'un truc encore plus louche qu'une simple histoire de dessous-de-table se tramait.

Gentile mercredi 13 h 30
OK, tu as un nouveau goal.

Zarco mercredi 14 h 00
Et alors ?

Gentile mercredi 14 h 02
Il est très content. Du moins, je pense.
Je ne saisis pas tout ce qu'il dit.

Zarco mercredi 14 h 06
Dans ce cas, on est deux.

Gentile mercredi 14 h 30
Il y a une demi-livre pour toi,
comme convenu.

Zarco mercredi 14 h 40
Tu sais à quel point j'en ai besoin.

Gentile mercredi 14 h 50
Bien sûr. 50k de la main à la main.
Le solde en CSAG
à Monaco STCM. Demain sans faute.

Zarco mercredi 14 h 55
Tu as le contact et les coordonnées
du compte.
Alors sers-toi.

Gentile mercredi 15 h 25
Tu es sûr ?

Zarco mercredi 16 h 00
Sûr. Mais vendredi ou lundi
sera trop tard. Doit être demain.
Avant que ce soit dans le journal.
Compris ?

Gentile mercredi 16 h 05
OK. Compris.

Gentile mercredi 17 h 00
Terminé. Où veux-tu les 50k ?

Zarco mercredi 17 h 30
Demain. BP sur A13 comme d'hab. 15 h.

Les rares fois où j'avais entendu des agents et des managers parler affaires, il leur arrivait d'utiliser le mot « livre » sous forme sténographique, codée, façon pidgin, comme s'ils essayaient de dissimuler les sommes réelles brassées dans le football moderne. Une livre voulait dire un million de livres, de même que dix livres représentaient dix millions de livres et cinquante livres cinquante millions. Une raison de plus d'être pessimiste quant au rôle joué par l'argent dans le sport. Avec des Eden Hazard, Robin van Persie et Yaya Touré touchant 180 000 livres par semaine, on pouvait aisément oublier qu'il était possible de demander à des supporters de payer jusqu'à 126 livres un billet de match à Arsenal – de vraies livres, pas des millions, soit le quart d'un salaire hebdomadaire moyen.

Mais il semblait que les choses ne se soient pas tout à fait passées comme prévu, raison pour laquelle j'avais vu les deux hommes se disputer à la station-service d'Orsett près de Hangman's Wood – ce qui était sûrement « BP sur A13 ».

Zarco jeudi 15 h
Où es-tu ?

Gentile jeudi 15 h 02
Au milieu des bagnoles. Je suis là dans une minute.

Zarco jeudi 15 h 15
J'attends toujours.

Gentile jeudi 15 h 19
Bloqué dans un embouteillage. Un peu de patience.

Zarco jeudi 15 h 21
Facile à dire. As-tu acheté CSAG ? Comme je te l'ai dit ?

Gentile jeudi 15 h 22
Oui. Pas de problème de ce côté. Mais j'ai un pépin avec les 50k. Je n'ai pas pu les avoir aujourd'hui.

239

Zarco jeudi 15 h 24
WTF ? Alors pourquoi j'attends ici ?
Je t'ai dit que j'en avais besoin
pour le w-e. Et aussi pour quelle raison.
Ces mecs seront furax si je ne leur
donne pas ce que j'ai promis.

Gentile jeudi 15 h 25
J'arrive.

Zarco jeudi 16 h 30
Tu m'as fait perdre mon temps.

Gentile jeudi 16 h 45
Je te l'ai dit. Tu les auras après-demain.
Je les apporte à la BP.

Zarco jeudi 16 h 50
Sans faute.

Tout d'abord, j'avais pensé que Monaco STCM avait quelque chose à avoir avec l'AS Monaco, le club de football, et que CSAG était peut-être un joueur, même s'il ne semblait guère probable qu'un agent eût été incité à acheter un joueur, à moins qu'il ne s'agisse d'une de ces combines avec des ayants droit économiques offshore du type Tévez qui avaient donné tellement de boulot grassement payé à des avocats et à des comptables sur le dos d'un footballeur de talent. Mais les événements allaient devenir encore plus déroutants pour moi, et apparemment beaucoup plus inconfortables pour Zarco, c'est le moins qu'on puisse dire.

Gentile vendredi 18 h 00
Dis-moi, tu savais que MSTCM
appartenait à SCBG ?

Zarco vendredi 18 h 47
SCBG ? Rappelle-moi déjà.

Gentile vendredi 18 h 50
Sumy Capital Bank de Genève.

Zarco vendredi 19 h
Merde.

Gentile vendredi 19 h 15
Mais VS sait sûrement ce que te rapporte
le deal KT. Ce qui explique qu'il ait accepté
de faire appel à moi, pas vrai ? Pour que tu te
sucres au passage.

240

Zarco vendredi 19 h 30
Oui, il est au courant. Mais il ne sait pas que j'ai utilisé la plus grande partie de l'argent pour investir dans CSAG. Il l'aurait mauvaise.

Gentile vendredi 19 h 37
OK, mais MSTCM n'informera pas nécessairement VS de l'achat de CSAG. Secret bancaire, etc.

Zarco vendredi 19 h 48
Il s'agit de VS, pas d'un guignol de la AMF ! VS peut aller là où d'autres ne peuvent pas. Il est omniscient et omnipotent. Je suis foutu. Peut-être pas tout de suite, mais plus tard.

Je cherchai quelques-unes des abréviations sur Google avec mon PC de bureau. Monaco STCM signifiait en fait Monaco Short Term Capital Management, une société d'investissement détenue en totalité par la Sumy Capital Bank de Genève, elle-même propriété de Viktor Sokolnikov ; et CSAG était probablement Chostka Solution AG, qui – selon les journaux – était l'entreprise de construction de Sokolnikov ayant obtenu le contrat pour bâtir le nouveau Thames Gateway Bridge. D'après ce que je pus glaner sur Google, les actions de CSAG avaient monté en flèche à la suite de l'annonce que le permis de construire du pont avait finalement été délivré. Et à en croire les SMS que je venais de lire, Zarco s'était apparemment servi de la majeure partie de son dessous-de-table pour commettre un petit délit d'initié offshore – pour acheter des parts de la société de son patron avant que ne soit rendue publique la nouvelle que toute opposition à la construction du pont était levée. Depuis l'annonce, les actions avaient augmenté de presque 30 %, ce qui voulait dire que si la « demi-livre » mentionné dans le SMS correspondait à un demi-million de livres – moins « 50k », vraisemblablement cinquante mille livres –, alors les quatre cent cinquante mille livres investies seraient devenues près de six cent mille livres. Un sacré rendement. Et parfaitement illégal.

Zarco vendredi 21 h 00
À la réflexion, n'apporte pas les
50k à la BP. Il vaut peut-être
mieux ne pas être vus ensemble
en public pendant un moment. Nulle part.

Gentile vendredi 22 h
OK, tu as raison. Alors où ça ?

Zarco vendredi 22 h 10
Sers-toi de la 123 cette fois-ci.

Gentile vendredi 22 h 13
OK. Tu seras là ?

Zarco vendredi 22 h 15
Peut-être. Pas sûr. Avant le match,
je déjeune au resto VIP avec VS
et quelques types du conseil municipal.
Alors si je ne suis pas là, laisse-les
où tu les as laissés la dernière fois.

Gentile vendredi 22 h 25
OK. Vous devriez battre Newcastle.

Zarco vendredi 22 h 45
Scott a dans l'idée de les déstabiliser.
On verra bien.

Gentile samedi 10 h 00
J'ai les 50k.

Zarco samedi 10 h 10
Super.

Gentile samedi 11 h 17
En route pour SD.

Gentile samedi 11 h 45
Arrivé à SD.

Zarco samedi 11 h 48
Si on se croise dans le stade devant
la 123, tu ne me connais pas, OK ?

Gentile 11 h 55
Pas de problème. Je ne reste
pas pour le match.

Zarco samedi 12 h 10
Merci, c'est gentil.

Gentile 12 h 10
Pas de problème. *Football-
Focus* prédit un match nul.

242

Zarco 12 h 15
C'est Keown ou Lawro ?

Gentile 12 h 18
Lawro.

Zarco 12 h 19
De bons défenseurs tous les deux,
mais Keown est plus malin. D'ailleurs,
on ne peut pas avoir une coupe de cheveux
comme celle de Lawrenson et être pris
au sérieux. Mise sur City.

Gentile 12 h 23
Je ne mise que sur des trucs sûrs.

Zarco samedi 12 h 45
Tu es un gars sensé.

Gentile samedi 13 h 00
Déposé comme convenu. T'ai raté,
je pense. Simple comme bonjour.
Bonne chance pour cet aprèm et bon w-e.
Je file à présent chez moi.
Dois prendre l'avion pour l'Italie ce soir.

Gentile samedi 15 h 15
Un mot de remerciement serait sympa.

Gentile samedi 15 h 25
C'est pas grave. Je suis à l'aéroport.

Gentile samedi 19 h 00
De retour à Milan. Où es-tu, bon Dieu ?

Il n'y avait plus de messages de Zarco après 12 h 45. Selon Phil Hobday, il avait quitté le restaurant VIP aux environs de 13 h 05, heure au-delà de laquelle on ne l'avait pas revu vivant. Où était-il allé ensuite ? Il était impossible d'imaginer qu'il ait été forcé de se rendre quelque part contre son gré sans que quiconque s'en aperçoive. Son visage s'étalait sur une peinture murale de dix mètres de haut placée sur le côté du stade. Il ne passait pas tout à fait inaperçu. Quelqu'un devait l'avoir vu.

Ces SMS soulevaient également plusieurs autres questions ; si Paolo Gentile avait apporté un dessous-de-table de cinquante mille livres à Silvertown Dock et l'avait caché quelque part à l'intention de João Zarco, où se trouvait-il à cet instant ? Était-il encore à l'endroit où il l'avait laissé ? Après tout, cinquante mille livres constituaient un assez bon mobile pour tabasser quelqu'un et le dépouiller. À moins, bien sûr, qu'il ne les ait pas apportées et qu'ils se soient de nouveau querellés. N'était-il pas possible que les SMS envoyés par Gentile à Zarco après 13 heures n'aient été qu'une couverture ? Et quoi de mieux pour sa sécurité, maintenant que la police enquêtait sur la mort de Zarco, qu'être chez soi en Italie ?

D'un autre côté, peut-être Toyah avait-elle raison après tout et Zarco avait-il de bonnes raisons d'avoir peur de Viktor – meilleures même qu'elle ne pouvait l'imaginer. Qu'aurait fait Viktor s'il avait découvert que Zarco avait acheté des parts de CSAG en commettant un délit d'initié ?

Dans l'espoir d'en apprendre davantage – à quoi correspondait le chiffre 123 ? Qui étaient les types pour qui il avait besoin de cinquante mille livres ? Auraient-ils pu être suffisamment remontés contre Zarco pour le tuer ? – j'appelai Paolo Gentile au numéro figurant dans le portable de Zarco, mais je ne fus pas du tout surpris de tomber sur son répondeur. Je lui laissai un message en lui demandant de me rappeler de toute urgence.

À ce moment, je m'étais également rendu compte à quel point tous ces messages étaient sensibles et combien la police aurait aimé voir ce que contenait le téléphone de Zarco. Bien sûr, je savais que je commettais un délit grave en ne le donnant pas – garder par-devers soi des pièces à conviction lors d'une enquête criminelle était passible d'une peine de prison, et je savais déjà tout sur la taule. Je n'avais nullement l'intention de retourner à Wandsworth. Mais la réputation de Zarco et celle de London City étaient encore plus lourdes de conséquences. Pour la première fois de ma vie, je comprenais la vérité absolue des propos célèbres de Bill Shankly lorsqu'il était encore manager de Liverpool : « Certains pensent que le football est une question de vie et de mort... Je peux vous assurer que c'est beaucoup, beaucoup plus important que ça. »

Et comment.

26

Je me rendis au salon des joueurs, où tout le monde regardait Sky Sports, pour ne pas changer – Tottenham contre West Bromwich Albion, premier des trois matchs télévisés du « Super Sunday ». Dans le studio, avant le match, on avait pas mal parlé, bien évidemment, de la mort de Zarco et de ma nomination au poste de manager, dont les trois experts avaient l'air de penser que c'était une bonne chose. Je m'efforçai de ne pas y prêter attention, même si j'ai toujours respecté Gary Neville ; mis à part cette passe en retrait à Paul Robinson lors du match de qualification pour l'Euro 2008 face à la Croatie, on ne pouvait pas ne pas admirer un homme qui, à l'âge de seulement vingt-trois ans, avait eu la force de caractère de dire à Glenn Hoddle ce qu'il pensait du guérisseur engagé par le manager de l'équipe d'Angleterre.

De temps à autre, une jolie policière en uniforme appartenant aux forces de l'Essex, une écritoire à pince à la main, appelait un des joueurs ou des membres du personnel présents la veille à Silvertown Dock pour un bref interrogatoire avec un enquêteur. Mais cela semblait prendre un certain temps et quelques-uns des gars vers la fin de l'alphabet se montraient impatients de rentrer chez eux pour passer ce qui aurait été un rare dimanche en famille. D'autres se comportaient d'une manière quelque peu grossière et agaçante vis-à-vis de la malheureuse policière. Lorsqu'elle pénétra dans la salle, un des jeunes joueurs lança : « Hé les gars, voilà l'effeuilleuse ! », et je compris vite que tout ceci durait depuis un moment.

« Ça suffit, dis-je d'une voix ferme. Cette femme ne fait que son travail. Tâchez de ne pas oublier qu'il s'agit d'une enquête pour meurtre et traitez-la avec respect. »

Ce qui était plutôt culotté de ma part.

Chacun poussa un grognement, non pas parce qu'il était en désaccord avec moi, mais parce que Tottenham, qui était seulement à trois points derrière nous au classement, venait de marquer le premier but.

« Hé, patron, vous ne pourriez pas demander qu'on mette le chauffage ? On caille ici, dit quelqu'un. On en a touché un mot au gros Simon, mais ça n'a rien donné, apparemment. »

Ce qui expliquait pourquoi un Ayrton Taylor à l'air maussade portait un manteau d'astrakan noir Dolce & Gabbana qui paraissait s'harmoniser avec ses cheveux frisés coiffés à la rockabilly ; d'un autre côté, comme le manteau coûtait sept mille livres, il ne voulait peut-être pas le laisser traîner n'importe où de crainte que quelqu'un ne déconne avec, en cisaillant les poils, par exemple. Je le comprenais. Les joueurs aimaient bien faire des blagues idiotes avec les vêtements des uns et des autres, comme découper la partie arrière d'un jean et parfois bien pire. Moi-même, j'avais reluqué ce manteau dans le magasin, pour décider un, que sept mille livres était beaucoup trop cher et deux, que j'avais de toute façon l'air d'un abruti avec. Voilà comment Sonja en était venue à m'offrir un joli manteau gris en cachemire de chez Zegna. La main de Taylor était toujours bandée, mais il n'essayait pas de la cacher dans sa poche, comme il l'aurait peut-être fait s'il avait vraiment battu Zarco à mort.

« Je vais voir ce que je peux faire, répondis-je, avant de croiser le regard sombre de Taylor. Ayrton, je peux te parler, s'il te plaît ?

— Bien sûr. »

Nous sortîmes et descendîmes le couloir jusqu'à une vitrine blindée contenant le bien le plus précieux de Viktor Sokolnikov – une réplique exacte du célèbre trophée Jules-Rimet qu'il avait achetée à la Confédération brésilienne de football pour cinquante millions de dollars. L'original se trouvait dans un coffre à la banque de Viktor, mais la plupart des gens pensaient que celui qui était exposé à Silvertown Dock était le vrai.

« Qu'est-ce que tu t'es fait à la main ? lui demandai-je.

— J'ai donné un coup de poing dans la porte d'un casier après le match », expliqua Taylor.

C'était un Anglais de Liverpool, mais il avait grandi au Brésil où, malgré le désir de son père qu'il devienne pilote de course, il avait appris le football.

« Et pourquoi ça, bon sang ?

— Parce que j'étais énervé, je suppose.

— À propos de quoi ?

— Je voulais jouer hier, bien sûr. Il n'y a rien de pire que de voir votre équipe gagner sans vous. Même quand vous êtes blessé. Bon Dieu, vous devriez le savoir, patron. Je voulais seulement aller sur le terrain et marquer moi-même un but.

— Et tu es toujours dans ces dispositions ? »

Il fit un signe de tête vers le trophée.

« Il y aura bientôt la Coupe du monde. La seule façon pour moi d'être retenu dans l'équipe d'Angleterre, c'est de jouer régulièrement et de marquer des buts, mais il y a peu de chances que ça se produise à présent.

— Montre-moi la porte.

— Pardon ?

— La porte dans laquelle tu as donné un coup de poing. Montre-la-moi.

— Pourquoi voulez-vous voir cette putain de porte ?

— Fais-moi plaisir. »

Taylor haussa les épaules, puis m'emmena au vestiaire, où s'alignaient vingt-sept portes de casiers en chêne poli, chacun derrière un siège individuel recouvert de daim orange. Il me montra le numéro sept, avec le nom de Christopher Bündchen marqué dessus. J'ouvris la porte et vis qu'une fente la traversait de part en part, comme si elle avait été heurtée avec une force considérable.

« Bon sang, tu n'y es pas allé avec le dos de la cuillère. »

Il avait l'air penaud.

« Non, pas trop. Autrefois je suivais des cours de karaté durant mon temps libre et j'ai cru que j'étais encore capable de faire ce genre de truc. Mais il semble que ce soit comme pour le reste.

— Tu as passé une radio ?

— Pas besoin. Je sais que ce n'est pas cassé. Je me suis contusionné les os, voilà tout. »

Je pris sa main par les doigts et la retournai.

« Joli pansement. Qui l'a fait ?

— Ma femme, Lexi. Elle a été infirmière. Elle attendait à Hangman's Wood pour me ramener à la maison, hier soir. Voyez-vous, j'ai perdu mon permis il y a quelque temps. Elle vient toujours me chercher après...

— Pourquoi elle et pas le médecin de l'équipe ?

— Parce que ça me gênait.

— Tu es vraiment dingue. Tu aurais pu te faire une fracture.

249

« — Je me disais que ça valait mieux que de frapper Christoph, répondit Taylor. Vu qu'il a pris ma place dans l'équipe.

— C'est vrai. »

Il sourit soudain.

« Oh, je comprends. Vous pensiez que c'était peut-être moi qui avais flanqué une correction à Zarco.

— Quelqu'un l'a fait.

— Ce n'est pas moi. Entre nous, je détestais ce salaud, ça, c'est sûr. Et il n'a probablement eu que ce qu'il méritait. Mais pas par moi. D'ailleurs, j'ai un témoin qui m'a vu faire. Manny. »

Manny Rosenberg était le responsable de l'équipement.

« Peut-être que tu as cogné sur la porte parce que tu avais déjà cogné sur Zarco. Une façon commode d'expliquer ta main. Tu aurais pu donner un coup de poing dans le battant pour camoufler les ecchymoses.

— Vous ne croyez tout de même pas que je l'ai tabassé ?

— Non, pas vraiment. Au fait, quel âge as-tu, Ayrton ? Vingt-huit ans ?

— Oui. C'est ma dernière chance.

— Tu sais que nous avons reçu des offres pour toi de la part d'autres clubs ?

— Oui, je sais. Mais Fulham et Stoke City, ce n'est pas vraiment le pied.

— Est-ce que je peux être franc avec toi ? » Je montrai d'un signe de tête l'iPhone dans sa main indemne. « Ce qui signifie que je ne veux pas lire sur Twitter ce que je vais te dire maintenant. »

Il opina et mit le portable dans la poche de son manteau.

« À mon avis, la façon dont Zarco t'a traité était injuste. Mais tu n'aurais jamais dû l'injurier comme ça. Même s'il t'a balancé un cône. Du temps où j'étais joueur, les managers faisaient bien pire que ça. Se mettre en colère dans le football est une bonne chose. C'est un jeu émotionnel. Big Ron Atkinson a couru après un joueur dans les vestiaires de Villa Park et a fini par en frapper un autre par erreur. Lawrie McMenemy s'est colleté avec Mark Wright dans les douches à Southampton. Et quand j'étais à Forest, Cloughie a filé un marron à Roy Keane.

— C'est vrai ? Bon Dieu. Je ne peux pas imaginer que quiconque puisse lever la main sur lui.

— Aujourd'hui, Keane dit que c'est la meilleure chose qui lui soit jamais arrivée. Les joueurs font des trucs qui exaspèrent les entraîneurs et les managers – comme d'être paresseux pendant l'entraînement – et, quand ça arrive, ils méritent un coup de pied aux fesses. Ce qui s'est passé était ma faute. Tu n'étais qu'un petit flemmard, mais c'est moi qui aurais dû te botter le train, Ayrton. Pas Zarco. C'était moi, le responsable de la séance d'entraînement et c'est moi qui aurais dû te passer un savon.

— Merci.

— Jamais tu n'auras ta place en équipe d'Angleterre si tu te comportes comme un satané flemmard – tu sais ça, non ?

— Oui.

— J'admire le fair-play et l'esprit sportif, mais il n'y a pas de place dans mon équipe pour quelqu'un qui n'en met pas un coup pendant l'entraînement. Si tu es prêt à le faire, alors je veux bien de toi dans mon équipe. En ce qui me concerne, tout ce qui s'est passé entre Zarco et toi est de l'histoire ancienne si tu peux me dire que tu veux rester ici à London City et que tu te défonceras pour nous.

— Si je veux rester ici ? Je n'ai jamais voulu partir.

— Et tu feras de ton mieux pour moi ?

— Oui. Oui. Vous êtes sérieux, patron ? »

251

Je mis la main sur l'épaule du garçon et le regardai droit dans les yeux.

« Bien sûr que je suis sérieux. Nous avons besoin d'un joueur expérimenté comme toi, Ayrton. Il y a des tas de talents dans l'équipe, mais Ken Okri mis à part, il n'y a personne qui soit capable de calmer les plus jeunes et de les inciter à continuer de se battre quand nous sommes menés et qu'il ne reste plus que quelques minutes de jeu. Lorsque nous avons perdu 4-3 à Newcastle juste après Noël, tu as été le seul à ne pas baisser les bras et à chercher le but égalisateur. Tu as beau être un foutu paresseux à l'entraînement, dans une rencontre tu as l'esprit combatif qui fait gagner les matchs, Ayrton. Il n'existe aucune obligation de gagner au football, mais il y en a une de continuer à essayer. C'est ce que croient les supporters. Et c'est aussi mon expérience. Le nombre de matchs que j'ai vu remporter à la dernière minute...

— Vous avez raison, patron. Arsenal contre Liverpool en mai 1989, Man U contre le Bayern Munich en 1999, Man City contre QPR en 2012.

— C'est de ça que je parle, fiston. Ce qu'il y a de vraiment merveilleux dans le football, c'est qu'à n'importe quel moment le jeu peut se renverser. Un but change tout. La dernière minute est toujours, toujours, sans exception, la minute la plus importante du match ; et pourtant, le nombre de fois où on voit une équipe gagnante se relâcher avant le coup de sifflet. Auparavant, on parlait du « moment Fergie », comme si en engueulant le quatrième arbitre il avait réussi à gagner quelques minutes supplémentaires de façon déloyale pour que Man U puisse l'emporter. Des foutaises. C'est tout simplement que Fergie avait appris à ses joueurs à ne jamais abandonner. Ils le voyaient faire les cent pas, devenir furax, et ils se rendaient compte qu'il n'avait pas jeté l'éponge. Alors, eux non plus. C'est ce que les gens ne comprenaient pas. Ce qu'ils ne comprennent toujours pas. »

Il sourit, et c'était la première fois que je le voyais sourire depuis une éternité.

« Je suis vraiment enlevé de la liste des transferts ?

— Tu peux jouer mardi soir si Simon te juge suffisamment en forme.

— Putain, c'est génial ! »

Ayrton retira son portable de sa poche.

« Je peux appeler Lexi ?

— Oui.

— Elle va être aux anges. À aucun prix elle ne voulait quitter Londres pour aller vivre dans un trou comme Stoke.

— Mais pas de messages sur Twitter. À ta place, en fait, j'arrêterais complètement. Il n'y a que les tarés qui prêtent attention à Twitter.

— Oui, patron. Tout ce que vous voulez.

— Et plus de coups de poing dans les portes. »

Sans le savoir, je venais de prendre l'une des décisions les plus judicieuses de ma nouvelle carrière de manager.

27

Je sortis sur le terrain pour une pause cigarette sans cigarette – prendre un bol d'air et m'éclaircir les idées. De la brume planait sur le stade, semblable à un gaz toxique roulant à travers une ligne de tranchées. L'air de l'est de Londres était plus frais qu'il n'en donnait l'impression, avec juste un soupçon de sel apporté par la marée haute. Rien que de marcher sur le terrain me procura une sensation de bien-être, et j'eus soudain envie de courir un moment. Au lieu de ça, j'allai chercher un ballon et me mis à faire un peu de jonglage. Ce n'est pas que j'étais particulièrement bon à cet exercice, mais j'y trouvais toujours une concentration comme dans le zen ; cela libère merveilleusement l'esprit parce qu'il est impossible de penser à autre chose pendant qu'on essaie d'empêcher la balle de tomber. Parfois, c'est aussi bénéfique que la méditation ; peut-être même meilleur, dans la mesure où cela aide aussi à garder la forme.

« Dégage de ce putain de terrain, espèce d'abruti ! »

Je me retournai et vis Colin Evans débouler depuis la ligne de touche comme un sergent de l'armée. En me reconnaissant, il ralentit le pas et réprima sa colère.

« Désolé, patron. Je ne savais pas que c'était toi.

— Pas du tout, Colin, tu as raison, je ne devrais pas être sur la pelouse. Mais avec tous ces flics dans les parages, j'avais besoin de sortir quelques minutes ; et alors je n'ai pas pu résister.

— Pas de problème, dit-il. J'imagine que tu as du pain sur la planche.

— Plus que je ne peux en manger. » Je fronçai les sourcils. « Ça me fait penser ; j'ai faim. »

En quittant Colin, je montai au restaurant des joueurs et pris au buffet une salade de poulet, non sans remercier le personnel de cuisine – tous ceux que je pouvais voir, en tout cas – d'être venu au dock pendant ce qui aurait dû être un jour de congé. Le travail de manager relève parfois autant de la diplomatie que du football. Il faut s'accommoder de tous les abrutis qui vous entourent. Comme ces crétins de joueurs de notre club qui ne s'étaient pas levés comme un seul homme lorsque Peter Shilton – le joueur comptant le plus grand nombre de sélections en équipe d'Angleterre de tous les temps – était venu visiter nos vestiaires. Zarco avait été furieux de leur manque de respect. Cent vingt-cinq sélections et une carrière avec l'équipe d'Angleterre s'étalant sur près de vingt ans, et ces petits cons n'étaient même pas foutus de bouger leur cul.

Assis à une table de coin, le dos tourné à la salle, j'avais espéré avaler mon déjeuner à la hâte sans être dérangé, mais il ne se passa pas longtemps avant que l'inspecteur Louise Considine vienne vers moi d'un pas hésitant, une tasse de café à la main et une curieuse expression dans le regard.

« Ça vous dérange que je me joigne à vous ? » Elle sourit. « À la réflexion, ne répondez pas. Je ne suis pas de taille à supporter qu'on soit agressif avec moi aujourd'hui.

— Asseyez-vous, je vous en prie, répondis-je, et je restai même poliment debout un instant. Non, vraiment. Ça me fait plaisir.

— Merci.

— Rude journée ?

— Oui, mais je ne tiens pas à en parler. »

Nous nous assîmes. Elle portait un jean et une veste en tweed faite sur mesure avec un gilet assorti. Le sac suspendu à son bras était ancien mais classique ; peut-être un cadeau de sa grand-mère.

« Alors je suppose qu'on vous a détachée pour vos connaissances en matière de football, mademoiselle Considine ? Cela dit, vous ne devez pas y connaître grand-chose si vous soutenez l'équipe de Chelsea. » Je fronçai les sourcils. « Au fait, pourquoi êtes-vous une fan de Chelsea ?

— Parce que José Mourinho est le plus beau mec dans le football ? Je ne sais pas.

— C'était vrai avant que vous ne me rencontriez, évidemment.

— Évidemment. » Elle sirota son café et fit la grimace. « Il n'arrive pas à la cheville du café que vous faites chez vous.

— Je suis ravi de l'entendre.

— Qui a besoin d'un beau mec du moment qu'il fait du bon café ?

— C'est un point de vue comme un autre. Tout homme doit avoir une compétence, pas vrai ?

— Alors quand vous serez viré de London City, vous pourrez ouvrir votre propre bistrot.

— Je viens seulement d'être nommé. C'est un peu tôt pour penser déjà à se faire virer.

— Pas à City. Combien de managers le club a-t-il eus depuis sa création ? Une douzaine ?

— Je ne sais pas. Je n'ai jamais compté.

— Vous êtes le numéro treize, d'après mes calculs.

— Je suppose que je l'ai bien méritée, celle-là, après ma remarque sur Chelsea.

— Oui, tout à fait. »

Elle sourit et regarda le terrain par la fenêtre. La lumière emplissait ses splendides yeux bleu clair au point qu'on aurait dit deux saphirs assortis. Tout à coup, j'eus envie de me pencher et de les embrasser l'un après l'autre.

« D'ailleurs, j'aimerais évoquer un instant le manager numéro douze, dis-je. Et la scène de crime. Est-ce que les experts médico-légaux ont fini leur travail ?

— Oui. À qui devons-nous rendre la clé ?

— Vous pouvez me la donner. »

Elle posa la clé sur la table. Je la pris et l'empochai.

« Avez-vous trouvé quoi que ce soit d'intéressant ?

— Non, répondit-elle. Rien du tout. Mais je n'ai pas encore pu ramper sur le sol avec une loupe.

— Je suppose que vous ne me le diriez pas, si vous aviez trouvé quelque chose.

— Les murs ont des tweets. Surtout ici.

— Les footballeurs et leurs smartphones, hein ? Parfois je me demande ce qu'ils fichaient quand il n'y en avait pas.

— Ils lisaient des livres, comme tout le monde. Peut-être pas, remarquez. Savez-vous qu'un de vos joueurs – je ne dirai pas qui – est analphabète ? Il n'a pas été capable de relire sa propre déposition.

— Ce n'est pas si étonnant. L'anglais est une langue étrangère pour beaucoup...

— Il est anglais.

— Vous plaisantez. »

Louise Considine secoua la tête.

« Il ne sait vraiment pas lire ?

— C'est ce que signifie le mot analphabète, monsieur Manson. Oh, et un autre joueur pensait que Zarco était italien. »

Je finis de manger et me calai sur ma chaise.

« Nous avons toutes sortes de nationalités ici. Parfois, j'ai moi-même du mal à me souvenir de ces machins.

— Allons, je ne vous crois pas. Vous qui êtes polyglotte.

— Je suis à moitié allemand, vous vous rappelez ? Et vous connaissez le dicton : celui qui parle trois langues est trilingue, celui qui en parle deux est bilingue et celui qui n'en parle qu'une seule est anglais. »

Elle sourit.

« C'est moi. Niveau brevet en français, en tout et pour tout, hélas. Je peux à peine distinguer mon *cul* de mon *coude*.

— Je suis sûr que ce n'est pas vrai.

— Peut-être que non.

— Les footballeurs sont parfois comme les enfants. Des enfants très grands et très forts.

— Et comment. Deux d'entre eux ont pleuré comme des bébés : Iñárritu, le Mexicain, et l'Allemand, Christoph Bündchen.

— Il n'y a pas à avoir honte. Ce sont des garçons sensibles. J'ai moi-même pleuré quand j'ai appris la nouvelle.

— Toutes mes condoléances. Encore une fois. »

Je hochai la tête à mon tour.

« Vous savez, ça fait un moment que Matt Drennan s'est pendu. Mais la police n'a toujours pas rendu le corps pour que sa malheureuse famille puisse l'enterrer. Pourquoi ça, je vous prie ?

— Je ne sais pas vraiment. Je ne suis plus en charge de cette affaire. En tout cas, pas de cette affaire précise.

— Cette affaire ? Je ne savais pas qu'il s'agissait d'une affaire. Qu'est-ce qui prend si longtemps ?

— Ces choses-là peuvent prendre un peu de temps. En outre, les circonstances de la mort de M. Drennan nous ont obligés à rouvrir une enquête antérieure.

— Qu'est-ce ça veut dire exactement ? »

Elle regarda autour d'elle.

« Écoutez, ce n'est peut-être pas l'endroit idéal pour en parler.

— Nous pouvons aller dans mon bureau si vous voulez.

— Je pense que ce serait préférable. »

Nous nous levâmes de table et allâmes en silence jusqu'à mon bureau. Elle marchait son sac sur l'épaule et les bras croisés sur sa poitrine comme font les femmes quand elles ne sont pas tout à fait à l'aise. Je fermai la porte derrière nous, tirai une chaise pour elle, puis m'assis. J'étais suffisamment près pour sentir son parfum – je ne pouvais pas dire ce que c'était, seulement qu'il me plaisait. En dépit de qui elle était, elle me plaisait également.

« Alors que vouliez-vous me dire, mademoiselle Considine ?

— Je suis désolée de vous accabler ainsi. Vraiment désolée. Surtout en ce moment. Mais vous le saurez bien assez vite. Demain, probablement, quand ce sera rendu public. » Elle marqua un temps d'arrêt, puis annonça : « Nous rouvrons l'enquête de police sur le viol de Helen Fehmiu. »

Je gardai le silence et, pendant quelques instants, je me retrouvai le 23 décembre 2004 au banc des accusés du tribunal de St Albans, sur le point d'être condamné à huit ans d'emprisonnement pour viol. Je fermai les yeux avec lassitude, m'attendant presque à ce que Louise Considine me dise que j'étais de nouveau en état d'arrestation. Je baissai la tête et laissai échapper un gémissement.

« Oh non, pas encore.

— J'ai bien peur que si.

— Mais pourquoi, bon Dieu ? »

À ma grande surprise, elle posa sa main sur mon épaule et l'y laissa.

« Écoutez, monsieur Manson, vous n'êtes pas suspect, vous n'avez donc aucune raison de vous inquiéter. Strictement aucune. Je vous le promets, vous êtes totalement innocenté. C'est plutôt une bonne nouvelle pour vous. Vous avez ma parole. »

Je me redressai.

« Facile à dire.

— C'est réellement une excellente nouvelle, vous savez. Cela va écarter tous les soupçons qui pourraient encore subsister quant à l'éventualité de votre culpabilité malgré votre acquittement.

— Je ne comprends pas. Pourquoi maintenant ? Ça remonte à presque dix ans. Et quel rapport entre la mort de Matt Drennan et ce qui est arrivé à Helen Fehmiu ?

— Eh bien, voyez-vous, nous avons trouvé une lettre d'adieu dans la poche de M. Drennan. Lettre dans laquelle il parle de vous. En fait, son suicide semble avoir beaucoup à voir avec vous, monsieur Manson.

— J'ai du mal à le croire.

— Plutôt que d'essayer de vous expliquer ce que je veux dire, il serait plus rapide que je vous laisse la lire. J'en ai un PDF ici. »

Elle prit son sac à main, en sortit un iPad, puis me montra l'image d'une lettre manuscrite. Je ne reconnus pas l'écriture enfantine, mais la signature en bas et le smiley à l'intérieur du « D » majuscule de Drennan m'étaient familiers, même s'ils me paraissaient plutôt étranges dans une lettre d'adieu. D'un autre côté, c'était tout à fait typique du personnage ; je l'imaginai rédigeant la lettre, puis la signant avec le visage souriant, par habitude pure et simple, comme s'il signait un autographe à un fan dans un pub ou devant le terrain de football. Drenno n'était jamais trop occupé pour signer un autographe à quiconque lui en demandait un. C'était une des raisons pour lesquelles tant de gens l'aimaient.

Chers tous,

Je suis au bout du rouleau, si vous me pardonnez ce cliché. Ma carrière dans le football étant bel et bien finie, il ne me reste plus aucune raison de vivre. Ma vie au fond d'un verre ne saurait remplacer celle du temps où je jouais. Je pense qu'il vaut mieux que je tire ma révérence avant de tout foutre en l'air pour de bon. Tiff, je t'aime, je t'aime. Et je suis vraiment, vraiment désolé. Pour tout. Par ailleurs, je voudrais demander un grand pardon à mon vieux copain Scott Manson. Je me sens coupable de t'avoir si gravement déçu pendant toutes ces années. Je me taisais quand j'aurais dû parler il y a bien longtemps. C'est moi qui ai incité Mackie à voler ta voiture neuve en 2004. Juste pour rire. Je savais à quel point tu y tenais. Mais je ne savais pas que Mackie la faucherait ni à quoi elle lui servirait ensuite. C'est lui qui a violé cette gosse. Je n'ai pas pu le dire à ce moment-là parce que j'étais incapable de le dénoncer. Tu comprends, il avait fait de la taule à ma place quelques années auparavant, en Écosse, la première fois que je me suis foutu dans le pétrin. J'ai essayé de le convaincre de se dénoncer, mais il n'a pas voulu. À chaque fois que j'allais te voir à la prison, ça me laminait. J'ai obligé Mackie à s'engager dans l'armée pour servir son pays en guise d'expiation. Il est mort à présent et ça n'a plus d'importance. Je voulais te le dire l'autre soir, mais je n'avais pas le courage de te regarder dans les yeux, Scott.

De toute façon, tout est fini maintenant. Tchao. On se reverra dans les vestiaires de Dieu.

Matt Drennan

« J'ai réussi à trouver une photographie du sergent MacDonald, dit-elle, et si vous me permettez, je crois pouvoir dire qu'il vous ressemblait un peu. Il était à moitié nigérian. Ce qui pourrait expliquer pourquoi Mme Fehmiu était prête à vous identifier comme le violeur. »

Je hochai lentement la tête.

« Apparemment, ça vous paraît tenir debout.

— Cela éclaircirait effectivement un ou deux points qui m'ont toujours intrigué concernant ce qui s'est passé à ce moment-là.

— Tel que ? »

Je lui racontai la façon dont ma voiture avait disparu devant la maison de Karen à St Albans pour réapparaître plus tard ; et que Drenno m'avait régulièrement rendu visite en prison.

« Manifestement, il se sentait coupable.

— Je suppose. Et maintenant que j'y pense, Mackie avait écopé d'une condamnation pour vol de voiture. Drenno disait qu'il avait lui aussi fauché des voitures dans son enfance à Glasgow, seulement il ne s'était jamais fait pincer. » Je poussai un soupir. « Quel imbécile ! Drenno n'arrêtait pas de faire des farces idiotes de cet acabit. Chaque jour. Vraiment, chaque jour. Quelquefois, j'avais l'impression qu'il avait plus envie d'amuser les gens que de jouer. Une fois, l'épouse d'un type lui a offert pour son anniversaire un de ces gros stylos Montblanc Meisterstück, et Drenno l'a rempli de sa propre pisse. Stupide. Enfantin. Mais très drôle sur le moment.

— Alors il devait savoir que vous aviez une liaison avec cette Karen et où votre voiture se trouverait. Vous le lui aviez dit ?

— Oh, non. Mais en dépit de ses blagues stupides, il était en réalité très intelligent et il a dû le découvrir. Maintenant, il me semble me rappeler qu'un jour il m'a suivi dans sa voiture depuis le terrain d'entraînement d'Arsenal à Shenley. J'étais persuadé que c'était lui et ensuite plus sûr du tout, si vous voyez ce que je veux dire. Mais ça devait être lui, je pense. J'aurais dû savoir que Drenno ne reculait devant rien pour faire une mauvaise plaisanterie. » Je hochai la tête. « Attendez, ça me revient à présent. Mes clés de voiture. Il est venu avec moi au garage quand j'ai acheté la voiture. Il a dit qu'il voulait acheter la même. C'était peut-être vrai, qui sait. Quoi qu'il en soit, il a dû appeler le vendeur en se faisant passer pour moi, lui dire que j'avais perdu ma clé et lui demander d'en faire venir un double d'Allemagne. C'était le seul moyen de s'en procurer. S'il a donné une clé à ce salopard de Mackie. »

Louise Considine acquiesça.

« Je sais que Helen Fehmiu est morte et que cela ne la fera pas revenir, mais le viol est un crime grave et nous rouvrons l'enquête parce que nous y sommes obligés, même si toute cette histoire appartient désormais au passé. Il est possible que j'aie à vous interroger officiellement pour que vous puissiez me relater à nouveau l'intégralité des faits. J'espère que vous le comprendrez. Et je vous donne ma parole d'honneur que, lorsque je le ferai, la presse n'en sera pas informée.

— Je vous remercie. »

Elle toucha ma main.

« Je suis désolée d'avoir dû en parler. Mais il fallait que vous connaissiez la vérité sur ce qui s'est passé. Vous vous en rendez compte, n'est-ce pas ?

— Oui.

— Mon seul regret, c'est que cela va changer votre image de Matt Drennan. »

Je secouai la tête.

« Non, je ne crois pas, vous savez. Franchement, je ne me sens pas la force de le condamner. Après tout, il a payé un prix terrible. Il est mort. C'est bien pire que ce qui m'est arrivé. »

28

Les bâtiments modernes fonctionnent parfois d'une façon hideuse et dissimulée que les hommes et les femmes qui les ont conçus n'avaient pas tout à fait imaginée. Ils ont leurs propres terrains vagues intérieurs – des espaces échappant au public et qui finissent souvent par avoir d'autres usages, mineurs et imprévus. À Silvertown Dock, l'emplacement où le corps de Zarco avait été découvert était de ceux-là – une zone oubliée dans l'espace jonché de fientes d'oiseaux séparant une structure indépendante d'une autre – un *no man's land* entre la cuvette des gradins et l'enveloppe extérieure en acier. Pour cacher ce périmètre – ou peut-être pour le protéger contre une utilisation illégale –, on avait installé une porte rudimentaire, gris métallisé, en forme de triangle, avec un cadenas inoxydable Abus. En la franchissant à cet instant, je me retrouvai dans un décor de béton, également triangulaire, dominé par une longue colonne inclinée en acier poli qui, à travers les branches supérieures de la structure aux bords nettement déchiquetés, s'élevait vers le ciel de l'après-midi.

Je refermai la porte en acier, m'accroupis et regardai en haut et autour de moi en essayant de me représenter le sort atroce qu'avait connu Zarco. Comme l'avait fait remarquer Jane Byrne, sans fenêtre en vue, il n'y avait nulle part d'où il aurait pu tomber – à moins de se jeter du sommet du bâtiment –, et c'était exactement le genre d'endroit isolé et désert où il aurait pu être sauvagement battu sans que son agresseur ait à craindre d'être dérangé. Un lieu solitaire, terrifiant, où finir sa vie pour un homme aussi sociable que Zarco. J'avais vaguement espéré pouvoir relier la scène de crime aux SMS de son portable « autre chose ». Cet endroit pouvait-il être le « 123 » où Paolo Gentile était censé apporter les cinquante mille livres en liquide ?

La clé de la porte portait une étiquette au bout, sur laquelle était marqué « SD Terrain extérieur 28/1 », ce qui était très loin de « 123 ». Et comme il n'y avait pas de toit, il était difficile d'imaginer que Gentile aurait laissé cinquante mille livres exposées aux intempéries, quand bien même l'argent aurait été placé dans un de ces caissons étanches dont se servent les navigateurs. Et si un membre du personnel d'entretien était venu là et l'avait trouvé ? Quelques brosses et balais entassés dans un coin semblaient indiquer qu'il s'agissait effectivement d'une possibilité. Les deux clés du cadenas de la porte avaient été faciles à localiser ; elles se trouvaient toujours dans le coffre du concierge. Y avait-il eu trois clés à l'origine ? Personne ne le savait exactement, mais d'autres cadenas du même type avaient été fournis avec trois.

Si j'avais espéré connaître un moment de révélation comme les grands détectives et « voir » en quelque sorte le meurtre dans mon esprit, eh bien, ce ne fut pas le cas. À ce moment-là, la seule idée qui me vint fut que j'étais complètement inapte à accomplir les tâches que m'avait confiées mon nouvel employeur. J'avais froid et j'étais plus que désorienté, surtout après les fâcheuses nouvelles que m'avait communiquées Louise Considine. Les choses allaient à présent beaucoup trop vite pour moi. Je n'arrivais même pas à me rappeler où j'avais garé ma voiture. Puis je me rendis compte soudain que Maurice s'en était chargé pour moi.

Je me levai et ressortis, verrouillant avec soin la porte derrière moi. J'étais à mi-chemin de mon bureau quand je vis Simon Page se diriger vers moi à grandes enjambées, faisant une tête comme si une calamité allait nous tomber dessus.

« Un désastre, dit-il. Un foutu désastre !

— Qu'est-ce qu'il y a ?

— Cette espèce de pédé de Fritz a mis les voiles, voilà ce qui se passe !

— Tu veux dire Christoph Bündchen ? Pour l'amour du ciel, Simon, baisse le ton. Si jamais un flic t'entend parler comme ça, il te collera en taule pour tout motif qui fait qu'on vous colle aujourd'hui en taule quand on traite quelqu'un de pédé. Incitation à la haine, ou ce genre de truc.

— Désolé, patron, mais je ne sais plus quoi faire pour lui mettre la main dessus, c'est tout.

— Bon, où est le problème ? La police a dit qu'ils pouvaient rentrer chez eux après avoir été interrogés.

— Les flics peut-être, patron, mais certainement pas l'UKAD[1] ; c'était un des quatre joueurs choisis au hasard pour effectuer une analyse d'urine.

— Oh, merde, j'avais complètement oublié.

— Tout juste. Après son interrogatoire ce matin, il semble que Chris se soit tiré à Hangman's Wood en taxi comme tout le monde une fois les interrogatoires terminés. Je lui avais dit, avant qu'il ne quitte la pièce en compagnie de cette policière, de revenir tout de suite, mais ce cinglé a dû oublier. Du moins, j'espère. Quoi qu'il en soit, les contrôleurs sont sur le point de partir. À moins de se présenter dans

---

1. United Kingdom Anti-Doping : « Agence antidopage du Royaume-Uni ».

les quinze minutes, il sera en infraction avec la loi sur les contrôles antidopage et accusé d'omission ou de refus de se présenter au test.

— Tu as essayé son portable ? Et Hangman's Wood ?

— J'ai essayé son portable et son fixe. J'ai appelé Hangman's Wood. J'ai tout fait, sauf envoyer un pigeon voyageur à son papa et à sa maman en Allemagne, alors à moins que ça lui soit revenu en tête et qu'il soit déjà en route, il est foutu et nous aussi, sans buteur. Parce que, crois-moi, c'est exactement ce qui va se passer si cet imbécile de Boche ne se soumet pas au contrôle. Ils vont le suspendre, ça ne fait pas un pli.

— On a encore un buteur. J'ai parlé à Ayrton Taylor il y a environ une heure et je l'ai rayé de la liste des transferts.

— Dieu merci.

— Mais tu as raison, c'est grave. Écoute, je vais aller parler aux contrôleurs.

— Mais ne sois pas trop optimiste, patron. Ces types-là peuvent être de vrais enfoirés quand ils veulent. »

Nous descendîmes au poste de contrôle antidopage situé près des vestiaires ; tous les grands clubs en ont un de nos jours. Un ensemble de pièces à l'aspect aseptisé, avec des toilettes, quelques chaises, une table recouverte d'une nappe noire, un lavabo, une boîte pour flacons d'échantillons, une armoire réfrigérée contenant un tas de bouteilles d'eau – quelquefois, il faut boire beaucoup avant de pouvoir pisser – et cet après-midi-là, une ambiance de crise. Au mur, une affiche sur laquelle on pouvait lire :

Cannabis →
← Succès
Choississez. C'est votre carrière.

268

Sous l'affiche étaient assis deux types en chemise, cravate et blazer bleu, aux visages aussi longs que des filets d'urine sans dopant. Ils se levèrent au moment où nous franchissions la porte.

« Je suis Scott Manson, dis-je. Manager intérimaire du club.

— Bonjour », fit l'un des types, une écritoire à pince à la main. Il me montra une carte d'identité en plastique sur un ruban rouge passé autour de son cou, puis me serra la main. « Je m'appelle Trevor Hastings et je suis l'agent de contrôle de l'Agence antidopage. Et voici le superviseur de la FA.

— Ravi de vous rencontrer, messieurs.

— Christoph Bündchen est-il prêt à passer le test ? demanda-t-il poliment.

— Je crains qu'il n'y ait eu un malentendu, répondis-je. Vous n'êtes pas sans savoir que João Zarco a été assassiné hier après-midi et que la police est ici en ce moment. Elle a interrogé les joueurs et le staff sportif, et apparemment M. Bündchen, qui est allemand et ne parle pas très bien l'anglais, a confondu le rendez-vous qu'il était censé avoir avec vous pour fournir un échantillon d'urine avec celui qu'il a eu avec les officiers de police un peu plus tôt dans la journée. À ce que l'on sait, il est rentré chez lui. Nous l'avons appelé et lui avons laissé plusieurs messages en lui demandant de revenir aussi vite que possible. Mais sans succès jusqu'à maintenant. »

Le DCO regarda sa montre.

« J'entends bien, monsieur Manson, mais je dois vous informer que ce joueur avait été avisé qu'il ferait l'objet d'un test de dépistage aujourd'hui et qu'il a d'ailleurs signé un formulaire de consentement ; en conséquence de quoi, à moins qu'il ne se présente dans les dix minutes qui viennent, il se verra en infraction avec la partie 1, section 5A de la réglementation antidopage de la fédération, et les sanctions stipulées dans le règlement 46 s'appliqueront à cette violation. »

Simon ouvrit un exemplaire des directives de procédure de la FA posé sur la table du poste et se mit à chercher la rubrique correspondante.

« Je comprends ça, dis-je. Mais il me semble que certaines personnes pourraient trouver légèrement excessif de ne pas faire preuve d'un peu d'indulgence dans ces circonstances exceptionnelles. Voilà déjà un moment que j'ai lu les règlements, mais je pense que vous devriez reconsidérer votre position dans le cas présent.

— Je suis navré, mais une infraction est une infraction. C'est à la commission disciplinaire de la FA de décider si une infraction est justifiée. Et ce, lors d'une audience officielle.

— Je vois.

— Bordel de merde, s'exclama Simon, dont les origines du Yorkshire ressortaient toujours davantage quand il était en colère ou bouleversé. Tu as vu les sanctions du règlement 46, patron ? Suspension d'un an minimum pour la première violation. Une année complète ! Ça pourrait foutre en l'air la carrière de cet Allemand. Et tout ça à cause d'un stupide malentendu. Écoutez, monsieur Hastings, vous devez plaisanter.

— Je ne crois pas que M. Hastings soit en train de plaisanter, Simon. Il fait seulement son travail, n'est-ce pas, monsieur Hastings ?

— Absolument. Je suis content que vous voyiez les choses sous cet angle, monsieur Manson.

— Et je pense que nous sommes tous bien conscients de la gravité de la situation.

— Je vous en remercie.

— Ces règlements existent pour maintenir et garantir l'éthique sportive ainsi que pour préserver la santé physique et mentale des joueurs. C'est bien cela, monsieur Hastings ?

— Tout à fait. »

Je fis un geste en direction du règlement que tenait Simon.

« Je peux ? »

Simon poussa un soupir donnant l'impression de la présence d'un gros chien dans la pièce et me le passa.

« Ouais. Peut-être bien. Tout ça puissance dix avec une cerise sur le gâteau. N'empêche, c'est quand même vachement dur pour le gars. Et je vous dis ça alors que j'ai détesté les Boches toute ma vie.

— Tu n'irais pas nous faire du thé ? dis-je au géant du Yorkshire.

— Ouais, ça vaudrait sans doute mieux.

— Désolé, monsieur Hastings, dis-je après le départ de Simon. Il est très ému en ce moment. Nous le sommes tous.

— C'est assez compréhensible.

— Je suis content de vous l'entendre dire. Combien de temps nous reste-t-il avant d'être coupables d'infraction ?

— Sept minutes », répondit-il.

Je trouvai la section concernée des directives et l'examinai attentivement ; je savais que toute la carrière de Christoph dépendait de ce que j'allais dire.

« "Le refus d'un joueur de se soumettre à un test antidopage ou le fait de ne pas s'y soumettre sans justification valable est interdit, dis-je, lisant les directives à haute voix. L'expression 'justification valable' concerne, et concerne uniquement, les situations où il serait totalement déraisonnable de s'attendre à ce que le joueur se soumette à un test antidopage dans les circonstances alors existantes, tout en gardant à l'esprit l'engagement limité que cela suppose." »

— C'est ça, approuva le DCO.

— Vous savez, monsieur Hastings, je ne suis pas juriste. Mais j'ai acquis une certaine expérience, pas toujours agréable, de la loi et je me demande si vous avez jamais entendu parler des règles de justice naturelle. »

Hastings secoua la tête.

« C'est un terme technique désignant le principe de l'impartialité et le droit à un procès équitable. Et il me semble que le devoir – votre devoir – d'agir équitablement est plus important que ce que la FA a écrit ici. À mon avis, n'importe quel tribunal jugerait pour le moins injuste de votre part de venir ici justement aujourd'hui, alors que nous pleurons la perte de notre ancien manager et que la police mène une enquête, laquelle, avec tout le respect que je vous dois, me semble avoir la priorité sur tout ce que la FA serait en droit d'exiger de nous.

« Cela étant, j'aurais pensé qu'il n'y avait pas une, mais deux très bonnes raisons d'appuyer l'argument d'un motif valable tel que celui que je viens de décrire. Et je n'ai même pas parlé des liens particuliers existant entre feu M. Zarco et M. Bündchen. Voyez-vous, c'est M. Zarco qui a ramené le jeune Christoph d'Augsbourg en Allemagne et qui lui a donné sa chance l'autre jour dans le match contre Leeds United. M. Bündchen est extrêmement secoué. Peut-être même plus que les autres joueurs. J'ai des scrupules à en parler… mais vous ne me laissez pas le choix. Un peu plus tôt dans l'après-midi, un des officiers de police m'a informé que Christoph Bündchen avait pleuré pendant qu'il était interrogé sur la mort de M. Zarco. Franchement, je ne suis pas du tout surpris qu'il ait oublié qu'il devait passer un contrôle antidopage. Si vous pouviez en tenir compte, cela nous éviterait beaucoup de complications et de temps perdu. »

J'en avais assez dit. Dans ma tête, je téléphonais déjà à Ronnie Leishman pour lui demander de préparer le dossier du club en vue de l'audition de la FA – quelle que soit la date où elle aurait lieu. Je songeai à Rio Ferdinand en 2003 et aux huit mois d'exclusion dont il avait écopé pour avoir manqué un contrôle antidopage, sans parler d'une amende de cinquante mille livres. Tout le monde dans le football savait que Rio était clean comme pas un, mais ces connards de la FA ne s'étaient pas moins entêtés et l'avaient coulé en lui refusant le droit de participer au Championnat d'Europe 2004 au Portugal. Que les Grecs avaient fini par gagner. On se demande bien pourquoi.

« J'attendrai dehors si vous avez besoin de moi. »

29

Dans le couloir devant le poste de contrôle antidopage, je vis Simon parlant avec agitation au téléphone.

« Où es-tu, bordel de merde ? » Simon me fit signe, puis me tendit son portable. « C'est Christoph. Ce cinglé est à un match de foot.

— Où es-tu, bon Dieu ? » hurlai-je dans le téléphone. Je parlais en allemand pour ne pas être compris. Avec les gens de l'UKAD à proximité, il était préférable de se montrer discret. « On essaie de te joindre depuis une éternité.

— Je suis à Craven Cottage, répondit Christoph.

— Qu'est-ce que tu fous là ?

— Je suis venu voir un match avec un ami. Fulham contre Norwich City. C'est mon équipe locale.

— Tu ne réponds jamais au téléphone ?

— Sincèrement, je ne l'ai pas entendu sonner jusqu'à la mi-temps.

— À Fulham ? Ne me fais pas rigoler. Il n'y a jamais autant de bruit à Craven Cottage. Les voisins ne le permettraient pas.

— C'est la vérité, patron. Ils mènent de quatre buts.

— Tu dois être défoncé, fiston. Écoute, tu sais que tu as manqué ton test urinaire. C'est sacrément grave, Christoph. Tu es passible d'une interdiction.

— Oui, je sais. Et je suis vraiment navré, patron.

— Les types de l'UKAD sont encore là, en train de débattre de ton sort. Dans cinq minutes, tu risques d'avoir beaucoup plus de temps pour regarder des matchs que tu n'aurais jamais pu l'imaginer. »

La porte du poste de contrôle antidopage s'ouvrit soudain et les deux agents de l'UKAD apparurent.

« Ne quitte pas. Je pense que nous allons savoir s'ils vont te sanctionner pour violation du code ou non. »

Je baissai le téléphone et attendis, mon cœur battant la chamade. M. Hastings me regarda et hocha la tête en ce qui ressemblait à un signe d'assentiment.

« Dans ces circonstances exceptionnelles, il a été décidé qu'aucune mesure ne serait prise. »

Je poussai un soupir de soulagement et opinai.

« Je vous remercie. Merci de votre compréhension, messieurs. »

Au moment où les deux agents de l'UKAD s'en allaient, je levai le poing en signe de victoire et lançai un cri de joie ; Simon fit de même.

« Merde alors ! Qu'est-ce que tu as fait, patron ? Tu leur as mis un revolver sur la tempe ? J'étais sûr que ce garçon était baisé. »

Ce ne serait peut-être pas la première fois, pensai-je.

Je dis à Christoph en allemand :

« Tu as entendu ?

— Oui, patron.

— Est-ce que tu avais oublié le contrôle ou est-ce que tu n'es qu'un idiot ?

— Un idiot, j'imagine, patron. »

Je fronçai les sourcils.

« Qu'est-ce que ça signifie, bon Dieu ? Que tu n'avais pas oublié ?

— Je suis allé à la soirée d'un ami dans Soho mardi soir, vous comprenez. Une soirée homo. Et par accident j'ai pris de la tina. Quelqu'un a dû en mettre dans mon verre. Pour rigoler. Du moins, c'est qu'ils m'ont dit. Je n'en ai absolument rien su jusqu'à ce qu'il soit trop tard.

— Quoi ? »

Ainsi Christoph Bündchen n'avait pas totalement oublié les agents de l'UKAD ; il avait été pris de panique et s'était éclipsé parce qu'il savait que le test serait positif. Je compris alors que nous avions frôlé une catastrophe encore plus grande que celle d'Adrian Mutu. Je n'avais pas la moindre idée de ce qu'était la tina ; je supposais qu'il s'agissait d'une drogue quelconque, et pas du genre qu'on pouvait faire passer pour un médicament contre le rhume.

« C'était une boisson sans alcool, je vous jure. Un jus d'orange.

— Bon, je présume que tout est OK.

— Je n'avais encore jamais pris ce truc. Ça s'est fait comme ça. Et quand ces types sont venus au dock ce matin, j'ai flippé, je suppose. Je vous promets que ça ne se reproduira plus.

— Tu peux en être sûr. Et ne me dis plus rien. Pas un mot. Tu es complètement à côté de tes pompes. Je te verrai dans mon bureau demain matin à Hangman's Wood après l'entraînement, et on discutera de ta punition. Mais je peux déjà te dire ceci : ne compte pas t'en tirer avec des couillonnades sorties de ton slip kangourou. »

Je rendis son téléphone à Simon.

« Qu'est-ce qu'il a dit pour sa défense ? »

Il n'était pas nécessaire que Simon soit au courant. Ce n'est pas en parlant d'un problème qu'on le résout. Du moins, pas dans le football, et certainement pas avec un gaillard comme Simon, qui, en dépit de sa taille, de son physique agréable et de ses cheveux couleur renard argenté, était un individu au tempérament dur, sombre, septentrional. Ce n'était pas pour rien qu'on le surnommait le Taciturne. Son visage ne disposait que d'une seule expression, et elle était stoïque. Même son sourire ressemblait à du verglas en train de se former sur une rangée de pierres tombales. Né à Barnsley, il avait joué à Sheffield Wednesday, Middlesbrough, Barnsley et Rotherham United, de sorte que le plus étonnant était qu'il ait pu quitter son Yorkshire natal. Il ne l'avait fait qu'à cause de sa femme vénézuélienne, Elke, beaucoup plus jeune que lui et qu'il avait rencontrée lors d'un voyage en Espagne, où il possédait une résidence secondaire. On prétendait qu'elle n'avait accepté de l'épouser que s'ils allaient vivre à Londres. Je pouvais difficilement le lui reprocher. Mais Simon détestait le Sud de l'Angleterre presque autant que ses habitants, et dire que c'était un des hommes les plus intransigeants du monde du football, c'était comme traiter les membres du SAS de gouines.

« *Entschuldigung*, répondis-je. Ce qui veut dire en allemand : "Je suis un pauvre con."

— C'est ce que j'ai cru comprendre. »

Je retournai à mon bureau, où je trouvai Maurice scotché à l'écran de télévision.

« Tu ne vas pas le croire », dit-il.

Je jetai un coup d'œil. C'était le bulletin météo.

« Après ce que je viens de vivre, je pourrais croire à n'importe quoi. Même une belle journée ensoleillée en janvier.

— Non. Attends une minute, les infos vont repasser. C'est vraiment inimaginable. Les flics viennent d'arrêter Ronan Reilly.

— Tu plaisantes ?

277

— Pas du tout.

— Pour meurtre ? Ce n'est pas possible.

— Je ne sais pas. Ils ne le disent pas. Apparemment, ils sont allés chez lui pour l'interroger, et il s'est barré par la fenêtre. Entrave à la justice. Il dévalait l'allée quand ils l'ont chopé.

— C'est peut-être à cause d'autre chose.

— Espérons que non, hein ? Ensuite, on pourra peut-être reprendre une vie normale. »

Quelques minutes plus tard, Reilly était à l'écran, menotté, en train d'être conduit à une voiture de police. Je lui avais déjà vu meilleure mine, même à la BBC ; il portait un marcel et avait un œil au beurre noir. La célèbre balafre sur son front, souvenir d'une bagarre entre bandes de jeunes, était encore plus marquée que d'habitude. Lui avait à coup sûr une tête de meurtrier. Certains types à la prison de Wandsworth avaient nettement moins l'air de criminels que Ronan Reilly.

Maurice se mit rire.

« Je n'ai jamais aimé ce salopard.

— Ouais, tu l'as déjà dit.

— Et j'ai mes raisons. Il n'a jamais eu un mot aimable pour ce club. Jamais. Tu penses que j'exagère, patron, mais non. Il nous déteste. Même avant le retour de Zarco, il nous détestait. À chaque fois qu'il passait à MOTD, il nous tombait dessus pour un truc, nous égratignait pour un autre. Je suis surpris qu'il ait eu le culot de se pointer au stade. »

Puis on vit l'inspecteur Neville quitter la maison de Reilly dans Coombe Lane sans répondre aux questions des reporters.

« Regarde, dit Maurice. C'est le flic qui est venu aujourd'hui.

— Exact. L'inspecteur Neville.

— Mince alors, c'est peut-être bien Reilly qui a buté Zarco. Pourquoi s'enfuir si on n'est pas coupable ?

— Je peux te donner quelques sacrées bonnes raisons.

— Bon Dieu ! Qui l'aurait cru ? Ronan Reilly, un assassin !

— Nous ne savons pas exactement si c'est de ça qu'il s'agit.

— Qu'est-ce que ça pourrait être d'autre ? On n'arrête pas quelqu'un pour rien, patron.

— Ça n'a certainement pas été mon expérience. »

Nous attendîmes un moment, puis le journaliste de Sky parla de l'altercation que Reilly avait eue avec Zarco à la BBC Sports Personal of The Year et se mit à avancer des hypothèses quant à la possibilité que l'arrestation de Reilly soit liée à la mort du manager portugais.

« Tu vois ? fit Maurice. C'est ce qu'il pense lui aussi.

— Crois-moi, je suis passé par là. Je veux dire, là où Reilly est maintenant. Des gens tirant des conclusions hâtives. Pas de fumée sans feu. Coupable jusqu'à preuve du contraire.

— Tu parles d'un foutu Super Sunday.

— Et tu ne connais pas encore la meilleure. » Je lui racontai l'histoire avec les agents de l'UKAD et la façon dont Christoph avait frôlé la catastrophe. « Au fait, qu'est-ce que c'est que la tina ?

— Crystal meth. Méthamphétamine. Une drogue très prisée dans les clubs homos.

— Combien de temps ce machin reste-t-il dans ton urine ?

— À peu près cinq jours, je pense. Quatre-vingt-dix jours s'ils utilisent un test de follicule pileux pour le chercher. Ce qu'ils peuvent faire, bien sûr. À condition que tu sois un peu poilu – pas comme lui. »

Maurice montra le téléviseur d'un signe de tête et éclata d'un rire cruel au moment où Sky repassait la séquence d'un Reilly menotté que l'on poussait vers la voiture de police. On ne pouvait pas le nier : Ronan Reilly était chauve comme un œuf. Il était difficile de reconnaître en lui le playboy à la crinière abondante qui avait joué autrefois pour Everton et était marié à une ancienne Miss Singapour.

« Tu viens de faciliter grandement le choix de l'équipe contre les Hammers. » Je pris mon téléphone et tapai un SMS à Simon. « Si Christophe peut être testé positif aujourd'hui, il est possible qu'il le soit également mardi soir. Ayrton peut remplacer l'Allemand.

— Ayrton ? Je croyais qu'il faisait ses valises pour Stoke.

— Plus maintenant. Je lui ai demandé de rester. »

Maurice opina.

« Futé de ta part. Nous avons besoin de son expérience. C'est la seule chose que Sokolnikov, malgré tous ses millions, ne puisse pas acheter. »

30

Je passai le reste de l'après-midi dans mon bureau à éviter la police, à répondre à des coups de fil et à des SMS, à boire du thé et à regarder le précédent match des Hammers sur mon iPad. J'avais toujours admiré le Thames Ironworks, comme on l'appelait autrefois à Arsenal — le nom donné au club à sa création en 1895. J'avais même failli signer un contrat chez eux. On avait toujours l'impression que la Premier League n'était pas tout à fait la même sans West Ham, comme en 2011. Un tas d'autres équipes ne semblaient pas à leur place en Premier League, mais les Hammers n'en faisaient pas partie. Jouer contre West Ham était toujours un match difficile, et grâce à des joueurs tels que Harry Redknapp et Frank Lampard senior, c'était une véritable mine de talents — qui avait donné neuf internationaux, dont Bobby Moore —, ce qui signifiait que des surprises nous attendaient probablement mardi soir.

Peu avant 17 heures, alors que je m'apprêtais à rentrer chez moi, Viktor passa la tête par la porte de mon bureau.

Il portait un long manteau brun Canali à col de fourrure et une élégante serviette Bottega Veneta.

« Comment ça va ? demanda-t-il.

— Viktor ! Que faites-vous ici ?

— J'étais venu voir cette femme, répondit-il. L'inspecteur chef Byrne. Pour lui raconter ce qui s'est passé au déjeuner d'hier.

— Et que lui avez-vous dit ?

— Que tout paraissait normal. Zarco était plein d'entrain comme à son habitude. Il ne m'a pas donné l'impression de quelqu'un qui se doutait qu'on allait le battre à mort. Il était d'excellente humeur.

— Vous m'avez demandé d'enquêter sur son assassinat sous les hauts talons de ce flic. Sans vouloir vous froisser, il serait peut-être utile que vous me donniez également la possibilité de vous poser quelques questions. Après tout, vous êtes une des dernières personnes à avoir vu Zarco en vie. Je pourrais peut-être apprendre quelque chose d'important que j'ignorais. Quelque chose que vous auriez oublié de dire à la police, éventuellement. »

Il jeta un coup d'œil à sa montre bon marché et hocha la tête.

« Certainement. Bonne idée. »

Ce fut le signal pour Maurice de s'éclipser. À l'instant où il sortit, j'aperçus plusieurs gardes du corps genre mastodontes dans le couloir. J'en conclus qu'il valait mieux que je m'en tienne à des questions extrêmement respectueuses.

Victor se débarrassa de son manteau et s'assit sur le canapé.

« Avez-vous vu les informations télévisées ? me demanda-t-il. Au sujet de Reilly ?

— Oui.

— À votre avis, il a tué Zarco ?

— Honnêtement, je n'en sais rien, Viktor.

— Si on est innocent, pourquoi prendre la fuite ?

— Je me le demande également.

— Ils étaient amis autrefois, Zarco et lui. Vous le saviez ? Bien avant cette histoire stupide à la SPOTY. Quand Zarco et Reilly jouaient encore, au début des années 1990, il s'est produit un incident, lors d'un match. Reilly jouait alors pour le Benfica. Et Zarco, pour Porto. Quoi qu'il en soit, des propos acerbes ont été échangés, et Zarco a envoyé à Reilly un coup de coude dans la figure qui a failli lui coûter un œil et a mis fin à sa saison. En fait, cela a presque mis fin à sa carrière.

— Je n'étais pas au courant.

— C'est dans le livre de Reilly ; il est épuisé depuis longtemps, je suppose donc que personne ne s'en souvient aujourd'hui. Mais moi, si. Et ça parce que je me souviens de tout ce que je lis. Je ne dirais pas que j'ai une mémoire eidétique ou photographique. Franchement, je ne crois pas que ça existe. Néanmoins, je possède une mémoire exceptionnelle.

— Dans ce cas, parlez-moi un peu de ce déjeuner. De Zarco et de comment il était la dernière fois que vous l'avez vu.

— Comme je l'ai déjà dit, il était lui-même, expliqua Viktor. Pince-sans-rire et drôle, comme toujours. Et confiant dans la victoire. Toujours confiant. Parfois même trop. Il a mangé un steak. Et bu un verre de vin rouge… juste un. Quoi d'autre ? Ah oui, il avait un chapeau et des lunettes de soleil.

— Un chapeau ? Quel genre ? Malcolm Allison, Roberto Mancini ou Tony Pulis ?

— Malcolm Allison, je ne sais pas, je n'ai jamais entendu ce nom. Roberto Mancini, je pense. Un chapeau en laine. Ma foi, il faisait très froid hier.

— Aux couleurs de City ?

— En fait, non. L'orange vous fait une tête comme un pot de fleurs. Un noir. Il avait ce chapeau et des gants de motard effrayants. Avec des renforts aux articulations.

— Il avait peur de vous, vous le saviez ?

— D'après Sophocle, tout est bruit pour qui a peur. » Victor sourit. « Croyez-moi, Scott, il y a toujours beaucoup de bruit autour de moi. Tout le monde semble l'entendre. Tout le monde, sauf moi. On prétend – surtout mes ennemis – que j'ai des liens avec le crime organisé. Ce n'est pas vrai ; mais ce qui est vrai, c'est que ça n'a pas toujours été le cas. Quand j'ai commencé à faire des affaires en Russie et en Ukraine, il était quasiment impossible de ne pas passer des accords avec les chefs de la mafia russe, comme on les appelle. Mais si vous permettez, laissez-moi vous dire quelque chose sur la mafia russe. Ça n'existe pas. Ça n'a jamais existé. C'était commode pour le gouvernement raciste de Moscou – celui de Boris Eltsine – d'imputer tous les problèmes du pays à de prétendus gangs ethniques : les Géorgiens, les Tchétchènes, les Tatars, les Ukrainiens et les Juifs. Toujours les Juifs. Mais vous savez, ce n'étaient pour la plupart que de simples hommes d'affaires qui ont vu des opportunités et les ont saisies là où il n'y en avait pas depuis près de cent ans. Étaient-ils cupides ? Oui. Étaient-ils impitoyables ? Quelquefois. Étais-je un de ces hommes ? Sans aucun doute. Ai-je gagné de l'argent facilement après l'effondrement de l'Union soviétique ? Certainement. L'ai-je fait par des moyens qui ne satisferaient pas l'Autorité des marchés financiers ? Peut-être. Ai-je déjà fait tuer quelqu'un ? Non, jamais. »

Il comptait sans doute que ce petit discours serait rassurant, et pourtant, pour une raison ou pour une autre, il ne le fut pas. D'un côté, il y avait les gardes du corps dehors et, de l'autre, la réalité toute simple que, même si Viktor était juste un homme d'affaires, il connaissait quantité de zèbres opérant en marge de la loi.

Il sourit.

« À présent, vous aller me demander mon alibi, Scott. C'est aussi bien que j'aie passé tout l'après-midi avec les gens de la municipalité de Greenwich. Ils se porteront garants pour moi.

— Je suis ravi de l'entendre. Parce que je pense que Zarco avait un bon motif d'avoir peur de vous. Il avait fait quelque chose de mal. Quelque chose d'illégal.

— Alors vous êtes au courant. » Les yeux sombres et froids de Viktor se plissèrent. « Je vois que je ne me suis pas trompé sur vous, Scott. J'ai fait le bon choix.

— Espérons que vous serez du même avis à la fin de cette conversation, Viktor.

— Je ne suis pas un imbécile. Je savais que Zarco avait une solide raison de préférer que nous nous servions de Paolo Gentile plutôt que de Denis Kampfer pour le transfert de Traynor. Je me doutais qu'il allait prendre un dessous-de-table au passage. C'est d'ailleurs en partie de ma faute. Je m'explique : voyez-vous, Zarco m'avait supplié, il y a long-temps de ça, de lui refiler un tuyau. Je déteste faire ce genre de choses, mais il a insisté, alors je lui ai parlé d'une société dans le secteur de l'énergie, dans l'Oural. Ils venaient de découvrir une importante quantité de pétrole, et tout le monde s'accordait à penser que les actions grimperaient en flèche. J'en ai acheté un certain nombre et je pense que lui aussi. Sauf qu'il n'y a jamais eu de pétrole, c'était une pure escroquerie, et les actions sont parties en fumée. Zarco a perdu beaucoup d'argent. Pas autant que moi, mais je pouvais me le permettre. Je me suis senti gêné vis-à-vis de lui. Très gêné. Il a dû y laisser au moins un quart de million de livres. Alors quand il m'a demandé d'utiliser Gentile comme agent, j'ai accepté pour qu'il puisse récupérer ce qu'il avait perdu. J'ai même fait semblant de croire ce qu'il m'a raconté, à savoir qu'on ne pouvait pas faire confiance à Denis. Oui, c'est exact, j'ai fermé les yeux sur le fait que mon propre manager me volait. »

Viktor alluma un petit cigare avec un briquet en or. C'est l'avantage quand on est propriétaire d'un club de football, les lois antitabac ne vous concernent pas.

« Vous vous souvenez quand les gens ont eu leurs premières voitures ? Non, bien sûr que vous ne vous en souvenez pas. Ce que je veux dire, c'est qu'en 1865 le Parlement britannique a pris une série de dispositions appelées les Locomotive Acts, qui s'appliquaient aux véhicules autopropulsés circulant en Grande-Bretagne. Lois qui furent reprises aux États-Unis, soit dit en passant. Pour des raisons de sécurité, un homme muni d'un drapeau rouge était légalement tenu de marcher à cinquante mètres devant chaque voiture. C'est la même chose en ce qui me concerne. Mon argent marche à cinquante mètres devant moi avec un drapeau rouge, et tout le monde me voit venir, au plein sens du terme. Tel le gogo de service, vous comprenez ? Quel autre qualificatif donnez-vous à quelqu'un qui doit toujours payer le prix fort ? Et je n'en ai jamais pour mon argent. Sauf si je mets la pression, auquel cas je passe invariablement pour quelqu'un d'impitoyable. Impitoyable et avide. Simplement parce que je désire le même rapport qualité-prix que n'importe qui.

« Vous vivez dans le bien-être de votre propre droit, Scott. Le bien-être et le confort, même si vous n'êtes pas riche. Mais quand vous êtes très riche, vous vous habituez à ce qu'on vous vole, mon ami. Jusqu'à un certain point, vous apprenez à l'accepter. J'aurais été arnaqué par tout le monde. Mon assistant personnel, mon avocat, mon pilote, mon chauffeur, mon majordome, mon ex-femme, mon comptable – pour n'en citer que quelques-uns, Scott –, ils m'ont tous volé. Quand vous êtes aussi riche que moi, c'est un risque du métier. Ils s'imaginent, je suppose, que je suis si riche que je ne m'en apercevrai pas. Mais bien sûr que si. Je m'en aperçois toujours. C'est une triste réalité, Scott, mais quand vous êtes aussi riche que moi, les seules personnes en qui vous pouvez avoir confiance sont celles qui ne veulent rien de vous. J'ai été extrêmement déçu de me rendre compte que Zarco me volait. Mais ce n'était pas vraiment une surprise. C'est aussi simple que ça.

— Pas tout à fait. »

Les yeux plissés se rétrécirent encore un peu plus. Il ôta un brin de tabac de sa langue et dit :

« Expliquez-vous.

— Lorsque Zarco a appris que les objections au projet du Thames Gateway Bridge étaient sur le point d'être rejetées par la municipalité de Greenwich, il a utilisé l'argent du dessous-de-table pour acheter des parts de CSAG. À hauteur de près d'un quart de million de livres.

— Ça, je l'ignorais.

— Lui et Gentile.

— Attendez. » Victor poussa un soupir de lassitude. « Ne me dites pas qu'il s'est servi de la même société pour acheter ces actions que celle qui lui avait vendu les actions d'Oural Énergie ? Monaco STCM ?

— Je crains que si. Ce n'est que plus tard qu'il a découvert que Monaco STCM était en partie détenue par la Sumy Capital Bank de Genève.

— Quel imbécile. Pardonnez-moi, mais c'est pour ça que les gens vont en prison, Scott. Parce qu'ils sont stupides et commettent des erreurs stupides.

— Il avait peur que vous ne le découvriez et que vous ne soyez furieux.

— Et il avait sacrément raison d'avoir peur. Je ne savais pas ça, Scott. Mais maintenant que c'est fait, je suis en colère. Je l'aurais peut-être viré si je m'en étais aperçu. J'y aurais peut-être été forcé, voyez-vous. C'est une telle connerie. Je l'aurais peut-être même frappé. » Viktor eut un sourire ironique en prenant conscience de ce qu'il venait de dire. « Oui, j'aurais pu le frapper pour avoir été cupide et m'avoir flanqué dans le merdier que va provoquer cette histoire. Mais je tiens à préciser ceci, Scott : je ne l'aurais pas fait battre à mort. Le délit d'initié – même par procuration – est un délit grave. Difficile à prouver, mais grave. Sans être néanmoins suffisamment sérieux pour que je le fasse tuer. Cependant, je devrais certainement prendre un avis juridique dans cette affaire. Au cas où on me suspecterait d'avoir communiqué l'information à Zarco pour lui permettre d'en tirer profit.

— Comment a-t-il pu le savoir ? Avez-vous une idée ?

— Bonne question. Je serais bien en peine de le dire. Il a pu voir quelque chose dans mon ordinateur à un moment donné, lire un mail sur mon iPhone, je n'en suis pas certain. Mais plus important encore à présent, comment vous, vous l'avez découvert ? Et est-ce que quelqu'un d'autre est au courant ? En particulier, la police ?

— Gentile est au courant, mais c'est tout. Je ne le sais que parce que Zarco gardait dans un de mes tiroirs un téléphone prépayé qu'il utilisait pour – eh bien, je supposais qu'il s'agissait des rendez-vous avec sa maîtresse. En réalité, je pense qu'il était exclusivement réservé à ses conversations avec Gentile.

— Et ce téléphone ? Vous l'avez toujours ?

— Oui.

— J'aimerais le voir. Il se pourrait même que je doive le donner à mes avocats. Pour me protéger, vous comprenez.

— J'ai besoin de parler à Gentile avant. Je voudrais m'en servir pour lui arracher quelques renseignements supplémentaires, dans la mesure du possible.

— Soyez très prudent, Scott. Si je ne suis pas lié au crime organisé, on ne peut pas en dire autant de Paolo Gentile.

— Vous voulez dire qu'il est en cheville avec la mafia ?

— Gentile habite à Milan, mais il est d'origine sicilienne. Il y a quelques années, il a fait l'objet d'une enquête de la part des autorités italiennes en raison de ses relations avec un certain Giovanni Malpensa. Celui-ci est à la tête d'une famille qui contrôle Trabia, un quartier de Palerme ; et possède des intérêts dans plusieurs clubs de football italiens. Il se peut que Gentile ne soit pas dangereux, mais Giovanni Malpensa l'est très certainement.

— Et vous avez néanmoins accepté que ce type s'occupe du transfert de Traynor ?

— Vous croyez qu'un agent est plus intègre qu'un autre ? Allons, ne soyez pas si naïf. Denis Kampfner possède des amis tout ce qu'il y a de plus douteux dans le milieu de la drogue à Manchester. Ce qui n'a rien d'étonnant, bien sûr, car il y a plus d'argent que jamais dans le football. C'est une baleine attachée au flanc du bateau qu'est l'économie mondiale. Et davantage d'argent signifie que plus de requins s'en nourrissent. En 2013, British Telecom a payé près d'un milliard de dollars les droits de retransmission des matchs de la Ligue des Champions et de l'UEFA. Et vous pensez sérieusement que cela signifie que ce sport est devenu moins corrompu qu'autrefois ? Bien au contraire. Le football et l'argent marchent main dans la main. Le football lui-même est devenu un outil de marketing important – peut-être le plus important qui existe de nos jours. Par quel autre moyen conquérir le marché capital des hommes ? Des décideurs. Les collectifs de femmes peuvent raconter ce qu'ils veulent, ce sont toujours les hommes qui prennent les décisions financières majeures dans chaque ménage, ce qui veut dire qu'ils sont le public le plus important à atteindre. Partout dans le monde, du Qatar au Queensland, le football est désormais la *lingua franca*. Raison pour laquelle les gens sont prêts à payer autant pour les droits de la Coupe du monde, jusqu'à verser des millions de dollars de pots-de-vin.

— Ce qui me fait penser. J'ai cru comprendre que nous allions être le Subara Stadium.

— Oui, le Subara. C'est un peu comme l'Emirates, vous ne pensez pas ?

— Et pourtant, nous aurions aussi bien pu être le Jintian Niao-3Q. »

Viktor fit une grimace tragi-comique.

« Oui, c'est bien dommage, mais ça ne va pas se faire. À moins que vous ne soyez prêt à accuser les Qataris du meurtre de Zarco, Scott. Ce qui changerait assurément la donne. Et laisserait le champ libre aux Chinois. Une nouvelle fois. Auquel cas, naturellement, vous seriez un véritable ami pour moi. » Il éclata d'un grand rire jovial. « Sans parler de Ronan Reilly. Lui aussi serait ravi de voir les Qataris accusés de meurtre. »

Il souriait, mais on n'aurait su dire s'il plaisantait ou non. C'était le problème avec Viktor Sokolnikov ; il était difficile à déchiffrer.

« Écoutez, Viktor. Je tiens à préciser une chose : je n'ai pas l'intention d'accuser quiconque de meurtre à moins d'en être sûr à cent pour cent. Je ne le ferai ni pour vous, ni pour Jintian Niao-3Q, ni pour personne. À l'heure actuelle, je n'ai pas la moindre idée de l'identité de l'assassin de Zarco. Strictement aucune. Et je pense sérieusement qu'il vaut mieux que je garde toute théorie concernant cette affaire en réserve jusqu'à ce que j'aie obtenu des preuves suffisamment solides, vous ne croyez pas ?

— Bien, mais faites en sorte que je sois le premier averti, s'il vous plaît. Cela m'intéresserait beaucoup d'entendre ce que vous avez à dire sur le sujet. Au plus haut point, vraiment.

— Merci de m'avoir parlé avec autant de franchise, Viktor.

— C'est normal.

— Et compte tenu de cette franchise, permettez-moi de vous poser une dernière question.

— Allez-y.

— Cette dispute que vous avez eue avec Alisher Aksyonov à la télévision russe. Lorsque vous lui avez donné un coup de tête dans les dents. De quoi s'agissait-il ? »

Viktor sourit d'un air penaud.

« Quoi d'autre que le football ? »

31

Il était presque 19 heures quand je décidai de plier bagage et de rentrer chez moi. J'étais fatigué. La journée avait été longue et je me réjouissais de voir Sonja et de ne pas faire grand-chose. Maurice me lança mes clés de voiture et me souhaita une bonne soirée.

« Tu restes au bureau ? demandai-je.

— Juste un petit moment. J'ai appelé un copain, quelqu'un que j'ai connu à Wandsworth. Il a toujours été de première pour les informations. Tu sais, le genre d'infos que tu ne trouves pas sur Google. Et il a dit qu'il rappellerait d'ici 19 h 30. Je pensais que, si c'était un boulot de professionnels – un genre de guet-apens tendu à Zarco –, il serait probablement au courant. Il sait presque tout.

— Merci, Maurice.

— Fais attention sur la route, patron. Il fait plutôt sombre dehors. »

Je pris le couloir menant à l'escalier principal. Monter et descendre et traverser le dock était bon pour la forme ; il n'y avait que trois étages, mais au point le plus élevé de la Couronne d'Épines, le bâtiment en faisait presque dix, soit plus d'une trentaine de mètres, et parcourir tout l'étage pouvait prendre dix minutes complètes. Certains des employés de la sécurité et des garçons de course utilisaient des Segway – ces scooters électriques sur lesquels on se tient debout –, mais je préférais marcher, surtout un jour aussi chargé que celui-ci où il m'était impossible d'aller à la gym. Tout était beaucoup plus calme à présent et presque tout le monde était parti. À quelques mètres devant moi, un policier en uniforme semblait aller dans la même direction et, dans son sillage, je pouvais détecter une légère odeur de quelque chose de suave et de vaguement familier.

« Vous êtes perdu ? lui demandai-je avec obligeance. Cet endroit est comme le labyrinthe de Hampton Court. Chaque étage a l'air identique.

— Je cherche l'escalier menant à l'entrée principale, marmonna-t-il.

— Alors vous êtes perdu. L'escalier principal se trouve dans la direction d'où vous venez. Ici, c'est l'escalier menant à l'entrée Z. Pour le parking.

— Le parking m'ira très bien, dit-il d'un air vague. C'est là que j'ai laissé ma voiture. »

Tout paraissait vague chez ce flic, à l'exception de l'odeur, qui finit par parvenir jusqu'à la partie de ma mémoire responsable de choses aussi insaisissables que le nom des parfums. Je n'arrivais jamais à les identifier. Je ne savais pas le nom de celui que portait Sonja, mais je reconnus à cet instant l'odeur émanant des vêtements du flic. Quand on a passé dix-huit mois à Wandsworth, on apprend à reconnaître l'odeur de la marijuana aussi facilement que la puanteur de son propre corps pas lavé. Et il y avait une autre chose bizarre : le parking où j'allais était celui des joueurs et non l'endroit où les policiers avaient garé leurs propres véhicules, devant l'entrée principale.

J'arrivai à la hauteur du type et lui jetai un coup d'œil. Ce n'était pas le flic posté devant la porte de Zarco le matin alors que les enquêteurs fouillaient sans résultat son bureau et les tiroirs de son classeur. Ce gars-là était parti depuis longtemps. Celui-ci était différent. Peut-être un peu trop différent.

« Vous avez l'heure ?

— Bien sûr. »

Le type s'arrêta et leva son poignet, ce qui me permit de l'examiner de plus près.

« 19 h 05, dit-il.

— Merci. »

Grand, il avait des cheveux un peu trop longs et la peau du visage toute grêlée, mais ce n'est pas ça ni même la dope dans son haleine qui me laissa perplexe ; ce sont les tatouages sur ses articulations, incompatibles avec son emploi. De nombreux taulards se faisaient faire des tatouages, ACAB étant l'un des plus populaires. *All Coppers Are Bastards*, autrement dit : « Tous les flics sont des salauds », sentiment auquel je souscrivais de tout cœur. Mais qu'un poulet ait ces quatre initiales sur les phalanges semblait quelque peu inhabituel ; tout comme le fait qu'un membre de la police de l'Essex – dont faisait partie l'unité se trouvant sur les lieux – puisse porter l'insigne de la police du Surrey sur sa casquette. Les deux insignes étaient certes de la même couleur – bleu et rouge –, mais celui de l'Essex avait trois cimeterres et celui-ci un lion couché. Je voyais très bien pourquoi la police de l'Essex avait fait appel à des enquêteurs de Scotland Yard, c'était logique, mais je ne comprenais vraiment pas pour quelle raison la police de l'Essex aurait jugé nécessaire de solliciter l'aide des forces du Surrey.

Je me dis que ça ne me regardait pas si un flic s'éclipsait pour fumer tranquillement un joint à l'étage supérieur quand il y avait un creux ; son job était sans doute extrêmement rasoir. Que le règlement interdisant aux flics de porter des tatouages avait peut-être été assoupli depuis que j'avais eu maille à partir avec la justice. Que ma haine et ma méfiance de la police étaient en train de devenir une obsession et que je devrais en parler à Sonja et lui demander si, à son avis, j'avais besoin d'une aide professionnelle. Que j'avais déjà assez de problèmes avec la police métropolitaine sans me mettre celle du Surrey à dos par-dessus le marché. Que j'avais seulement envie de rentrer, de prendre un bon bain et de manger le repas de sushis que Sonja aurait certainement commandé au restaurant japonais de King's Road. Et que, s'il se faisait passer pour un flic, il essaierait probablement de se défiler dès que je demanderais à voir sa carte et que je devais me préparer à du grabuge.

Il hocha la tête et se détourna.

« Attendez une minute. Est-ce que je peux voir votre carte ?

— Pardon ?

— Votre carte de police. J'aimerais la voir, s'il vous plaît.

— Je n'en ai pas besoin, m'sieur, répondit-il. Loi sur la police de 1996. En plus, je ne suis pas de service. Ma carte est en bas dans ma voiture. Je venais juste déposer quelques kits médico-légaux de rechange pour l'équipe qui bosse ici. Je ne fais même pas partie de la police locale. Il ne serait donc pas approprié que je porte une carte sur moi. Si je devais vous arrêter, m'sieur, j'en aurais certainement besoin. Encore que l'uniforme devrait être un indice suffisant même pour des malfaiteurs débiles.

— Très bien, dis-je. Ça semble raisonnable. Mais seulement si vous pouvez me dire quelle est la police locale.

— Vous dire quoi ?

— C'est simple. Les policiers en uniforme qui sont ici. Est-ce qu'ils appartiennent à la police métropolitaine ou à celle du Surrey ? Et à laquelle appartenez-vous ? »

L'homme me défia du regard.

« Écoutez, m'sieur, ç'a été une longue journée, et je n'ai vraiment pas besoin qu'on vienne me chercher des poux dans la tête maintenant. Alors pourquoi ne pas vous tirer ? »

Bon, en temps normal, j'aurais pris ça pour du verbiage standard de flic et j'aurais laissé tomber ; mais pas cette fois-ci.

« Vous savez, si je me faisais passer pour un officier de police dans un lieu grouillant de flics, j'irais peut-être fumer un joint dans ma bagnole dehors, histoire de me calmer un peu les nerfs. De me donner du cœur à l'ouvrage. Quel qu'il soit. »

Le type m'adressa un sourire sarcastique avant de prendre ses jambes à son cou. Un lièvre se mettant à détaler devant un chien de chasse.

Comme défenseur, j'avais eu ma part de cartons rouges ; parfois, on doit s'en prendre un pour l'équipe. Un attaquant effectue une percée, et il vous suffit de lui faire un croche-pied et de l'expédier au sol – comme Ole Gunnar Solskjær. De mon temps, j'avais vu moi aussi quelques tacles assez criminels. Mais rien de pire que celui de Roy Keane quand il avait taclé Alf-Inge Håland en 2001. Je me souvenais encore du carton rouge que le capitaine de Man U avait reçu de David Elleray – un de plus – quand il avait fauché le milieu de terrain de Manchester City. Mais c'est ça, le football, selon la phrase célèbre de Denis Law.

En l'occurrence, ce tacle-là fut tout aussi magistral que celui de Roy, et très loin de la balle, naturellement ; et ce fut peut-être une bonne chose que la jambe du faux flic soit décollée au sol quand je frappai son genou des deux pieds, sinon j'aurais pu lui causer beaucoup plus de dommages. Il s'écroula et dut se cogner l'arrière du crâne par terre car il demeura immobile, assommé, suffisamment longtemps pour que je me relève et que j'appelle Maurice de mon portable.

Quelques instants plus tard, nous ramenions le type encore groggy à mon bureau pour un petit interrogatoire.

Une fouille rapide de ses poches révéla une carte de police d'un autre flic, sans parler de quelques joints et d'un pistolet automatique, ce qui me donna amplement matière à réflexion.

« Un Ruger, dit Maurice en examinant attentivement le pistolet.

— Nom d'un chien, c'est un vrai ? » demandai-je.

Le faux flic s'assit sur la chaise en face de mon bureau. « À votre avis ? »

Il laissa échapper un ricanement.

« Tout ce qu'il y a de plus vrai, patron. » Maurice vida le chargeur avec son pouce et inspecta les balles. « Et chargé, avec ça. » Il donna au type une tape sur le crâne. « Qu'est-ce qui te prend, espèce d'enfoiré, de venir au foot avec une arme ? Il y a être outillé et être outillé, mais quand on est chargé comme ça, on cherche simplement les ennuis.

— Va te faire foutre », répliqua-t-il.

Je continuai à fouiller ses poches. Je trouvai un porte-feuille, une clé de voiture, une carte de Silvertown Dock avec un X indiquant un endroit quelque part au deuxième étage, deux mille livres en coupures de cinquante flambant neuves, un portable et une clé de porte avec un numéro dessus.

« Tu sais quoi ? dis-je C'est commode qu'il y ait autant de flics en haut. Ça va nous faciliter la tâche. Et à toi aussi.

— Comment ça ?

— Tu nous dis ce que tu fabriquais et on te laisse partir. Sinon, on te livre aux poulets. C'est aussi simple que ça. »

Le type s'élança soudain vers la porte, mais Maurice y fut avant lui – ou plus précisément son poing. Lequel heurta le côté de la tête du faux flic tel un boulet de démolition et l'envoya s'écraser au sol.

« Merde alors ! s'exclama Maurice en secouant sa main et en fléchissant les doigts. Ça m'a fait mal. »

Le cambrioleur était toujours à terre.

« Pas autant qu'à lui, dis-je. Il est dans les pommes, on dirait. N'empêche. On n'est jamais trop prudent, hein ? » J'ouvris le tiroir de ma table de travail et y trouvai les menottes que j'avais prises dans le bureau de Zarco la nuit précédente – celles qu'il devait utiliser pour ses jeux sexuels avec Claire Barry. Je retirai la clé de la serrure, la fourrai dans ma poche, puis menottai dans le dos le type inconscient.

« C'est pratique, dit Maurice. Cadeau de Noël de madame ?

— Ne demande pas.

— Tu joues à tes jeux et je joue aux miens. »

Maurice laissa échapper un gloussement obscène.

Ayant hissé le type sur une chaise, nous attendîmes qu'il cesse de respirer aussi bruyamment et se redresse. Pendant un instant, il sembla sur le point de vomir, de sorte que je mis une corbeille à papier entre ses jambes, au cas où.

« Tu nous dis ce que tu manigançais et on te laisse partir, dis-je. Je parie que tu es habitué à ce genre de truc. Tu es un pro. Crache le morceau et tu pourras te tirer.

— C'est une bonne offre, tête de con, dit Maurice. Le patron ici présent et moi, on a fait tous les deux un peu de taule, alors on n'aime pas beaucoup la flicaille. Tu coopères et tu peux te barrer. Mais si tu la boucles, alors on va te livrer nanti d'un putain de ruban à ton chapeau. Avec ce pétard en poche, tu vas en prendre pour cinq ans. »

Le type secoua la tête.

« Je n'ai rien à vous dire. »

Je regardai un instant la clé. D'après l'étiquette en plastique qu'elle portait, c'était celle de la loge VIP numéro 123.

« C'est là que tu devais aller ? demandai-je. À la loge 123 ? Pour récupérer quelque chose destiné à quelqu'un… de l'argent, peut-être ?

— Allez vous faire foutre, bande de tarés !

— Taré, moi ? » Maurice sourit. « Tu as raison, mon mignon. » Il tordit l'oreille du type. « Mais pas que. Sadique aussi.

— Reste ici avec lui », dis-je.

Maurice remit le chargeur dans la crosse du petit Ruger. « Pas de problème.

— Et pendant mon absence, cherche à qui appartient la loge 123 et toutes les infos sur la personne en question. »

32

Il y avait cent cinquante loges VIP à London City, toutes au deuxième étage. Pour la somme de 85 000 livres – le prix de départ pour cette saison –, vous pouviez avoir une loge de la taille d'une caravane convenable, avec une cuisine équipée, des toilettes privées, quinze sièges pour chaque match à domicile, une équipe d'hôtesses tirées à quatre épingles pour recevoir les invités et servir les repas et les boissons, un téléviseur grand écran et des installations de paris. Plus on payait cher, plus on était près de la ligne médiane et plus la loge était spacieuse. Toutes étaient meublées différemment, selon le goût – ou le manque de goût – de la personne ou de la société. La plupart étaient détenues par des entreprises comme Google ou Carlsberg, mais le nom sur la porte de la loge 123 était celui d'un particulier, et qui plus est un Arabe : M. Saddi bin iqbal Qatar Al-Armani.

J'ouvris la porte, allumai les lumières et entrai. Il faisait froid à l'intérieur ; plus froid qu'il n'aurait dû. Je vérifiai les portes coulissantes, toujours fermées derrière les stores baissés, puis regardai autour de moi.

La suite de M. Al-Armani était meublée comme l'intérieur d'un jet privé : tout en épais tapis couleur crème, panneaux d'ébène vernis et coûteux fauteuils blancs en cuir. Sans doute possédait-il également un jet privé du même acabit. Un tirage argentique de la célèbre photographie, réalisée par Monte Fresco, de Vinnie Jones serrant le zizi de Gazza, signé par les deux joueurs – le tirage, pas le zizi – ainsi que le maillot numéro 10 de Diego Maradona, également signé et sous cadre, occupaient tout un mur. Sur une table d'ébène étaient posés une pile d'assiettes à bordure dorée, des couverts en or, un briquet de table en or et plusieurs cendriers en or également. Le téléviseur grand écran sur le mur était un Sony 84 pouces, qui semblait de la même taille que les portes coulissantes ouvrant sur les quinze sièges, à moins d'une vingtaine de mètres au-dessus de la ligne médiane. Tout avait l'air de la meilleure qualité, bien que d'un genre quelque peu discutable à mes yeux ; je n'aime pas beaucoup ce bling-bling à la Ben Laden.

Zarco était venu ici, de toute évidence ; il y avait un chapeau noir en laine sur la table et sa valise Dunhill en cuir marron sur le canapé en cuir blanc. Je l'ouvris, espérant à moitié y trouver cinquante mille livres et le foulard porte-bonheur de Zarco – qui n'avait toujours pas été retrouvé –, mais hormis une paire de gants de moto, elle était vide.

Je passai dans les toilettes ; le lavabo avait des accessoires en or, et sur le mur s'étalait une photographie aérienne de l'Al-Wakrah au Qatar – le stade du Vagin, comme on l'avait surnommé.

Franchissant la porte de la cuisine, j'allumai la lumière et parcourus la longueur de la pièce jusqu'à la fenêtre. J'ouvris les placards et le réfrigérateur, et même la machine à laver la vaisselle, qui était allumée et avait effectué un cycle, ainsi que l'indiquait un voyant sur le tableau de bord. Il n'y avait que trois tasses à café à l'intérieur, ce qui ne justifiait pas un lavage. En regardant autour de moi j'aperçus des lunettes de soleil Oakley gris acier posées sur le plan de travail. Celles de Zarco. Je le savais parce que c'est moi qui les lui avais offertes pour son anniversaire ; je lui avais dit qu'elles s'harmonisaient avec ses cheveux poivre et sel, ce qui était le cas. À part ça, je ne trouvai rien qui pût me renseigner sur la raison pour laquelle un homme armé d'un pistolet aurait pris le risque de se faire passer pour un officier de police afin de s'introduire ici.

À première vue, je ne voyais pas pourquoi on aurait cambriolé cette loge. Pas pour une valise vide. Je soupesai les couverts – au mieux du métal doré sans grand intérêt. Le maillot de Maradona encadré ne valait pas plus de quelques centaines de livres ; il en avait signé tellement... À quinze ou vingt mille livres, le téléviseur était probablement l'objet le plus onéreux, mais il pesait une tonne, et ce n'était pas exactement le genre de chose qu'on pouvait glisser sous son manteau.

Le seul fait intéressant concernait l'identité du propriétaire, un Arabe, apparemment du Qatar. Pourquoi Zarco aurait-il demandé à Paolo Gentile de venir précisément ici avec les cinquante mille livres ? Après tout, le Qatari à qui appartenait la loge pouvait difficilement éprouver de l'affection pour quelqu'un ayant pris position aussi énergiquement contre la Coupe du monde au Qatar. De plus, cinquante mille livres n'étaient à l'évidence que des cacahuètes pour un homme comme lui. Rien de tout cela ne tenait debout.

Je m'assis et remarquai que la stéréo était toujours allumée. Je montai le volume et me retrouvai à écouter la chaîne TalkSport. Ne vous y trompez pas, j'aime bien TalkSport ; la plupart des experts savent de quoi ils parlent. En particulier Alan Brazil et Stan Collymore. Mais c'était une de ces émissions où les supporters peuvent téléphoner et faire leurs commentaires sur les matchs des week-ends précédents. Commentaires qui étaient invariablement les mêmes : on devrait virer X, on n'aurait jamais dû recruter Y, Z est un nul. TalkConneries aurait été un nom plus adéquat pour ce que la majorité des fans avaient à dire.

J'éteignis, pris la valise de Zarco, son chapeau et ses lunettes, refermai la porte de la 123 à clé et retournai à mon bureau.

Le faux flic se trouvait toujours là où je l'avais laissé, menotté sur la chaise, regardant le sol d'un air morose. Il y avait un peu de sang au bout de son nez. Je trouvai un mouchoir en papier et l'essuyai, mais seulement pour éviter qu'il tache le tapis.

Maurice était devant mon PC, le pistolet du type posé sur le bureau.

« A-t-il dit quelque chose ? demandai-je.

— Pas encore.

— Qu'est-ce que tu as déniché sur la suite 123 ?

— Elle appartient à un honorable citoyen du Qatar, répondit Maurice. M. Saddi bin iqbal Qatar Al-Armani, de la Banque de Subara. Et selon *Forbes*, il vaut six milliards de dollars. M. Al-Armani possède depuis trois ans une des loges les plus chères, alors qu'en fait le football n'a pas l'air de beaucoup l'emballer. Il n'est pas venu voir un seul match depuis le début de la saison. Il a probablement été trop occupé à chercher du pétrole et à se faire un fric monstre. Ce qui n'a rien d'inhabituel dans ce club. Il y a au moins une demi-douzaine de loges VIP dont les propriétaires ne sont jamais venus assister à une rencontre. Des banquiers à la con, pour la plupart. Pas étonnant que les supporters deviennent fous quand ils voient autant de places libres qui ne demandent qu'à être prises. Certains de ces enfoirés pleins aux as ont peut-être même oublié qu'ils avaient une loge ici. Ce qui n'est guère étonnant, tout compte fait.

Quatre-vingt mille livres quand tu pèses plusieurs milliards de dollars ? Qu'est-ce que c'est ? Des queues de cerise. La journée d'hier n'a pas été une exception à la règle d'absentéisme de M. Armani. Aucun des billets qui lui sont alloués n'apparaît dans l'ordinateur comme ayant servi. Et quelle que soit la personne que Zarco est allé voir dans cette loge, elle n'a pas l'air d'avoir eu une putain de serviette sur la tête.

— C'est peut-être justement pour ça qu'il y est allé, fis-je observer. Parce qu'il savait qu'elle ne serait pas occupée. Un gentil petit endroit suffisamment tranquille pour que Gentile y laisse l'argent du dessous-de-table et que Zarco puisse le récupérer. Sauf que je ne pense pas qu'il l'ait fait. Il a bien pris une valise avec lui. Cette valise. Mais elle était vide.

— Alors peut-être que le dessous-de-table n'a pas été versé, en fin de compte, suggéra Maurice. Et que Zarco a essayé de mettre la main sur Gentile. Il l'a trouvé quelque part. L'a traîné jusqu'à l'espace de maintenance pour lui passer un savon et a reçu autre chose que ce à quoi il s'attendait.

— Et personne ne l'a reconnu ? » Je secouai la tête. « Avec ce chapeau et ces lunettes, je comprends facilement comment il a pu arriver jusqu'à la loge VIP sans attirer l'attention. Mais il les a laissés là. Qui loue les suites de chaque côté ? »

Maurice tapa les numéros sur le clavier.

« La 122 appartient à un Chinois, Yat Bangguo. Qui dirige une boîte appelée la Topdollar Property Company. La 124, à Tempus Tererent. Ce sont eux qui fabriquent des jeux pour Xbox et PlayStation. Y compris Totaalvoetbal 2014. Les gens de Tempus Tererent étaient là hier, ils ont utilisé tous leurs billets. M. Bangguo, seulement la moitié. La loge 121 est à Thomas Uncliss. »

Thomas Uncliss était le précédent manager de London City, quand l'équipe figurait en championship, la deuxième divison. Il avait été viré sans cérémonie par Viktor après plusieurs matchs perdus.

« Ils ont tous fait appel à la restauration et aux hôtesses. Ça pourrait être une idée d'interroger quelques-unes de ces filles pour voir si elles n'ont pas remarqué quelque chose d'inhabituel à la 123.

— Tu as déjà parlé à l'une d'entre elles ?

— Non.

— La plupart ne sont pas anglaises ; et le seul footballeur qu'elles reconnaîtraient en un million d'années, c'est David Beckham. Néanmoins, ça ne peut pas faire de mal, pas vrai ? Vois ce que tu peux dénicher.

— Bien, patron. »

Je me tournai vers notre prisonnier.

« Qu'est-ce que vous en pensez, m'sieur… ? »

Maurice se recula du bureau et me tendit un permis de conduire ainsi qu'une carte de fidélité Tesco.

« Ce connard s'appelle Terence Shelley. Il vit à Dagenham. Et il fait ses courses chez Tesco. À part ça, je sais que dalle sur lui.

— Eh bien, c'est déjà quelque chose, non ? » Je pris un ballon par terre et le fis rebondir sur l'arrière de la tête de Shelley. « Oh ? Il y a quelqu'un ? Parlez-nous, monsieur Shelley, ou vous allez servir de putain de dîner à Sweeney Todd. »

Shelley garda le silence.

« Je suis fatigué. Mon ami aussi. Alors voilà ce que je te propose : lui et moi, on va rentrer chez nous. Mais on va te laisser en lieu sûr pour la nuit afin que tu puisses réfléchir à ta situation. Attaché à un chouette kettlebell bien lourd. D'accord ? À moins que tu ne te mettes à table tout de suite. Alors qu'est-ce que tu en dis ?

— Va te faire foutre, répondit-il.

— Tu sais quoi, Terry ? Je peux t'appeler Terry, n'est-ce pas ? Tu devrais être à TalkSport. »

33

Sonja ne s'intéressait pas beaucoup au football et passait en général le week-end seule chez elle à Kensington. Ce n'était pas plus mal car le samedi et le dimanche sont invariablement les jours les plus chargés pour un club de football. Quand on jouait le samedi, elle venait chez moi le dimanche matin ; et quand on jouait le dimanche, elle arrivait le dimanche soir. Cet arrangement semblait nous convenir très bien à tous les deux.

J'avais particulièrement hâte de voir Sonja après son week-end de psys à Paris. Spécialiste des troubles alimentaires, elle était souvent invitée à participer à des congrès de praticiens. Mais à chacune de ses absences, j'éprouvais un certain manque d'équilibre dans ma vie, comme si quelque chose d'important faisait défaut à ce qui me permettait de fonctionner ; on pourrait dire que, sans elle, j'étais trop football, qu'elle était l'élément indispensable dans la *Gestalt* qui faisait de moi un homme complet. En un mot, elle me rendait heureux. Nous parlions toujours beaucoup, surtout de livres et d'art, et nous plaisantions beaucoup également – nous avions tous les deux le sens de l'humour, même s'il pouvait parfois sembler qu'en ce domaine j'avais la part du lion. Nous étions aussi très attirés l'un par l'autre, ce qui veut dire que faire l'amour était toujours super. Je n'avais jamais connu de femme qui prenne autant de plaisir à coucher avec moi. Elle aimait les jeux érotiques et essayait de me combler au lit. Non que ce fût difficile, mais pour un certain nombre de raisons – les plus importantes étant la liaison que j'avais eue durant mon mariage, le fait que j'exerce un métier très physique et aussi que je sois très en forme –, elle pensait que j'avais une forte libido, ce qui en réalité n'est pas le cas, à mon avis. J'étais tout aussi heureux avec ce qu'on pourrait appeler le plat principal qu'avec les nombreuses sauces et accompagnements qu'elle se plaisait à imaginer. Honnêtement, je pense que si quelqu'un avait une forte libido, c'était elle. Elle n'en avait jamais assez, mais comme beaucoup de footballeurs, j'étais souvent trop crevé pour faire l'amour chaque jour de la semaine – ce qu'elle aurait bien aimé, je suppose. En fait, j'en suis même certain.

Avant de partir à Paris, elle m'avait dit qu'elle irait chez Fifi Chachnil, une boutique de lingerie rue Saint-Honoré, acheter quelque chose de séduisant à mettre pour moi dès qu'elle serait de retour à Londres. Elle faisait toujours ce genre de choses, et même si je ne le lui demandais pas, je dois avouer que je ne me lassais jamais de la voir dans des sous-vêtements sexy. En fait, j'en étais même arrivé à beaucoup apprécier. Je suppose que c'était la parfaite antithèse de mon propre monde masculin de liniments et de sueur, de slips coquilles et de protège-tibias, de chaussures boueuses et de Vaseline, de graisse et de shorts de compression. Sa lingerie était invraisemblablement, incroyablement minuscule et fragile, en dentelle et totalement féminine, ou du moins c'est ce qu'il me semblait. Et bien sûr, elle avait une silhouette de rêve. Ses fesses étaient parfaites et son ventre plat comme une planche à repasser. Pour une femme passant beaucoup de temps dans un bureau, elle était vraiment bien foutue. Chaque fois qu'elle se mettait sur son trente-et-un – comme elle avait l'habitude de le faire après un week-end d'absence –, elle allumait un tas de bougies et de chandelles parfumées et m'ouvrait la porte en vêtements diaphanes et vaporeux. Après le week-end que je venais de passer, j'avais besoin de ça, mais plus important encore, j'avais besoin de beaucoup d'amour de la femme que j'aimais ; la mort de Zarco et les révélations sur Mackie, l'ami de Drenno – sans parler de la séance avec les types de l'UKAD et des pressions que je subissais de toutes parts – m'avaient en effet mis les nerfs à fleur de peau.

Je tournai dans Manresa Road et vis les lumières allumées dans mon appartement, ce qui me remonta le moral. Je m'imaginais déjà sortant d'un bain chaud et m'enveloppant dans une grande serviette pour être doucement frotté par elle. En même temps, je vis que les journalistes n'étaient plus devant mon immeuble. Maintenant qu'on avait arrêté Ronan Reilly, ils avaient d'autres chats à fouetter. Je poussai un soupir de soulagement, garai la Range Rover dans le parking souterrain et, déjà heureux d'être chez moi, pris avec impatience l'ascenseur jusqu'à mon étage. Je regrettais seulement de ne pas avoir acheté de fleurs – une orchidée blanche, peut-être ; elle aimait beaucoup les orchidées – ou un cadeau. J'adorais lui faire des cadeaux.

Mais en ouvrant la porte d'entrée, je compris aussitôt que quelque chose ne tournait pas rond. D'une part, il n'y avait pas de bougie parfumée sur la table de l'entrée ; et d'autre part, la valise Louis Vuitton Bisten 70 que je lui avais offerte pour Noël était posée par terre, à côté du nécessaire de toilette assorti, mon cadeau pour son anniversaire. Je lui avais dit en plaisantant que j'avais l'intention de faire d'elle une authentique WAG, ce qu'elle avait trouvé très drôle, mais en réalité cela ne risquait pas d'arriver ; Sonja était beaucoup trop intelligente pour devenir quoi que ce soit d'aussi pitoyable. Je soulevai la Bisten pour en vérifier le poids ; elle était lourde, beaucoup trop lourde pour un week-end à Paris. D'ailleurs, je savais qu'elle était déjà passée à son appartement.

Autre raison qui me fit comprendre que quelque chose n'allait pas : la télévision était allumée. Elle ne la regardait presque jamais et surtout pas les informations, qui ne parlaient que de catastrophes et de sport, prétendait-elle. Sonja ne regardait la télévision que lorsqu'elle essayait de ne pas penser à un problème de boulot. À une patiente. Ou à un article qu'elle préparait pour une revue. Elle portait un ensemble plutôt sévère, avec jupe crayon et chemisier blanc, aux antipodes de ce à quoi je m'attendais. Elle se leva comme j'entrais dans le salon – autre mauvais signe, pensai-je ; comme si quelque chose de solennel se préparait. Ce qui était bien sûr le cas. Personne ne s'assoit pour vous annoncer une mauvaise nouvelle.

« Désolé d'être en retard, commençai-je avec méfiance. Depuis hier, ça n'arrête pas. Mais tout ça peut probablement attendre. On dirait que tu as quelque chose d'important à me dire.

— Je suppose que je devrais te féliciter pour ton nouveau poste. »

J'hésitai.

« Merci, mais j'ai comme l'impression que, dans cinq minutes, félicitations n'aura plus l'air d'être le mot juste. Je te regarde, mon ange, et je parierais que tu es sur le point de sortir un carton rouge de ta poche. Alors dis ce qui te tracasse, hein ? Avant de perdre ton sang-froid, quelle que soit la raison.

— OK, c'est ce que je vais faire.

— Merci.

— Maintenant qu'on t'a confié ce travail, Scott, j'ai le pressentiment qu'on va se voir encore moins qu'on ne le faisait jusqu'ici. Eh bien, il se trouve que j'ai envie d'un peu plus que ça le week-end. Que j'ai envie de beaucoup plus que ça.

— C'est-à-dire ?

— Tu te souviens de cette pub Nike qu'on a vue au cinéma ? Avec tous ces footballeurs connus et la chanson d'Elvis Presley ?

— Un peu moins de conversation, un peu plus d'action ? »

Elle acquiesça.

« C'est exactement le contraire de ce que j'attends de la vie. D'un homme. De mon homme.

— Je vois. Ou du moins, je crois.

— Et je dois dire que côté chambre à coucher, ce n'est pas tout à fait ça non plus. En tout cas, pas pour moi. Tu es toujours fatigué, Scott. »

J'opinai.

« Je ne peux pas le nier. » M'approchant de ma cave à cigares, je pris une cigarette. Une fois par semaine – en général le samedi soir –, je fumais une seule cigarette, ce qui était toujours un vrai plaisir. Utilisé de cette façon – juste quelques bouffées, à la manière des Indiens d'Amérique du Sud –, le tabac semblait presque avoir des vertus médicinales. « Tu permets ? demandai-je en l'allumant. Mais étant donné les circonstances... » Je poussai un soupir d'un tiers de nicotine et de deux tiers de déception. « Il n'y a pas à dire, tu sais choisir ton moment, Sonja.

— Ne t'apitoie pas sur toi-même, Scott. Ça ne te va pas. Ce n'est pas ton style.

— Non, tu as raison. Je suis fatigué, voilà tout. Comme d'habitude. Mais en fait, pour être sincère, je ne comprends pas, Sonja. Vraiment. Je pensais que nous formions un couple plutôt bien assorti. En tout cas, c'est l'impression que j'avais en te regardant. J'ai même réussi à m'aimer grâce à toi, ce qui n'est pas rien, je peux te le dire. »

Mais en réalité, mes pensées se résumaient à ceci : je n'arrivais pas à croire que je ne la verrais plus toute nue, ou même que je n'aurais jamais la chance de l'épouser, et cette idée m'était insupportable.

« Écoute, ça ne servira sans doute à rien, mais je vais essayer de t'expliquer, Scott. Je te dois au moins ça. Je t'aime et peut-être que tu m'aimes, mais jamais je ne pourrai faire partie de ce qu'il y a de plus important dans ta vie, à savoir, naturellement, le football. J'ai essayé, j'ai fait de mon mieux, crois-moi, mais je me suis rendu compte il y a quelque temps que je n'y parviendrais pas, quels que soient mes efforts. De fait, je n'arrive pas à m'intéresser à la chose même qui va bientôt te prendre encore plus de temps qu'auparavant, si toutefois c'est possible. Tu comprends ça, non ? Autrefois, je pensais que c'était juste un jeu, mais ce n'est pas vrai, c'est bien plus que ça, pour toi et pour beaucoup d'hommes comme toi. C'est une manière de penser le monde. Une espèce de philosophie. Et pourquoi pas ? Ça a l'air de marcher pour un tas de gens. Ce n'est pas un hasard si la Premier League est un peu comme l'index FTSE des sociétés les plus performantes. C'est du capitalisme pur et simple. Les forts survivent et les faibles sont relégués.

— Non, dis-je. À t'entendre, ça ressemble presque à du darwinisme.

— Oh, mais c'en est. Vous êtes juste une sorte de gène égoïste, c'est tout. Le vôtre est une vision de l'évolution centrée sur le football. Car pour vous, tout tourne autour du football, Scott. Les résultats, l'équipe, le prochain match, le mercato de janvier, la coupe, la fin de saison, le *top four*, la relégation, les trois points, un penalty pas accordé, un carton rouge qui aurait dû l'être. Ça ne s'arrête jamais, c'est incessant, et je ne peux pas y adhérer parce que je ne ressens

311

strictement rien à cet égard, hormis le désir que le dernier match soit réellement le dernier. Et si ce que je viens de dire n'a pas de sens pour toi, alors laisse tomber et contente-toi de ceci : même si une bonne partie de moi-même souhaiterait rester avec toi, Scott, je ne peux tout simplement pas parce que je refuse d'être une veuve de footballeur comme toutes ces femmes qu'on appelle des WAG.

— Personne ne t'y oblige, Sonja.

— Toi, peut-être pas. Mais les impératifs de ton travail, sûrement. T'es-tu jamais demandé pourquoi ces WAG sont comme elles sont ? Pourquoi elles passent tellement de temps à s'occuper de shopping, de mode, d'extensions de cheveux, de manucures ou d'implants mammaires ? Bien sûr que non. Mais moi, si. Ces femmes essaient désespérément d'attirer un peu l'attention de leur petit ami ou de leur mari stupide, voilà pourquoi. Elles essaient en vain de lutter contre la maîtresse ou l'épouse la plus jalouse de toutes qu'est le football lui-même. Eh bien, je refuse de participer à ça. J'ai ma propre vie, mes propres centres d'intérêt, mes propres ambitions… et un bon parcours en Coupe d'Angleterre n'en fait pas partie. On aura du mal à dormir pendant quelques jours, mais nous sommes suffisamment adultes pour savoir que ça passera. »

Quel foutu Sherlock je faisais ! Comment pouvais-je espérer trouver l'assassin de Zarco alors que je n'étais même pas capable de repérer les désillusions éprouvées par la femme que j'aimais ?

« Bon Dieu, chérie, on dirait que tu accumules les griefs depuis un certain temps.

— Peut-être. Et peut-être attendais-je le meilleur moment pour en parler. Le meilleur moment pour moi, je veux dire. Vois-tu, j'ai rencontré quelqu'un à Paris. C'est un simple homme d'affaires. Rassure-toi, il ne s'est rien passé entre nous. Je ne te ferais jamais ça. Mais je le reverrai. Ça ne donnera peut-être rien. Qui sait ? Mais le samedi, il va au théâtre et, le dimanche, il aime bien visiter la Tate Britain. Et il n'a jamais été à un match de foot de sa vie.

— C'est donc le type qu'il te faut.

— Moque-toi si ça te fait plaisir.

— Non, ça ne me fait pas plaisir. Mais j'ai pensé que ça valait la peine de tenter le coup. J'essaierais volontiers de te persuader de changer d'avis, mais après un tel discours, je suppose que ça ne rimerait à rien. Tu as bien réfléchi. Plus que moi. J'aurais sans doute dû. Alors je suis désolé.

— Tu t'en sortiras très bien, Scott. Tu es fort. Très fort.

— Vraiment ? » Je tirai une dernière bouffée de ma cigarette avant de l'écraser. « Je ne me sens pas très fort en ce moment.

— Mais bien sûr que tu es très fort. Regarde la façon dont tu fumes. Deux ou trois bouffées de cigarette par semaine. Parfois ça m'époustoufle. Tu sais, s'il s'agissait de quelqu'un d'autre, je ne le quitterais pas maintenant ; pas après les vingt-quatre heures que tu viens de passer. »

Je souris.

« Tu as remarqué.

— Je lis les journaux. »

Je fis la grimace.

« Ah bon ?

— Du moins, quand tu n'es pas là avec un air désapprobareur. Y a-t-il une loi qui interdit de lire le *Mail on Sunday* ?

— Non, mais ce serait peut-être une bonne chose. Tout ce qui est malsain dans ce pays est interdit par la loi. »

34

Après une nuit affreuse, je me levai tôt pour faire un crochet par Silvertown Dock avant de me rendre à Hangman's Wood. Il faisait très froid, et j'étais un peu inquiet pour Terence Shelley, que nous avions enfermé dans l'espace de maintenance où Zarco avait trouvé la mort. Bien que vêtu d'un manteau et d'un uniforme de police, il avait dû passer une nuit très inconfortable à ciel ouvert, menotté à un kettlebell de vingt kilos. Mais même dans ce cas, je doutais fort qu'il ait pu se sentir aussi mal que moi après ce qui s'était produit la veille au soir. Je ne m'étais pas senti aussi mal depuis ma première nuit en taule.

En chemin, j'écoutai les informations sur l'autoradio. Ronan Reilly avait été libéré sous caution, ce qui était un signe on ne peut plus clair que la police ne le soupçonnait pas de meurtre. Apparemment, s'étant rendus à son domicile de Highgate afin de pouvoir interroger l'expert de MOTD, des policiers en civil étaient tombés sur une soirée allant bon train ; prenant les policiers pour des invités, une femme dont on ne révélait pas l'identité les avait laissés entrer. Apparemment, c'était l'anniversaire de Reilly, raison pour laquelle, probablement, il avait décidé de faire la fête avec plusieurs prostituées et une certaine quantité de cocaïne ; et aussi d'escalader le mur du jardin à l'arrière et de mettre les voiles, dans l'espoir de pouvoir nier avoir eu connaissance de ce qui se passait chez lui. J'avais presque pitié de Reilly, parce que s'il y a une chose que la BBC n'apprécie pas – même dans des émissions pour adultes comme MOTD –, ce sont des experts impliqués dans des histoires de putes et de cocaïne. Qui se souvient de Frank Bough ? Je n'en dirai pas plus. Mais je ne pouvais pas m'empêcher de sourire en imaginant comment Zarco aurait accueilli cette info matinale. Il aurait adoré.

Toyah avait téléphoné et laissé un message me demandant de la rappeler ; elle avait l'air d'avoir passé une nouvelle nuit blanche. La mort est comme ça. Elle vous empêche de dormir, ce qui, même quand tout se présente bien, peut s'en approcher de trop près pour être rassurant. Je me sentais trop éprouvé pour parler à Toyah ; trop éprouvé et plutôt désolé pour moi-même. Mais j'essayais de surmonter mes problèmes ; la dernière chose que m'avait dite Zarco juste avant que je ne quitte mon appartement le matin, c'était de me ressaisir.

« Voyons, Scott », avait-il chuchoté tandis que je contemplais le mystérieux portrait, accroché à présent à mon mur, du manager portugais peint par Jonathan Yeo. J'avais regardé sur Internet quelques-uns des autres portraits de l'artiste, et celui de Zarco était, à mon avis, aussi bon sinon meilleur que le tableau qu'il avait fait d'un Tony Blair plutôt hagard. « Tu t'en remettras, comme l'a dit Sonja. Vous avez eu du bon temps ensemble, elle et toi. C'est comme ça qu'il faut voir les choses. Et ne lui en veux pas. Ce qu'elle a dit était juste. Le football est le football, et rien d'autre n'a vraiment d'importance ; pas pour des types comme toi et moi. C'est pour ça qu'on est de la partie, pas vrai ? Si on aimait faire autre chose, on serait avocats, banquiers ou je ne sais quoi. Si seulement je pouvais avoir tes problèmes. Tu ne crois pas que je préférerais être là pour me faire larguer par une chouette nana comme Sonja ? Bien sûr que si. Et nous savons tous les deux que tu vas en trouver une autre plus vite que tu ne penses. Beau gosse comme tu es. Au demeurant, tu sais probablement déjà qui est la fille avec qui tu vas coucher la prochaine fois. C'est comme ça que ça marche. Une de perdue, dix de retrouvées – c'est ce que mon père me disait toujours quand je me faisais plaquer. Un excellent conseil. D'accord, tu l'aimais et peut-être qu'elle t'aimait comme elle le prétend, mais dans six semaines, tu te demanderas pourquoi, bon Dieu, tu te faisais du souci. D'ailleurs, tu as d'autres chats à fouetter à présent. Trouve qui m'a tué et pourquoi, Scott. Trouve mon assassin. Je n'ai pas mérité ce qui m'est arrivé, pas plus que tu n'as mérité que Sonja te plaque. Alors prends cette affaire en main et ne la laisse pas à d'autres, comme la police. Pour elle, c'est juste un boulot de plus. S'il te plaît, Scott, pour moi et pour Toyah, tu dois absolument découvrir qui m'a tué, d'accord ? Vraiment, je ne connaîtrai pas la paix avant que tu n'aies fait ça pour moi. »

En arrivant au dock je vis un bateau de police ancré dans la marina et plusieurs plongeurs disparaissant dans la Tamise puis refaisant surface. Je ne les enviais pas, mais je me demandais bien ce qu'ils cherchaient.

Maurice avait déjà libéré notre cambrioleur et l'avait ramené au bureau où, toujours menotté, il se réchauffait avec une tasse de thé. De la vapeur s'échappait de la coupe de ses mains entravées qui continuaient à trembler de froid, et il paraissait se réjouir autant de la chaleur de la tasse que du liquide brûlant qu'elle contenait. En mon for intérieur, j'étais soulagé de voir qu'il avait relativement bien résisté à l'épreuve, mais pour sauver les apparences, je décidai de jouer les durs.

J'en avais vu suffisamment à Wandsworth pour que ça ne me demande pas beaucoup d'efforts.

« Alors tu n'es pas mort de froid, en fin de compte. Et maintenant, est-ce que tu vas parler, espèce de crétin ? »

Il but une gorgée de thé et hocha la tête avec empressement. Le froid avait donné à son nez la forme et la couleur d'une tomate, et s'il n'avait pas eu d'arme, j'aurais peut-être eu pitié de lui. À Wandsworth, certains des récidivistes disaient qu'on ne devrait jamais porter un pétard à moins d'être prêt à l'utiliser.

« Parce que si tu ne te mets pas à table, tu risques de passer le reste de cette putain de journée là où tu as déjà passé la nuit. À te geler les couilles dehors.

— Vous me laisserez vraiment partir si je vous le dis ? demanda-t-il.

— Tu as ma parole. Tu peux même garder l'argent que tu as reçu. J'imagine que les deux mille livres en coupures de cinquante représentaient tes honoraires.

— Et mon pistolet ?

— Tu t'en serais servi ?

— Pour la frime. Faire un peu de boucan si nécessaire. J'aurais utilisé des cartouches à blanc, mais on n'arrive pas à en trouver ; il n'y a plus de demande de nos jours.

— Voilà qui est réconfortant, fit remarquer Maurice.

— Tu pourras aussi récupérer le pistolet, dis-je. Mais pas les balles. On les garde, au cas où tu serais tenté de remettre ça.

— D'accord, chef.

— Et n'essaie pas de te foutre de notre gueule en nous racontant des craques. Ma petite amie m'a plaqué hier soir, alors je n'ai pas beaucoup de patience. »

Il finit son thé, reposa la tasse sur mon bureau et secoua la tête.

« J'aurais dû savoir qu'il valait mieux ne pas voler quelqu'un de mon propre foutu club. C'est exact. J'suis moi-même un fan de City. Alors, j'avais des doutes, hein ? Ça sentait la poisse. N'importe quelle autre équipe de Londres – les Yids, Arsenal, Chelsea, Fulham, les Hammers –, ça aurait été une rigolade. Mais pas City.

— Des faits et moins de blabla !

— J'veux juste dire que j'en voulais pas de ce boulot, c'est tout. Ça sentait la poisse. Mais le type qui m'a demandé de le faire – un Rital, nommé Paolo Gentile –, il payait bien.

— Gentile. Tiens, tiens.

— Toujours est-il qu'il m'a dit d'aller chercher un paquet à la loge 123. J'y m'y rendais justement quand vous m'avez repéré.

— Tu mens. J'ai déjà passé cette loge au peigne fin et je n'ai rien trouvé.

— Ouais, mais est-ce que vous avez vérifié le réfrigérateur ? Dans le congélo ?

— Non.

— C'est là qu'il est, apparemment. Le paquet que je devais prendre. On aurait pu croire que c'était un boulot simple comme bonjour. Juste entrer et sortir. Mais c'est toujours les boulots qui ont l'air facile qui foirent, pas ceux qui demandent une préparation.

— Et qui a eu l'idée de l'uniforme de flic ?

— Moi. Le Rital a dit que ça grouillerait de poulagas à cause de la mort de Zarco, alors je m'suis dit que ça serait pas mal que je sois habillé comme les autres. Fondu dans la masse, pour ainsi dire. Que personne n'irait chercher des emmerdes à un poulet. Même pas un autre poulet. J'ai loué l'uniforme à un pote qui est un vrai flic, à Teddington. Ça m'a coûté deux cents livres. Je n'ai pas pensé à cette putain de casquette jusqu'à ce que vous en parliez.

— Merde alors, fit Maurice. Voilà que la rousse se met à imiter Bermans & Nathans.

— OK, dis-je. Continue.

— Il y a une boîte FedEx dans ma bagnole, avec un récépissé établi pour une adresse en Italie et tout. Des documents d'affaires, d'après ce qui est écrit. En tout cas, c'est ce qu'on m'a assuré. Je devais prendre le paquet dans le congélateur de la loge et l'apporter au bureau de FedEx à Dartfort tôt ce matin. Unité 14, Newton's Court. Apparemment, ils ouvrent à 7 h 30. C'était déjà payé, de sorte que je n'avais rien à débourser.

— Comment as-tu obtenu ce travail ?

— Par un coup de fil. Un ami d'un ami.

— Et tu as parlé à Gentile ? Au téléphone ?

— Exact. Il était à Milan, qu'il a expliqué. À l'en croire, c'était même pas du vol. C'est lui qui avait mis le paquet là en premier lieu.

— Et la clé de la loge ? Comment te l'es-tu procurée ?

— Aux bureaux de Gentile à Kingston. En fait, c'était la seule partie du boulot nécessitant une effraction. J'y suis allé samedi matin et j'ai pris la clé dans son tiroir. Ainsi que deux mille livres en coupures de cinquante dans la caisse. C'est tout, chef, c'est la vérité de Dieu. Toute la vérité, j'vous jure.

— D'accord. Tu attends ici avec mon copain. »

35

Je retournai à la loge, ouvris le réfrigérateur et fis basculer la porte du congélateur vers moi. Le paquet était bien là, comme l'avait dit Terence Shelley – une grande enveloppe matelassée dans un sac poubelle épais. Je l'ouvris et trouvai dix briques roses de jolis billets de cinquante tout neufs. Les briques étaient un peu dures, mais se portaient quand même bien malgré un week-end au-dessous de zéro. Jamais capitaux brûlants n'avaient paru aussi froids. Visiblement, Shelley n'avait pas menti ; si la boîte FedEx se trouvait dans sa voiture, ainsi qu'il l'avait prétendu, alors je le laisserais partir comme promis. Outre le risque pour la réputation de Zarco, la dernière chose que je désirais, c'est que l'inspecteur chef Byrne importune notre nouveau gardien de but en lui posant des questions sur les détails de son transfert.

Le lien de cause à effet commençait également à sembler assez clair. Zarco avait dû savoir que le Qatari, propriétaire de la suite numéro 123, ne l'utiliserait vraisemblablement pas pendant quelque temps et s'était dit qu'il pourrait s'en servir comme boîte aux lettres. Gentile avait apporté les cinquante mille livres à la loge et les avait laissées dans le congélateur, conformément aux instructions que lui avait données Zarco dans ses SMS. Mais quand la mort de ce dernier avait été rendue publique, l'agent italien s'était sans doute rendu compte que seuls Zarco et lui étaient au courant du dessous-de-table et que rien ne l'empêchait d'essayer de récupérer l'argent. Il était là à se refroidir, et avec la clé ç'aurait été un jeu d'enfant, mais en même temps Gentile ne pouvait pas courir le risque de le laisser à cette place beaucoup plus longtemps, dans la mesure où il y avait le match contre les Hammers mardi soir et que, contrairement à Zarco, il ne pouvait pas savoir que la loge 123 resterait inoccupée.

Il était temps de parler à Gentile, aussi je l'appelai sur mon mobile et cette fois il répondit.

« Scott, j'allais justement te téléphoner pour te présenter mes félicitations. C'est terrible pour João. C'était vraiment un des plus grands, et il va beaucoup me manquer. Mais j'espère que toi et moi, nous pourrons faire des affaires ensemble à l'avenir. »

J'avais rencontré Paolo Gentile à plusieurs reprises ; on ne pouvait pas ne pas le croiser en étant l'assistant manager d'un club de football reconnu, propriété d'un milliardaire. Les grands pique-niques de rupins sur de splendides pelouses ont tendance à attirer les mouches, et Gentile était une des plus grosses et des plus assidues. La FIFA semblait enquêter en permanence à son sujet, mais il n'en était jamais rien ressorti. Et contrairement à la plupart des agents de football qui n'auraient pas pu moins ressembler à leurs clients, Gentile était onctueux, décontracté et étonnamment séduisant, dans le style italien. Toujours bien habillé, en Brioni. Ses nombreuses Ferrari blanches constituaient sa marque personnelle, exactement ce qu'il fallait pour exciter l'imagination de jeunes types impressionnables et fous de voitures, objets

321

de son implacable trafic humain. Incroyablement mince – il semblait survivre avec un régime de tennis, de café et de cigarettes –, Gentile avait un nez crochu qui lui donnait le profil d'un principicule de la Renaissance ou d'un doge de Venise. Et il était aussi rusé que l'un ou l'autre.

Mon italien était généralement meilleur que son anglais, mais cette fois-ci je tenais à ce que ce soit lui qui soit obligé de se concentrer, de sorte que je m'assis sur le canapé et continuai la communication dans ma langue maternelle.

« Tout dépend, Paolo, répondis-je. Vois-tu, je viens d'avoir une petite conversation avec un ami à toi, Terry Shelley. Je l'ai surpris hier soir en train de faire une descente dans le réfrigérateur qui se trouve ici. On aurait dit qu'il essayait de te dénicher une petite collation de fin de soirée. C'est juste ça pour toi, cinquante mille livres, pas vrai, Paolo ? Une collation.

— Terry Shelley. Connais pas, Scott. À moins que ce soit le garçon qui joue en attaque pour les Queens Park Rangers.

— Personne ne joue en attaque pour QPR, Paolo. S'ils ont un peu de jugeote, ils se contentent d'assurer la défense. Et si tu avais le moindre bon sens, tu ferais la même chose. Sauf que le ballon est déjà au fond de tes filets, mon vieux. Il ne me reste plus qu'à décider de la marche à suivre. À savoir, si c'est la FIFA ou la police métropolitaine que je vais mettre au parfum. Après tout, une enquête criminelle est en cours à Silvertown Dock. Et tu as essayé de t'emparer de ce que la police pourrait considérer comme un élément crucial, susceptible de faire la lumière sur l'identité du meurtrier de João Zarco.

— Je ne suis pour rien dans ce qui est arrivé à Zarco, dit Gentile. Vraiment, ce qui s'est passé me laisse perplexe, tout comme toi probablement. Mais tu le sais déjà, bien entendu. Sinon tu ne m'appellerais pas comme ça, n'est-ce pas ? Et tu dois aussi avoir l'argent en ta possession. Tu as peut-être même décidé de le garder pour toi. Je ne pourrais certainement pas t'en empêcher. Alors la seule question, c'est de savoir ce que tu veux d'autre, Scott.

— Quelques renseignements.

— Il est possible que je puisse t'aider. Mais soyons clairs. C'est à toi que je parle, d'accord ? Pas à la police.

— Tu connais mes sentiments vis-à-vis de la police, Paolo. Elle et moi, on n'est pas précisément en bons termes. Depuis un bail.

— Oui, je pensais que c'était toujours le cas. Je voulais juste te l'entendre dire. En Italie, nous n'avons pas la même attitude à l'égard de la police que vous en Angleterre. Vous faites des plaisanteries sur les Allemands respectueux de la loi, mais à mon avis, en Europe, personne n'est plus respectueux de la loi que les Anglais.

— Tu oublies que je suis à moitié allemand, à moitié écossais.

— C'est vrai. Eh bien, je t'écoute. Qu'est-ce que tu veux savoir ?

— Je suis au courant du délit d'initiés avec CSAG. Et pour être franc, je dois t'aviser que Viktor Sokolnikov l'est aussi.

— Dommage. Est-ce qu'il va en informer l'Autorité des marchés financiers ?

— Probablement pas, à moins d'y être obligé. Viktor aime bien faire profil bas dans la mesure du possible. Il va consulter son avocat avant de faire quoi que ce soit. Mais même s'il s'adresse à l'AMF, tu peux probablement mettre ce qui s'est passé sur le dos de Zarco.

— Merci, Scott. Je te sais gré du tuyau.

— Écoute, la seule chose que j'ignore, c'est le rôle de la partie en liquide du dessous-de-table. Pourquoi il en avait besoin. Et pourquoi c'était si urgent. Alors parle-moi de samedi matin.

— Est-ce que tu te transformerais en détective en même temps que tu deviens le nouveau patron de London City ? J'ai entendu parler de football total. Qu'est-ce que c'est ? La gestion totale du football ?

— On peut dire que je suis le meneur de jeu ici, oui. Faisant de la place pour la vérité, peut-être. Je suppose que c'est mon boulot de régler les problèmes au plus vite. Pas seulement de football, mais le reste également. Le meurtre non élucidé d'un manager de club est très mauvais pour le moral des joueurs.

— Exact. » Gentile s'interrompit, le temps d'allumer une cigarette et d'avaler rapidement la fumée. « Bon. Nous avions déjà fait ce genre d'affaires par le passé, Zarco et moi. Il utilisait une loge VIP quand il savait qu'elle ne serait pas occupée. C'était commode pour lui et pour moi également. Je suis allé à la loge et j'ai laissé l'argent comme indiqué. Zarco n'était pas là quand je suis arrivé et pas là non plus quand je suis reparti. C'est tout ce que je sais sur samedi matin.

— Et pourquoi lui fallait-il ce liquide ? Je veux dire, il semblait pressé de l'avoir. Dans ses SMS, il affirme qu'il en a besoin pour le week-end.

— C'est vrai, mais je n'ai aucune idée de la raison. Écoute, pourquoi a-t-on besoin de liquide, Scott ? Eh bien, il est pratique d'avoir des espèces à portée de main. Tu le mets dans ton coffre et tu le prends pour tes vacances, pour payer la baby-sitter ou pour acheter un cadeau de Noël à ta maman. Beaucoup de managers aiment bien avoir un peu de pognon en poche. Au sens littéral. Ils sont vieux jeu pour ça. Tu serais surpris d'apprendre le nom de tous ceux qui raffolent de bakchichs ; et pas seulement les suspects habituels. C'est comme la drogue et le sport. Personne ne prend de drogue jusqu'à ce qu'il se fasse pincer, et même dans ce cas, c'est une méprise, la faute de quelqu'un d'autre, un médicament contre le rhume qui s'est révélé avoir des effets indésirables. C'est la même chose pour les pots-de-vin. Tout le monde est contre jusqu'à ce qu'il en reçoive un. Et faut-il s'en étonner avec tout le fric qui circule aujourd'hui dans le football ? British Telecom débourse neuf cent millions de livres pour les droits télé de la Ligue des Champions, et jusqu'en bas de la chaîne alimentaire les gens disent : *dov'e mia parte ?* Où est ma part de la grosse pizza ? C'est simplement de l'économie, Scott. La loi de l'offre et de la demande. Sauf qu'Adam Smith ne connaissait pas la loi du sport télévisé, ni celle des deux cent mille livres par semaine et de la cupidité insatiable. Tu ne peux pas changer tout ça. Tout ce que tu peux faire, c'est en profiter.

— Zarco t'a dit avoir peur ? Je me demande s'il n'avait pas besoin des cinquante mille livres pour rembourser une dette à quelqu'un. Quelqu'un qui l'avait peut-être menacé. Je suppose que tu as entendu parler de la tombe creusée dans notre terrain, avec la photo de Zarco au fond ?

— Oui, il m'en a touché un mot. Mais ça n'avait pas l'air de l'effrayer. Il pensait que c'étaient juste des hooligans. Franchement, il semblait beaucoup plus inquiet à l'idée que Sokolnikov découvre ses achats de CSAG. Qu'il se fasse virer. Sinon pire.

— Qu'est-ce qu'il a dit ? Tu t'en souviens ?

— On communiquait surtout par SMS, tu comprends ? Pour des raisons de confidentialité. Mais il en a effectivement parlé au cours d'une des conversations que nous avons eues. Samedi matin. Il m'a appelé de Hangman's Wood et il m'a dit un truc du genre qu'il ne serait pas surpris si on le retrouvait flottant dans la Tamise quand Viktor découvrirait ce qu'il avait manigancé.

— Il a vraiment dit ça ?

— J'ai cru qu'il plaisantait. En réalité, il riait en le disant. Mais j'ai pu me tromper. Peut-être qu'il riait de peur, non ? D'un autre côté, si Viktor Sokolnikov avait l'intention de l'éliminer, je n'arrive pas à imaginer qu'il l'aurait fait au dock. Avec tout son fric et ses relations, il aurait faci-lement pu arranger quelque chose d'un peu plus discret. Ce genre de fortune permet de s'acheter pas mal de discrétion.

— Il semblerait. Et la loge elle-même ? La suite numéro 123 ?

— L'image qu'un Arabe se fait du luxe. Une espèce de cabine de yacht. Qu'est-ce que tu veux savoir ?

— Non, je voulais dire, est-ce que tu as remar-qué quelque chose d'insolite ?

— D'insolite ? Non. Enfin, peut-être deux ou trois petits détails quand même. Le lave-vaisselle était en marche. Ça m'a paru bizarre pour une loge qui n'était pas censée être très utilisée. Et il y avait des lunettes de soleil par terre. J'ai supposé que c'étaient celles de Zarco et je les ai mises sur le plan de travail.

— Donc il était déjà passé quand tu es arrivé.

— Oui. Pour s'assurer qu'il n'y avait personne, proba-blement. Sa valise en cuir se trouvait sur le canapé.

— Autre chose ? »

Il marqua une pause.

« C'est vraiment tout ce dont je me souviens.

— Très bien. » Je réfléchis un instant. « Au fait, as-tu des infos sur Bekim Develi ? Il vient chez nous.

— Le diable rouge ? Première nouvelle. Mais qu'il s'ins-talle à Londres ne m'étonne pas. Lors d'un match face au Zenit il y a quelques semaines, un des joueurs noirs du Dynamo s'est fait insulter par le public, et Develi a effectué une arrestation citoyenne. Il s'est frayé un passage à travers la foule et en a sorti un des fans – un type qu'il prétendait être un des meneurs. Et il l'a quelque peu malmené, de surcroît. Ça a failli provoquer une émeute. Le supporter a été envoyé en prison, et depuis Develi n'arrête pas de recevoir des menaces de mort.

— Il devrait très bien s'intégrer. Les menaces de mort sont monnaie courante à Silvertown Dock. »

Après le coup de fil avec Gentile, j'allai à la cuisine, plaçai les lunettes de Zarco sur le sol carrelé et ouvris la fenêtre de forme étrange – rappelant un de ces machins en losange malcommode dont est muni ce temple de la parlote qu'est le Parlement écossais. Plusieurs pigeons s'envolèrent dans un grand bruissement d'ailes, ce qui fit bondir mon cœur dans ma poitrine. On parlait d'utiliser un aigle ou un faucon pour les chasser du dock ; ces rapaces étaient apparemment très efficaces et, pour ma part, j'avais hâte que l'idée soit mise à exécution. Si seulement on pouvait maîtriser les joueurs aussi facilement ! Puis je revins à la porte de la cuisine et me retournai pour faire face au salon. Essayer de visualiser les choses de la même façon que Paolo Gentile et Zarco, en quelque sorte. J'avais vu l'inspecteur Morse faire à peu près pareil à la télé et je pensais que ça ne pouvait pas faire de mal. Je vérifiai la poubelle, mais elle était vide ; qui plus est, propre comme un sou neuf.

Sur une photographie couleur encadrée accrochée au mur, l'ancien émir du Qatar, Cheikh Hamad, et sa splendide épouse, Sheika Mozad, tenaient la coupe du monde sous le regard fier du minuscule président de la FIFA, Sepp Blatter, un homme sans doute d'autant plus compétent en matière de football qu'il avait été secrétaire général de la Fédération suisse de hockey sur glace. M. et Mme Crésus souriaient avec satisfaction, l'air de deux chats qui ont lapé toute la crème. C'était toujours agréable de se rappeler que l'avenir du football reposait entre des mains aussi sûres.

Je me penchai par la fenêtre et levai la tête vers le pâle soleil d'hiver. Ce n'est pas la vue de Silvertown Dock qui me fit bâiller, mais l'air frais. De mon poste d'observation, la partie extérieure du stade était plus près de la structure intérieure que du rez-de-chaussée. J'aurais presque pu tendre le bras et toucher une des traverses. À travers l'acier brossé, je regardai vers le sol, à environ quinze, vingt mètres sous la fenêtre, puis considérai de nouveau les cinquante mille livres sur le plan de travail. Qu'étais-je censé faire d'un pot-de-vin de cinquante mille livres, bon Dieu ? Je pouvais difficilement le donner à la police ou le garder pour moi, comme Gentile pensait probablement que je le ferais. Bien sûr, à strictement parler, c'était de l'argent versé à Gentile et à Zarco et qui n'aurait jamais dû l'être, ce qui en faisait la propriété de Viktor plus que de quiconque. Il semblait ridicule de rembourser un zig pour qui cinquante mille livres représentaient moins de 0,0006 % de sa fortune totale, et pourtant c'est ce que j'allais probablement faire.

Mon téléphone se mit à sonner. C'était Phil Hobday.

« Je crois que Viktor t'a promis un rapport d'autopsie.

— Oui. Je me demandais s'il était sérieux.

— Viktor ne profère jamais de menaces en l'air. »

Après ce que Paolo Gentile m'avait raconté, ce n'était pas exactement ce que j'avais envie d'entendre à cet instant précis, et je me dis que le président aurait pu choisir ses mots avec plus de soin.

« Votre source au sein du ministère de l'Intérieur, là encore ?

— En fait, non. Depuis mars 2012, tout le travail médico-légal au Royaume-Uni est sous-traité au secteur privé.

— Ça n'a pas l'air très rassurant.

— Sans doute pas, en effet. Quoi qu'il en soit, le rapport est ici à mon bureau, si tu veux passer le prendre. En fait, je préférerais. Navré, mais j'ai ouvert l'enveloppe avant de savoir de quoi il s'agissait. Et maintenant, je regrette de l'avoir fait.

— Je suis là dans cinq minutes. »

36

Pendant que Maurice raccompagnait l'heureux Terence Shelley à la porte de Silvertown Dock, je me levai et fermai la porte de mon bureau à clé avant de me faire un café corsé avec la machine Nespresso trônant sur le classeur. S'il y avait eu du cognac, j'en aurais bien ajouté dans ma tasse au lieu du lait venant du réfrigérateur. Je pensais qu'il me fallait quelque chose de fort si je voulais jouer au détective jusqu'au bout et qu'il était impossible de seulement songer à attraper le meurtrier de Zarco sans connaître les circonstances exactes de la mort de ce dernier. Je ne voyais aucun moyen de l'éviter. Ignorant un SMS du *Guardian* sollicitant mon opinion sur l'absence de gardiens de but noirs dans le football de haut niveau – comment se faisait-il, par exemple, que London City ait choisi un Écossais à la place de Hastings Obasanjo ou Pierre Bozizé « tout aussi talentueux » ? –, je m'installai pour lire.

Je n'avais encore jamais vu de rapport d'autopsie, ni eu quoi que ce soit à faire avec ce genre de document. En vérité, je n'avais même jamais vu de cadavre, à part le type dans la cellule voisine à la prison de Wandsworth qui avait reçu un coup de couteau dans le cou et était mort un peu plus tard à l'hôpital. Mon expérience la plus proche de celle d'une autopsie, cela avait été à la télé, lorsque le tristement célèbre anatomiste allemand Gunther von Hagens avait disséqué un cadavre « en direct » sur Channel Four ; j'avais trouvé fascinant de pouvoir contempler la musculature humaine dans ses moindres détails. M'avait bien sûr particulièrement fasciné le spectacle de ces parties les plus vulnérables de la jambe qui causent du souci à tout footballeur à un moment ou un autre : les ligaments croisés antérieurs, les cartilages du genou, les tendons du jarret et l'aine. Je me souviens d'être resté médusé en constatant que quelque chose d'aussi simple qu'un tendon à l'arrière du genou pouvait faire si atrocement mal en se déchirant et qu'un tendon d'Achille qui claque pouvait vous réduire à un chiot geignard. Pour moi, c'était comme si mon professeur m'avait expliqué comment le théorème de Pythagore marche de façon infaillible ; ou, dans le cas du ligament croisé antérieur, ne marche pas. J'aimerais bien voir un de ces foutus créationnistes américains défenseurs du « dessein intelligent » jouer un match jusqu'au bout avec un adducteur déchiré.

Mais alors que le carnage infligé par von Hagens au corps humain semblait avoir un but et le fait qu'il découpe un cadavre comme un quartier de bœuf chez le boucher une utilité réelle pour une enquête, ce que je lisais à présent semblait tout à fait différent. Les corps blêmes et caoutchouteux qu'utilisait von Hagens n'avaient guère l'air humain, s'apparentant davantage à des personnages créés par les spécialistes des effets spéciaux des Studios Pinewood – probablement parce qu'ils avaient été vidés de la seule chose qui les rendait humains : la vie elle-même. Mais tourner les pages du rapport d'autopsie de Zarco avait un caractère terriblement personnel, et même transgressif. Je n'avais jamais été dans un bain de vapeur avec les cadavres de von Hagens, ni ne les avais embrassés affectueusement à Noël ; je n'avais fait de bon repas avec aucun d'entre eux, ni ne les avais rejoints pour de joyeuses festivités alors que notre équipe venait de gagner un match ; je ne les connaissais pas de longue date. Je ne leur avais pas parlé moins de soixante-douze heures plus tôt. C'était un peu comme lorsqu'un informaticien démonte votre PC pour le réparer, avec toutes les parties intérieures bizarrement offertes au regard, sauf que, bien sûr, personne n'allait plus réparer le corps de João Gonzales Zarco à présent. Je suppose que le moment où je compris pour la première fois qu'il était vraiment mort et ne reviendrait pas – que mon ami et mentor était parti pour toujours –, c'est lorsque je vis une photo de lui allongé sur la table de dissection, avec une suture en forme de Y semblable à une fermeture Éclair le long de son corps pâle et nu.

Quel gâchis, pensai-je ; quel gâchis que la disparition de cet homme si extraordinairement doué.

J'essayai d'ignorer les nombreux clichés couleur et de me concentrer essentiellement sur le texte, rédigé dans un jargon médico-légal froid et scientifique, bien évidemment. Le ton était mesuré, neutre, objectif à la manière d'un manuel de médecine, avec très peu de conditionnel et quasiment aucune supposition. Les lésions et blessures étaient simplement décrites et évaluées de façon efficace, ce qui les rendait moins spectaculaires et peut-être, pour l'enquêteur en tout cas, plus faciles à appréhender.

Jane Byrne avait-elle assisté à l'autopsie de João Zarco ? Selon le rapport, l'examen avait eu lieu l'après-midi précédent et n'avait pris qu'une heure. Si elle l'avait fait, je ne l'enviais pas. Il y avait des moyens plus agréables de passer un dimanche après-midi qu'en écoutant le bruit d'un sternum qu'on incise, ou celui d'une calotte crânienne qu'on retire à la scie comme le haut d'un œuf à la coque. Peut-être avait-elle l'habitude. Elle en donnait assurément l'impression. On peut s'habituer à tout, je suppose. Cela dit, elle aurait sans doute flippé devant une fracture ouverte de la jambe sur un terrain de football ; j'avais eu plus que ma part de ce genre de trucs, et je ne pense pas qu'il existe de spectacle plus traumatisant dans le sport. J'avais vu des joueurs s'évanouir en regardant la fracture de la jambe qui mettait fin à leur carrière. Ce que j'avais à présent sous les yeux était déjà suffisamment épouvantable, mais je dus à Zarco de m'armer de courage pour poursuivre ma lecture. Je ne pouvais malheureusement pas me faire une injection de cortisone afin de continuer à tourner les pages.

Pauvre Zarco. Les photos de son corps, tel que l'avaient trouvé Phil Hobday et les agents de sécurité du dock, montraient un homme ayant l'air d'avoir joué quatre-vingt-dix minutes dans les buts avec ses vêtements de ville. On avait examiné ceux-ci dans un premier temps, pour en conclure que le cadavre était habillé au moment du décès ; le pathologiste avait comparé les blessures aux taches de sang sur la chemise Turnbull & Asser, la cravate Charvet en soie grise et le splendide manteau Zegna en soie noire qu'il portait le matin de sa mort. Lequel lui avait coûté deux mille livres. Mais il avait perdu quelque peu de sa splendeur, Zarco ayant rampé sur le sol humide et des pigeons étant venus lui chier dessus. Les genoux de son pantalon de costume étaient presque aussi sales, ce qui me rappela le soir où nous avions battu Arsenal et où Zarco avait manifesté son allégresse en se livrant à une glissade sur les genoux depuis la zone technique jusqu'au drapeau de corner. De son foulard porte-bonheur du club – en cachemire acheté à la boutique Savile Rogue –, il n'y avait aucun signe.

Les blessures sur le corps étaient toutes des lésions traumatiques, pour l'essentiel à la tête et à la partie supérieure du torse, compatibles avec un passage à tabac ; un impact violent au front avait provoqué une embarrure qui avait sans doute été la cause du décès. D'après la forme de la fracture, il y avait de fortes chances pour que Zarco ait été frappé avec un instrument contondant, même si on n'avait pas encore retrouvé l'arme du crime.

Ce qui expliquait probablement la présence de plongeurs dans la Tamise.

Le côté droit de la cage thoracique présentait d'importantes contusions, plusieurs côtes étaient fêlées et les doigts ainsi que les articulations également meurtris comme s'il s'était défendu. Et sous les ongles de sa main droite, le pathologiste avait trouvé de minuscules traces de peau et de sang n'appartenant pas à Zarco. Ce qui ne me surprit pas outre mesure. Zarco n'avait jamais été du genre à tendre l'autre joue ; certainement pas en tant que joueur. Une fois, alors qu'il jouait pour le Celtic, il avait riposté à quelques coups de poing du joueur des Rangers Nwankwo Nkomo par un coup de tête bien placé et plutôt efficace qui avait cassé le nez de Nkomo. Même comme manager du Sporting Braga, il avait eu plus que sa part de rixes et de coups de poing, et notamment, exemple le plus notoire, dans le tunnel de San Siro, lorsqu'il s'était colleté avec Howard Page, le manager de l'AC Milan, à la suite de quoi les deux hommes avaient été suspendus par la FIFA pour plusieurs matchs. Zarco n'avait pas froid aux yeux, et je ne pouvais pas m'imaginer que quiconque puisse lui taper dessus sans en prendre pour son grade.

Le pathologiste avait également trouvé des fibres de laine bleue sous ses ongles qui ne correspondaient pas à la tenue qu'il portait au moment de son décès et qui, était-il suggéré, pouvaient provenir des vêtements de l'agresseur ; ce qui semblait indiquer que Zarco avait saisi le revers ou le col de son assaillant. Le fait qu'une lutte acharnée ait eu lieu était également corroboré par la position de la cravate autour de son cou ; elle était nouée beaucoup trop serrée, comme si le meurtrier s'en était servi pour essayer de l'étrangler.

On avait relevé des traces de vomi de Zarco par terre ; ce qui, estimait-on, pouvait donner à penser qu'il avait reçu un coup violent dans le ventre. D'un intérêt plus ragoûtant pour moi était le contenu de ses poches, dont il y avait là aussi des photos couleur : son téléphone portable officiel – connu de sa femme –, un peu de monnaie, une pince à billets, un porte-cartes de crédit, un trousseau de clés – sans la clé de l'espace de maintenance où son corps avait été découvert –, son alliance, un carnet en cuir Smythson dans lequel il prenait des notes pendant les matchs, l'étui rigide de ses lunettes de soleil Oakley, un stylo Montblanc, une carte de visite d'un des conseillers de la municipalité de Greenwich, un fragment de moulure blanche provenant d'un plafond (assez curieusement), une pièce d'or, un passe de Silvertown Dock qu'il portait sur un cordon en soie autour du cou, une montre Hublot et un bracelet « Cancer de la prostate » en silicone bleu clair qu'il avait au poignet.

Après que son père, José, eut succombé à un cancer de la prostate, Zarco était devenu un ardent supporter de Prostate Cancer UK. Se laisser pousser une affreuse moustache chaque mois de novembre pour aider à recueillir des fonds n'était qu'une petite partie de son action en faveur de cette association, qui avait déjà envoyé ses condoléances sur Tweeter à l'annonce de son décès.

Sur le sol autour du corps on avait trouvé plusieurs brosses et balais, deux seaux et de l'équipement pour nettoyer les vitres. Parmi les menus déchets figuraient onze mégots de cigarettes – la plupart de marques anglaises et américaines, mais un était russe –, des allumettes usagées, un bouton, quelques pièces de monnaie en cuivre, un papier d'emballage McDonald's, quelques talons de billets pour des matchs de

London City, un gobelet à café Starbucks en polystyrène, un programme de football, un numéro vieux d'un mois de l'*Evening Standard* et une demi-bouteille vide de vodka. Aucun de ces objets ne semblait pouvoir fournir l'indice capital qui résoudrait le mystère de Silvertown Dock.

Je fermai le rapport et le rangeai sous clé dans mon classeur avant de rouvrir la porte de mon bureau. De façon assez honteuse, peut-être, ma première réaction une fois achevée la lecture du rapport fut de me féliciter d'être en vie alors que quelqu'un d'autre – quelqu'un de proche – ne l'était plus ; mais dans le grand ordre de l'univers, c'est tout ce qu'on peut réellement demander. Être vivant quand d'aucuns ont la tête défoncée n'a rien d'une philosophie, mais faute de mieux, cela peut aussi faire l'affaire.

37

Après la séance d'entraînement à Hangman's Wood, je m'assis avec Simon Page et quelques rapports du kiné, puis nous procédâmes à la sélection pour le match de mardi soir. Christoph fut éliminé au profit d'Ayrton, et nous plaçâmes à l'arrière quelques-uns des joueurs les plus expérimentés, comme Ken Okri, mais le reste de l'équipe fut pris dans nos réserves et les moins de vingt et un ans. À leur conférence de presse, les Hammers avaient annoncé qu'ils comptaient aligner leur meilleure équipe en Coupe de la Ligue. Le dernier titre remporté par West Ham étant la Coupe Intertoto en 1999 – une compétition hors saison que tout le monde considérait comme une rigolade – et avant ça la Coupe d'Angleterre en 1980, lorsqu'ils avaient battu Arsenal, le club avait estimé qu'il devait à ses supporters de faire tout son possible pour décrocher un trophée.

Cette attitude m'avait surpris ; cela dit, on commet facilement ce genre d'erreur : se montrer attentif aux désirs des fans plutôt qu'à ce qui est bon pour l'équipe. Je décidai que nous resterions sur nos positions, à savoir faire jouer nos jeunes. Mais je n'arrivais pas vraiment à me concentrer sur la composition de l'équipe. Je continuais à penser aux lunettes de soleil de Zarco sur le sol de la loge 123 et à ce qu'elles faisaient là.

J'avais une théorie – mais comme toutes les bonnes théories, elle devait faire l'objet d'une expérience pour être testée. J'appelai Maurice.

« J'aurais besoin que tu me rendes un service. J'aimerais que tu ailles à Mile End Climbing Wall, dans Haverfield Road, pour acheter de la corde.

— Ne fais pas ça, répondit Maurice. Tu es trop jeune pour mourir.

— Cinquante mètres de corde, pour être précis. En fait, je veux tout ce qu'il faut pour escalader la Couronne d'Épines. Un casque, un harnais rembourré, la corde et quelqu'un qui sache utiliser cet attirail. Si jamais sir Edmund Hillary traîne dans les parages, dis-lui qu'il peut gagner deux cents livres et deux places pour le match s'il revient au dock avec toi. Sinon, ramène quelqu'un d'autre qui soit capable de distinguer son piolet de son coude. J'ai besoin de lui pour deux choses : la première, c'est de me faire descendre en toute sécurité depuis une fenêtre du niveau supérieur ; l'autre, c'est de ne pas en souffler mot. S'il n'y a personne pour nous aider, il faudra qu'on se débrouille tout seuls. Et je tiens à le faire aujourd'hui avant qu'il ne se remette à pleuvoir ou à neiger.

— Très bien. Je m'en occupe. C'est tes abattis. De quoi s'agit-il, patron ?

— Je t'expliquerai quand tu reviendras. »

Deux heures plus tard, Maurice était de retour au dock accompagné d'un homme mince à l'air sérieux, à la barbe et aux cheveux roux ; vêtu d'une polaire Berghaus verte, il portait un grand rouleau de corde et un sac à dos bourré de matériel. Il s'appelait Sean et était de Bethnal Green, d'où viennent, bien entendu, un tas de grands alpinistes. J'avais encore mon survêtement et mes baskets de la séance d'entraînement à Hangman's Wood. J'emmenai les deux hommes à la suite 123 et refermai la porte derrière nous.

« Et alors, qu'est-ce que c'est que cette pièce ? demanda Sean.

— Une loge VIP. Appartenant à un type du Qatar.

— Sans blague ? On dirait l'intérieur de la Jaguar de mon père. »

Je lui montrai la cuisine et ouvris la fenêtre. Il jeta un coup d'œil dehors et opina avec circonspection.

« Une descente d'environ quinze mètres.

— Ouais, c'est à peu près ça. Je suppose qu'il y a dans les six mètres jusqu'à la traverse et ensuite une dizaine de mètres jusqu'au sol.

— Vous êtes sérieux ?

— Tout à fait.

— Cette traverse a l'air bizarre. Il vaudrait mieux ne pas grimper dessus. Surtout par ce temps. Elle doit être glissante.

— Probablement.

— Du reste, elle sert à quoi, cette poutre ? Autrement dit, est-ce qu'elle a une fonction ?

— C'est de l'architecture moderne. Il n'y a pas de fonction. Seulement des formes.

— Alors à quoi ça rime ? demanda-t-il. Vous êtes accro à l'adrénaline ou vous avez juste laissé tomber votre portable par cette maudite fenêtre ?

— Disons que je le fais *parce que c'est là*.

— Farceur. » Sean eut un mince sourire. « Aujourd'hui, tout le monde se prend pour Mallory et Irvine. Vous avez déjà fait de l'escalade ?

— Seulement les escaliers.

— Le vertige ?

— On va le savoir, j'imagine.

— Exact. » Sean poussa un soupir. « Deux cents livres et deux billets, OK ? »

J'acquiesçai et lui remis l'argent et les billets pour le match des Hammers que j'avais dans ma poche.

« Paiement intégral.

— Super, mon pote. J'aurais préféré des billets pour Tottenham, mais ça devrait aller quand-même, ouais. Merci. »

Pendant ce temps, il n'arrêtait pas de regarder autour de lui comme pour vérifier les lieux. Quittant la cuisine, il passa dans le salon. Il montra la porte coulissante du doigt.

« Qu'est-ce qu'il y a là-derrière ? »

Maurice releva les stores, puis ouvrit la porte, révélant les gradins du stade et la pelouse au milieu.

« Ah, dit Sean. C'est ce que je cherchais. » Il désigna quelques-uns des sièges à l'avant de la suite. « Le premier principe de l'escalade : trouver quelque chose de plus solide que soi-même pour fixer la corde. Ces sièges feront l'affaire. »

Quand il eut fini d'attacher la corde aux sièges, il sortit le harnais de son sac à dos et passa une longue sangle autour de ma taille, puis dans la boucle, avant de la ramener en arrière ; il fit de même avec les deux sangles de cuisses. Il vérifia qu'elles étaient attachées comme il voulait, puis il en tira une vers lui devant mon nombril.

« C'est la boucle d'assurage, expliqua-t-il. Le point le plus important du harnais. Et c'est elle qui va vous relier à la vie. Vous êtes droitier ou gaucher ?

— Droitier. »

Il fixa un mousqueton à un assureur qu'il clippa à la boucle. Puis il prit un peu de corde et l'introduisit de force dans le bas de l'assureur.

« La partie inférieure de la corde est votre frein, expliqua-t-il. La main de freinage est votre main droite et elle ne doit jamais lâcher la corde. À aucun moment. La main de guidage sur la partie supérieure de la corde est votre main gauche. Vous êtes maintenant solidement attaché.

— Je commence à penser que mes deux cents livres ont été dépensées à bon escient.

— Espérons que vous ne saurez jamais à quel point, répliqua Sean. À présent, il vous suffit d'assurer. »

Il me montra les bases de l'assurage, puis me laissa m'exercer un moment, après quoi nous fûmes prêts à commencer.

« Si ça se met à aller trop vite, ramenez votre main de freinage – votre main droite – entre vos jambes, et le pli de la corde arrêtera la descente. Compris ?

— Compris. »

Il me tendit un casque que je m'attachai sur la tête. Quelques minutes plus tard, j'étais de l'autre côté de la fenêtre, me penchant en arrière, tenant à deux mains la corde de freinage, comme il m'avait conseillé de le faire. Dès que je desserrais ma double prise sur la corde, je descendais.

« Prenez votre temps, dit Sean. Une trentaine de centimètres à la fois jusqu'à ce que vous soyez plus sûr de vous. »

Depuis la fenêtre de la cuisine, je laissai filer progressivement la corde et me retrouvai bientôt debout sur la pointe des pieds sur une des poutres principales de la Couronne d'Épines. Là, j'en profitai pour examiner de plus près la surface en acier de la barre descendante et j'eus la confirmation de ce que je soupçonnais fortement, c'est-à-dire que Zarco était bel et bien tombé de la fenêtre de la cuisine. Il avait heurté la poutre principale sur laquelle je me tenais, puis il avait glissé en biais, laissant sur la surface d'acier brossé une traînée de poussière et de crottes d'oiseaux.

Je m'assis, libérai davantage de corde de guidage et suivis sur les fesses la traînée le long de la poutre, vers le bas et autour, comme un enfant descendant un toboggan. Une douzaine de mètres plus loin, les traces obliquaient brusquement vers la gauche, avant de s'interrompre. C'est là que Zarco avait dû glisser de la poutre et tomber de nouveau, pour atterrir cette fois sur le béton quelque six mètres au-dessous, à l'endroit où se tenait maintenant Maurice, afin de corroborer ce que je savais désormais avec certitude : Zarco n'avait pas été passé à tabac, et les blessures énumérées dans le rapport d'autopsie résultaient sans nul doute d'une chute depuis la fenêtre de la cuisine de la loge 123.

Étant donné qu'on ne pouvait pas vraiment voir la fenêtre – ni aucune autre – depuis le sol, la police pouvait facilement se tromper ; j'avais fait la même erreur lors de ma première visite sur la scène de crime. Et il s'agissait effectivement d'un crime et non d'un accident ou même d'un suicide : Zarco avait beau craindre que Viktor Sokolnikov ne découvre le délit d'initié qu'il avait commis, il n'était certainement pas du genre à se jeter par la fenêtre. Je n'arrivais même pas à l'imaginer se suicidant. D'ailleurs, il était de bonne humeur le samedi matin. Il était toujours de bonne humeur avant un match important. Surtout un match dont il était persuadé que nous le gagnerions.

Non, quelqu'un l'avait poussé par la fenêtre de la cuisine. Poussé pour qu'il meure. C'était la seule explication plausible au fait que Paolo Gentile ait pu retrouver ses lunettes de soleil par terre.

38

Après le départ de Sean et alors que j'étais de nouveau seul avec Maurice dans la loge 123, je lui parlai des cinquante mille livres que j'avais trouvées dans le congélateur, puis lui expliquai ma théorie sur ce qui était arrivé à Zarco, à savoir que quelqu'un l'avait poussé par la fenêtre de la cuisine.

« Il y a une minuscule tache de sang sur la poutre, juste au-dessous de cette fenêtre. C'est comme ça qu'il a dû se prendre le coup sur la tête.

— Ça paraît cohérent, dit Maurice. Ça expliquerait en tout cas pourquoi la porte de l'espace de maintenance était verrouillée de l'extérieur. Parce que personne ne l'a ouverte.

— Et ça expliquerait aussi pourquoi personne n'a vu quelqu'un d'aussi connu que lui en train d'y descendre ; parce qu'il n'a rien fait de la sorte. En tout cas, pas par l'escalier.

— Mais pourquoi crois-tu que Paolo Gentile a trouvé les lunettes de soleil exactement là où il le dit ? Il a très bien pu mentir. Peut-être que Zarco et lui se sont disputés à propos d'un truc. Le dessous-de-table, par exemple. Peut-être que c'est lui qui a poussé Zarco par la fenêtre.

— C'est vrai, ils s'étaient disputés à cause du dessous-de-table peu auparavant. Je les ai vus s'engueuler pour cette raison à la station-service d'Orsett. Mais le bakchich a bien changé de mains, en fin de compte. La partie en liquide, du moins. Donc, ils auraient difficilement pu se disputer à ce sujet.

— Oui, n'empêche qu'il s'est cassé à Milan dans la journée. Il n'a même pas attendu la fin du match. Et c'est exactement ce que j'aurais fait si j'avais zigouillé Zarco. J'aurais pris le premier vol pour rentrer chez moi. Une fois que quelqu'un est en Italie, le faire revenir pour l'inculper n'est pas une mince affaire. Si tu as du fric là-bas, tu peux mener la justice italienne en bateau. Comme Berlusconi. Il s'en est tiré à bon compte pendant des années.

— Malgré tout, je n'y crois pas, Maurice. C'est Zarco qui a persuadé Viktor Sokolnikov de faire appel à Gentile plutôt qu'à Denis Kampfner pour le transfert de Kenny Traynor. Viktor était une poule aux œufs d'or pour un agent comme Gentile. On ne sait jamais combien d'œufs dorés Zarco aurait persuadé notre richissime proprio de pondre pour notre ami italien. Je ne vois pas Gentile faire ça. Il avait beaucoup trop à perdre en le tuant.

— D'accord. C'est logique.

— Par contre, en ce qui concerne Viktor…

— Ne me dis pas que tu soupçonnes Viktor, protesta Maurice.

— Je ne sais pas. Peut-être. Sur YouTube, il y a une vidéo de lui flanquant un coup de boule à son collègue oligarque, Alisher Aksyonov, en direct à la télévision russe. Et il n'a pas l'air de plaisanter. Si Viktor avait découvert que Zarco achetait des actions de CSAG, il aurait pu être suffisamment furax pour le frapper.

— Mais il était avec les conseillers municipaux de Greenwich lorsque Zarco a disparu…

— Seulement une partie du temps. Samedi après-midi avant le match, Phil Hobday est venu me dire que Zarco s'était volatilisé et que Viktor le cherchait lui aussi. Mais hier, quand j'ai parlé à Viktor dans mon bureau, il m'a raconté qu'il était resté avec ces types tout l'après-midi. L'un des deux s'est emmêlé les pédales. Ou a menti.

— Merde, Scott ! Sois prudent. Tu viens seulement de décrocher ce boulot.

— Écoute, quelqu'un était ici avec Zarco. À mon avis, la personne en question s'est assise et a pris un café avec lui. Il y avait seulement trois tasses dans le lave-vaisselle, qui était encore allumé quand je suis venu la première fois. Un cycle de lavage est un assez bon moyen de se débarrasser d'empreintes digitales. Donc, supposons que Viktor soit allé retrouver Zarco à la loge 123 ; ils se sont peut-être installés autour d'un café, et Zarco a décidé de tout avouer à Viktor, qui a alors pété les plombs. Et franchement, qui pourrait lui en vouloir ? D'après la séquence sur YouTube, il ne fait aucun doute que Viktor sait se défendre. Et aussi qu'il a un sacré tempérament. De son propre aveu, c'était autrefois un homme d'affaires beaucoup plus enclin à régler ses comptes lui-même qu'il ne l'est aujourd'hui. C'est-à-dire à les régler en empoignant un zig par les revers de son veston.

— Ouais, mais pourquoi te demander d'enquêter sur le meurtre de Zarco si c'était lui le coupable ? Ça n'a pas de sens.

— Je me suis posé la même question. Mais ce n'est pas comme si j'étais Sherlock Holmes, pas vrai ? Je ne suis qu'un pauvre connard en survêtement. Donc, peut-être que j'étais seulement censé brouiller les cartes vis-à-vis de la police et l'empêcher de découvrir que c'est lui qui a tué Zarco. Ce qui a plutôt bien marché jusqu'à présent, tu ne penses pas ? Je veux dire que la police ignore tout de ce qui s'est réellement passé. Elle est là-dehors, à jouer les commandant Cousteau dans la Tamise pour essayer de dénicher l'arme du crime – un

344

instrument contondant qui n'existe même pas. Le seul tuyau métallique à avoir heurté le crâne de Zarco, c'est celui de plusieurs tonnes qui se trouve sous la fenêtre de la cuisine. Sans les informations que je possède, les flics ne savent pas grand-chose. Ils ne sont pas au courant pour cette loge, pour Paolo Gentile, pour le dessous-de-table sur le transfert de Kenny Traynor, pour le fric dans le congélateur, pour les actions achetées dans CSAG, ni même que Zarco était nerveux à cause de Viktor Sokolnikov. En tout cas, d'après Toyah. Elle aussi a peur de lui. Et il y a encore autre chose, Maurice.

— Oh, merde. Je ne suis pas sûr d'avoir envie de le savoir.

— Viktor me confie la tâche de remplacer Zarco comme manager de London City. Un des postes phare dans le football. J'ai le même salaire que Zarco, plus les primes. Viktor m'offre même un portrait de valeur de Zarco pour rendre sa proposition encore plus alléchante. Pour me motiver, prétend-il. Alors supposons que je découvre quelque chose. Quelque chose de compromettant pour Viktor lui-même. Qu'est-ce que je fais ? Je ne m'adresse pas à la police, bien entendu. Il sait que je déteste les flics. Selon Viktor, c'est même une des raisons pour lesquelles il m'a demandé de jouer les limiers pour lui. Parce qu'il sait que je ne le moucharderai pas aux poulets. Alors si je trouve bel et bien quelque chose, il y a fort à parier que je vais opter pour l'une ou l'autre des possibilités suivantes. Soit on a une explication et il arrive à me convaincre de garder le silence ; il essaiera peut-être même de m'acheter, je ne sais pas. Soit je détruis purement et simplement les preuves dans l'intérêt de mon employeur ô combien généreux et, ça va de soi, dans celui de mon propre avenir prometteur au sein de ce club de foot.

— Attends une seconde.

— Oui ?

— Il existe une troisième alternative que tu devrais envisager également, patron. Que Viktor Sokolnikov ne t'achète pas, ni qu'il te persuade de fermer ta gueule. Mais qu'à la place, il te mette la pression. Qu'il te menace. Certains des gardes du corps qui travaillent pour lui donnent vraiment la chair de poule. Je me suis retrouvé dans le hammam à Hangman's Wood avec l'un d'entre eux et j'ai vu qu'il avait plus de tatouages qu'on en recontre sur une plage d'Ibiza. De vrais tatouages de la mafia russe, par-dessus le marché. Pas ces inepties du genre « Maman », « Papa », ou « L'Écosse pour toujours ». Ces tatouages-là ont une signification pour les initiés. Écoute-moi bien, patron : si tu as une explication avec Viktor, tu pourrais fort bien disparaître purement et simplement. N'oublie pas que nous sommes dans l'East End de Londres. Les gens disparaissent ici depuis les princes de la Tour. Quelqu'un te pousse dans le fleuve par une nuit obscure et on ne te revoit plus jamais. Je ne suis pas le seul à être de cet avis. C'est ce que les supporters de Leeds chantaient à propos de Zarco quand on est allés à Elland Road. Tu te souviens ? Ils n'étaient peut-être pas au courant pour la photo qu'on a trouvée dans la tombe, mais ça n'a pas empêché ces fumiers à casquette de combler les trous, pour ainsi dire. *Le matin il se fait trucider/ Ding-dong les cloches vont sonner/ Vic et sa mafia, bientôt ils t'auront/ Et dans ta tombe ils te mettront.*

— J'avais oublié ça.

— Tout ce que je veux dire, c'est sois un peu prudent, d'accord ? Ce n'est pas un simple clash comme avec Mario Balotelli, patron. Tu as affaire à un type au passé sacrément louche. J'ai regardé ce Panorama spécial sur Victor. Il a plus de cadavres dans le placard que le musée du Caire. Alors promets-moi de ne pas l'incriminer ou je ne sais quelle connerie semblable sans m'en avoir parlé d'abord, hein ?

— Heureusement, les présomptions sont indirectes. Donc, à moins que je ne déniche des preuves claires et solides, je ne ferai rien de stupide. » Je haussai les épaules. « Mais il n'en reste pas moins que je devrais considérer ma position à ce sujet.

— Qu'est-ce que tu veux dire ?

— Je veux dire que si j'aboutis à la conclusion que le meurtrier de João Zarco est le propriétaire de ce club, alors je pourrai difficilement continuer à travailler ici pour lui. Ce serait impossible. Indépendamment du reste, je me demanderai toujours s'il m'a donné ce boulot pour que je sois de son côté. Or le fait est que j'aimais Zarco. Je serais capable de ne pas informer la police à cet égard, mais jamais je ne pourrais faire partie de l'entourage de quelqu'un qui l'a tué ou qui l'a fait tuer. Tu peux comprendre ça, n'est-ce pas ? Ce serait trahir mon amitié pour João. Il est possible qu'il n'ait pas toujours été entièrement honnête, mais il a toujours été un bon pote pour moi. Et c'est tout ce qui compte, Maurice.

— Est-ce qu'il aurait fait la même chose pour toi ? Je n'en suis pas sûr.

— L'important, c'est ce que moi, je pense, Maurice. C'est ma foutue conscience qui est en jeu ici, pas celle de Zarco. Quand j'étais au mitard, j'ai lu *L'Enfer* de Dante. Dans un enfer comme la prison de Wandsworth, ça semblait une lecture appropriée. Dante place Brutus et Cassius dans la pire partie de l'enfer parce qu'ils ont choisi de trahir leur ami, Jules César, plutôt que leur pays. J'éprouve à peu près le même sentiment vis-à-vis de Zarco.

— Bien, je comprends. Mais comment vas-tu faire ? Pour décider si Viktor est coupable ?

— Je ne sais pas. Je suppose que je vais continuer à garder les oreilles et les yeux ouverts pour trouver un quelconque indice de sa culpabilité ou de son innocence. Puis, après y avoir mûrement réfléchi, je prendrai ma décision. De quitter ce club ou d'y rester. » Je haussai les épaules. « C'est quelque chose de concret que je peux faire. Il n'y aura pas de grand déballage dans une fichue bibliothèque ou un wagon-restaurant, quand j'aurai établi ce qui s'est vraiment passé. Je me contenterai de donner ma démission. C'est aussi simple que ça. »

39

Un peu plus tard, l'inspecteur Considine apparut sur le seuil de mon bureau. Elle portait un manteau et une petite robe noirs. Son rouge à lèvres était très vif pour un officier de police, et elle avait l'air souriante et jolie.

« Je commence à me sentir comme un faux penny, dit-elle. Je reviens toujours.

— Vous savez, je n'ai jamais vraiment compris le sens de cette expression.

— Je suppose qu'il vous faudrait d'abord connaître la valeur d'un penny. Et j'ai l'impression que ce n'est pas le cas. Depuis un bout de temps. Pas avec un appartement pareil à Manresa Road. »

Je souris.

« Mon appartement vous plaît ?

— À qui ne plairait-il pas ? En comparaison, le mien a l'air d'un placard à balais.

— Passez un de ces jours, je vous referai un café.

— J'aimerais bien. Écoutez, j'ai deux raisons d'être ici. La première, c'est de vous présenter mes excuses pour hier ;

348

je crains d'avoir été un peu brusque en vous apprenant le viol de Mme Fehmiu par le copain de Matt Drennan. Cette nouvelle a dû vous bouleverser. Sans parler du rôle joué par votre ami étouffant l'affaire. Je suis désolée. Vraiment. Je n'ai fait que mon devoir en vous informant, mais…

— N'y pensez plus. Comme vous dites, vous ne faisiez que votre travail.

— Franchement ? J'aurais pu mieux m'y prendre.

— J'accepte vos excuses. Et l'autre raison ?

— Vous allez me détester.

— J'en doute.

— Navrée, mais j'ai une autre obligation tout aussi désagréable. Sauf que cette fois-ci, je vais faire mon possible pour m'en acquitter avec plus de délicatesse.

— Laquelle ?

— Vous ne vous en souvenez peut-être pas, mais vous vous êtes proposé pour identifier le corps de M. Zarco.

— Bon sang, vous avez raison !

— Je suis sûre que vous préféreriez faire une centaine d'autres choses cet après-midi. Mais c'est important. Une obligation juridique. Heureusement, le corps ne se trouve pas très loin d'ici, à East Ham, aussi je peux vous y conduire moi-même. Tout de suite, si vous n'y voyez pas d'inconvénient. Ou plus tard si vous préférez. »

Je jetai un coup d'œil à ma montre.

« Il se trouve que je suis libre maintenant.

— Bien. Alors allons-y. »

Elle téléphona rapidement à la morgue pour leur faire savoir que nous étions en route. Chaque fois que je la voyais, elle me plaisait davantage. Peut-être parce qu'elle avait de la classe ; j'aime bien les jolies nanas qui ont de la classe. Mais surtout parce qu'elle était intelligente. Je la suivis jusqu'à son Audi TT noire et y montai. Quelques minutes plus tard, nous quittions le dock en direction de East Ham High Street au nord.

« Tout ce que je sais de vous, en réalité, c'est que vous avez fait des études de droit, dis-je. Vous vouliez devenir avocate ? Ou vous avez juste regardé trop d'épisodes d'*Inspecteur Morse* ?

— En fait, je voulais être vétérinaire, mais j'ai dû abandonner cette idée parce que je m'évanouissais à la vue du sang. Il m'arrive encore d'être assez fragile.

— Pardonnez-moi, mais une carrière dans la police ne semble pas la solution idéale. Surtout dans les conditions actuelles.

— C'est vrai. En général, ces choses ne me posent pas de problème. Et je suis enchantée de travailler dans la police. Ce n'est que de temps en temps que mon estomac se met à me jouer des tours. J'ai plusieurs astuces pour y faire face. Aux cadavres, je veux dire. Et vous ? Ça ne vous dérange pas ? De voir le corps de M. Zarco ?

— Je vous le ferai savoir quand je le verrai.

— Comment, vous voulez dire que vous n'avez jamais vu de cadavre ?

— À vous entendre, on a l'impression que j'aurais dû. Je n'ai que quarante ans, pour l'amour de Dieu. Mes parents sont encore en vie et mes grands-parents aussi.

— Oh, je comprends. J'ai cru, lorsque vous vous êtes porté volontaire, que ce genre de chose ne vous faisait ni chaud ni froid.

— Je l'ai fait parce que j'espérais épargner cette épreuve à sa femme et parce que je le connais depuis plus longtemps qu'elle. Mais je ne suis pas du tout à l'aise avec ça, mademoiselle Considine. À ce propos, vous pourriez peut-être m'expliquer une de vos astuces pour vaincre votre répugnance, au cas où je m'écroulerais sur vous.

— C'est juste un flacon de sels. *Sal volatile.* J'en ai toujours dans mon sac à main. Je sais, ça paraît un peu vieux jeu, mais ça a véritablement fait ses preuves scientifiques, vous savez. On en donne aux haltérophiles avant les Jeux olympiques parce que l'ammoniaque provoque un réflexe d'inhalation et active le système nerveux sympathique ; ce qui accélère le rythme cardiaque, la tension et l'activité cérébrale, empêchant ainsi l'évanouissement. Avant de voir un cadavre, je renifle le contenu du flacon, et d'habitude tout se passe bien. Bon, c'est juste un outil parmi d'autres dans mon kit de médecine légale.

— Eh bien, si jamais je tourne de l'œil, n'oubliez pas de desserrer mes vêtements, voulez-vous ? Je suis moi-même un peu vieux jeu. Sans compter que j'aime me réveiller avec le sourire.

— Savez-vous que vous êtes très drôle ?

— Je suis heureux que vous le pensiez. »

Alors que nous approchions de la morgue d'East Ham, elle montra la gauche et dit :

« Il me semble que le terrain de football de West Ham est à environ un kilomètre par là, dans Barking Road.

— Avec toutes les prises de bec qu'il y a dans leur équipe, c'est effectivement pratique d'avoir la morgue à proximité.

— Vous jouez contre eux demain soir, c'est ça ?

— Oui. C'est le match retour de demi-finale de la Coupe de la Ligue. Voulez-vous venir le voir ? Vous êtes mon invitée. Nous pouvons dîner ensuite dans la loge présidentielle.

— Je peux difficilement refuser si vous m'invitez, n'est-ce pas ? Mais si vous perdez, ne serez-vous pas d'une humeur exécrable ? À jeter vos chaussures à crampons sur les gens ou un truc de ce genre ? Vous pourriez même m'en jeter une. Ça ne m'étonnerait pas du tout après ce qui s'est passé hier.

351

— C'est à sir Alex Ferguson que vous pensez, inspecteur ? Mais nous n'allons pas perdre. Nous allons gagner. Et je vous promets de ne pas être d'une humeur massacrante. Mais apportez quand même vos sels, on ne sait jamais.

— Vous avez l'intention de faire à l'équipe un autre discours stimulant ? Comme celui sur YouTube.

— S'ils gagnent, ce ne sera pas pour moi, mais pour João Zarco.

— Cela marchera peut-être pour vos joueurs. Mais pas pour moi. Je pense que, si je viens au match, ce sera parce que j'aimerais vous voir sourire de temps à autre. Et seulement si vous promettez de n'en parler à personne. Je n'aimerais pas que la nouvelle que j'assistais à votre match se répande jusqu'à Stanford Bridge.

— C'est Stamford Bridge. Et je crois que vous n'avez jamais été à un match de football de votre vie, mademoiselle Considine. »

En bordure d'un parc, elle s'arrêta sur une double ligne jaune, devant un petit immeuble style années 1960 qui ressemblait beaucoup à une bibliothèque municipale, avec au bout ce qui avait l'air d'une chapelle. Il y avait une clôture, une haie et un grand chêne dans le jardin. Elle eut un sourire désarmant.

« D'accord, au temps pour moi. Je n'ai jamais assisté à un match. Et j'ai menti en disant que j'étais supporter de Chelsea. Mais on ne peut pas nier que José Mourinho soit un homme séduisant. Très séduisant, en fait.

— Moi, je peux le nier, mademoiselle Considine. Je pourrais le nier sur une pile de bibles.

— Appelez-moi Louise. Si je dois faire des infidélités à José à cause de vous, il me semble que nous pouvons nous appeler par nos prénoms, vous ne pensez pas ?

— D'accord. Louise. » Je souris. « Vous dites ça juste pour me remonter le moral avant qu'on entre ?

— Il vous faudra attendre jusqu'à demain soir pour en être sûr. »

Elle sortit de la voiture, ouvrit le portail et s'engagea ensuite dans une courte allée.

Une fois à l'intérieur de la morgue, elle me tendit une petite ampoule en verre recouverte d'un tissu.

« L'ammoniaque risque d'avoir son mot à dire. Cassez l'ampoule sous votre nez si vous sentez que vous allez tourner de l'œil. »

Nous fûmes reçus par un employé de la morgue. Petit, avec une calvitie naissante et une dent en or, il arborait un pin's d'Arsenal à son revers, ce qui me parut intrépide, si près d'Upton Park. Il nous fit entrer dans une pièce avec une fenêtre aux rideaux fermés.

« Vous êtes prêt ? » demanda Louise.

J'opinai.

Elle cassa une des petites ampoules blanches sous son nez et inhala vivement. L'air de la pièce se remplit brusquement d'une forte odeur d'ammoniaque, et elle se mit à haleter et à cligner des yeux comme si elle était en plein soleil et qu'elle frappait à la vitre.

Les rideaux gris s'ouvrirent, révélant le corps de Zarco allongé sur un chariot. Il était presque entièrement dissimulé sous un drap vert, mais j'aurais préféré que sa tête le fût aussi. Il avait été un si bel homme – aussi beau que José Mourinho, qu'il avait bien connu évidemment puisqu'ils étaient tous les deux portugais. Son visage habituellement pas rasé était couvert de contusions et son crâne défoncé comme une bouteille en plastique dans une poubelle. C'était la seule partie de son visage ayant de la couleur ; la teinte grisâtre du reste lui donnait l'air d'un figurant dans un film de zombies. Mais c'était bien Zarco – je reconnus les cheveux gris et rêches, la bouche boudeuse et le nez large ; j'aurais reconnu ce nez n'importe où. Je l'avais suffisamment vu humer un verre de bon vin, savourant le bouquet en vrai connaisseur. Je me souvenais de notre dîner au 181 First, un restaurant de Munich, lorsqu'il était venu me proposer le poste à London City, et de la bouteille de Spätburgunder à deux cents euros qu'il avait commandée pour sceller le marché, et combien il avait apprécié ce vin rouge. Je me souvenais que le restaurant se trouvait dans la tour olympique, que c'était une salle pivotante, et qu'elle offrait une superbe vue à 360 degrés de la ville, et encore maintenant, je revoyais distinctement notre table et la manière dont elle tournait, de même que tout le restaurant, et que j'avais trop bu – que nous avions trop bu tous les deux – ce soir-là. Puis le monde entier se mit à tourbillonner autour de moi, jusqu'au moment où Louise – que Dieu la bénisse – me mit quelque chose sous le nez, et je m'écartai alors en chancelant de l'odeur d'ammoniaque, de sa main et de la fenêtre de l'au-delà.

« Ça va ? » demanda-t-elle alors que je franchissais la porte de la morgue en titubant.

Dehors, à l'air frais, j'essuyai une larme et fis oui de la tête.

« C'est bien lui, dis-je. C'est Zarco. Vraiment désolé.

— Ne le soyez pas. » Elle prit ma main et l'embrassa rapidement. « Venez. Je vous ramène à Silvertown Dock. »

40

En rentrant du dock à Chelsea, je m'arrêtai pour voir de nouveau la veuve de Zarco. Je n'avais rien de particulier à lui dire, mais n'ayant pas répondu à l'appel de Toyah le matin, je l'avais rappelée plusieurs fois, sans succès. Ne sachant pas sur qui d'autre elle pouvait compter, à part Jerusa, la femme de ménage, j'étais résolu à ne pas l'abandonner juste parce que je n'avais pas beaucoup d'atomes crochus avec elle. Comme un grand nombre d'Australiens vivant à Londres, elle manifestait à l'égard de la Grande-Bretagne et de son affreux climat un peu trop de mépris à mon goût, ce qui soulevait la question : si ça ne te plaît pas, qu'est-ce que tu fiches ici, bon sang ? La seule fois où j'étais allé en Australie, je m'étais bien amusé ; en même temps, quand on était là-bas, on comprenait aisément pourquoi tant d'Australiens venaient s'installer à Londres. La météo était à coup sûr l'aspect le moins important dans le choix de vivre ici. Le climat mis à part, tout était mieux qu'en Australie. Surtout le football.

Je sonnai, en vain. Le flic qui montait la garde devant la porte de Toyah me reconnut et me dit qu'elle était encore à la maison, mais qu'il ne l'avait pas vue de la journée, ce qui nous inquiétait l'un et l'autre, dans une certaine mesure. Il me laissa donc brailler à travers la boîte aux lettres. Et lorsqu'elle finit par descendre pour me faire entrer, elle portait un long peignoir en soie et sortait du lit, de toute évidence.

« Je suis désolé, dis-je. Je commençais à me faire du souci. Et le flic dehors également.

— Je ne suis pas du genre à me suicider, Scott. Pas pour un homme. Et certainement pas un homme qui me trompait avec une petite roulure à Hangman's Wood.

— Ce sont les flics qui te l'ont dit ?

— Ils n'en ont pas eu besoin. Je savais ce qu'il manigançait. Je le savais et j'ai appris à fermer les yeux parce que je pensais que ça ne servait à rien, d'accord ? Comprends-moi bien. J'aimais Zarco. Mais par moments, il n'arrivait pas garder sa braguette fermée. Et avoir une liaison au travail ? C'était tout simplement stupide. » Elle alluma une cigarette. « Tu veux du thé ? »

J'enlevai mon manteau, et nous descendîmes dans la cuisine à l'allure de vaisseau spatial, ce qui me donna une occasion opportune de changer de sujet.

« Pardon de t'avoir réveillée, Toyah.

— Ce n'est pas grave. J'ai pris un somnifère après t'avoir appelé ce matin et je n'ai pas ouvert l'œil depuis. Vraiment, c'est une chance que tu m'aies réveillée. J'ai tellement de choses à faire. » Elle regarda sa montre. « Et apparemment, très peu de temps pour les faire. Mon Dieu, je ne savais pas qu'il était si tard. J'ai dû dormir huit heures.

— C'est une bonne chose. Probablement le meilleur remède contre le chagrin. »

J'avais hâte d'aller me coucher, moi aussi. Sonja m'avait envoyé un SMS dans un style neutre, disant qu'elle espérait que j'allais bien et j'avais répondu que oui, mais en dépit de mes pensées pour Louise Considine, je savais que je me sentirais beaucoup mieux dès que je dormirais profondément.

« J'ai identifié le corps, dis-je. Il y a environ une heure. J'ai pensé qu'il valait peut-être mieux que tu le saches.

— Merci. Je t'en suis reconnaissante. Je suis sûre que ça a dû être très pénible pour toi. »

J'ignorai la remarque.

« Est-ce que la police a déjà une idée ? demanda-t-elle. De qui a tué Zarco et pourquoi ?

— Je n'en sais rien.

— Et toi ?

— Aucune, mentis-je. Pas encore. Mais nous n'en sommes qu'au début. »

Elle versa le thé et nous nous assîmes à la longue table en bois.

« Tu m'as demandé de te dire s'il s'était passé quoi que ce soit d'inhabituel. Quelque chose qui pourrait combler quelques lacunes, pour reprendre ton expression. Eh bien, il y a eu effectivement quelque chose. L'entrepreneur est passé ici, Tristram Lambton. Il s'occupe des travaux au numéro 12. À l'en croire, il venait me présenter ses condoléances, mais il n'a pas tardé à mentionner le vrai motif de sa visite. Il m'a demandé si Zarco avait laissé une enveloppe pour lui.

— Une enveloppe ?

— Ça m'ennuie d'en parler maintenant, madame Zarco, m'a-t-il déclaré après avoir fini d'exprimer sa compassion, mais feu votre mari avait accepté de payer une partie des travaux en liquide. Est-ce qu'il n'aurait pas laissé quelque chose pour moi par hasard ? Une enveloppe, peut-être ?

— Combien, en liquide ?

— Vingt mille livres, a-t-il répondu.

— Ça fait un peu beaucoup pour une enveloppe normale, dis-je. Je sais que les entrepreneurs aiment bien se faire payer de la main à la main, mais pour vingt mille, il faut les deux mains. Peut-être même trois ou quatre.

— Je ne te le fais pas dire. Cependant, pour être franche, je t'avoue que ça ne m'étonne pas tellement. Zarco montait sans arrêt des combines, comme tu le sais probablement. C'était un Portugais typique. Toujours à conclure de satanées affaires. Il ne pouvait pas s'en passer. Un véritable Del Boy. » Elle tira rageusement sur sa cigarette. « Quoi qu'il en soit, je lui ai expliqué que Zarco ne m'avait pas parlé de liquide, mais je suis allée vérifier dans le coffre, au cas où. Il n'y avait pas d'enveloppe. Du moins, pas d'enveloppe contenant des milliers de livres. Et Tristram a dit quelque chose comme, eh bien, si jamais vous tombez dessus, faites-le-moi savoir, s'il vous plaît. J'ai rétorqué que vingt mille livres n'étaient pas exactement le genre de somme que je risquais de trouver dans le tiroir à chaussettes de Zarco. Et on en est restés là. »

J'opinai.

« Ce Tristram, c'est quel genre de type ?

— Un petit snob. Plutôt pas mal de sa personne. Bourré de fric et une Bentley. Cela dit, c'est un bon entrepreneur. Notre architecte semble beaucoup l'apprécier. Et c'était le cas de Zarco aussi.

— Je vais lui parler. Après avoir bu mon thé.

— Merci, Scott. C'est gentil de ta part. »

Je restai encore une quinzaine de minutes pour faire bonne figure. La maison avait quelque chose de bizarre sans la voix tonitruante et le rire de Zarco. Même le chat avait l'air légèrement déboussolé. J'allai aux toilettes, remis mon manteau, sortis et fis le tour jusqu'à l'autre côté du square.

Il faisait sombre et on avait largement dépassé l'heure normale de départ des ouvriers, mais à en juger d'après les lumières et le bruit derrière la peinture murale de la Lambton Construction Company masquant la façade du numéro 12, il était évident qu'ils travaillaient encore d'arrache-pied. Je pouvais entendre ce qui ressemblait à un menuisier en action, enfonçant clou après clou dans du bois. Je franchis une porte pratiquée dans la peinture murale et longeai le côté de la maison, qui avait été transformé en grande partie par l'ajout d'une énorme fenêtre moderne. Je descendis un escalier en pierre pour me retrouver face à un homme portant un sweat à capuche sous un casque, avec une cigarette roulée à la bouche et une planche sur l'épaule.

« Hé, toi ! s'écria-t-il avec un fort accent étranger. Qu'est-ce que tu fabriques ? Tu fauches des outils ou quoi ?

— Non, rien de ce genre.

— Parce que les gens, ils fauchent nos outils et après le patron, il dit que c'est nous. Menace de le retenir sur notre paie.

— Non, je ne suis pas venu pour ça.

— Alors qu'est-ce que tu veux ? T'es là pour te plaindre ? Parce que moi, je bosse simplement ici, tu comprends ?

— Je cherche M. Lambton. Je suis un ami de Mme Zarco. »

Les yeux sombres de l'homme se plissèrent.

« Ben, j'te connais. T'es footballeur. Scott Manson. Tu jouais pour Arsenal – je m'rappelle. Maintenant, t'es manager de London City. Moi, je préfère Arsenal. Bonne équipe. Meilleure que City, à mon avis. Arsenal, c'est comme le gâteau de ta maman. Fait maison. Bon gâteau. City, c'est du gâteau que t'achètes au magasin. Pas si bon. Plus cher aussi. » Il tira une dernière bouffée de sa cigarette, puis la balança dans la bâtisse. « Hé, t'as des tickets ?

— Non, je n'en ai pas. Et je cherche toujours M. Lambton.

— Y a deux Lambton. Des frères, tu vois ? Tristram et Gareth. Lequel tu veux ?

— Tristram.

— D'accord, t'attends ici que j'le trouve. »

Il déposa la planche et pénétra dans un labyrinthe d'échafaudages éclairé par une ampoule nue, me laissant seul avec mes pensées, qui formaient des nœuds divers et variés. Si j'avais eu un peu plus de temps, j'aurais peut-être été capable de réfléchir sérieusement, de saisir l'essentiel et de séparer ce qui était important de ce qui ne l'était pas. Jouer les flics dans l'enquête sur Zarco aurait pu présenter d'autres défis à mes pensées que si elles avaient été confrontées à un West Ham au grand complet mardi soir. Nul doute que je me sentais sous pression. Dans les toilettes de Toyah, j'avais jeté un coup d'œil à un article de journal sur le plaisir d'être un grand manager de football et je m'étais dit, si seulement le football était la seule chose dont il fallait s'occuper, le boulot serait peut-être aussi amusant qu'on le dit ; ce sont toutes les autres merdes que la vie vous jette à la figure – votre petite amie qui vous plaque, les impôts informant votre comptable que, d'après leurs calculs, vous leur devez encore plus d'argent, ces foutus journalistes campés devant chez vous, les joueurs homos toxicomanes, un de vos meilleurs copains qui se pend – qui rendent ce boulot si sacrément difficile.

Je sortis mon iPhone de mon sac à dos en espérant pouvoir faire un peu le ménage dans la montagne de conneries remplissant ma boîte mail. Un texte que j'avais rédigé pour Hugh McIlvanney sur João Zarco ne paraissant pas susceptible d'amélioration, je l'envoyai tel quel avec une copie à Sarah Crompton. Jane Byrne voulait organiser une reconstitution des derniers moments de Zarco avec l'aide de l'émission *Crimewatch* lors de notre prochaine rencontre à domicile du week-end. Je lui donnai mon feu vert. Un nouveau message de l'UKAD m'invitant à une réunion au siège social de la FA pour me rafraîchir la mémoire quant aux protocoles des contrôles antidopage. Bande d'imbéciles.

Pourrais-je accorder une interview à Football Focus ? Allez vous faire voir ; j'avais déjà dit non à Gillette Soccer Saturday et à TalkSport. J'avais un vieux copain de Southampton qui venait d'obtenir le poste de manager des Hibs ; est-ce que je pouvais lui filer quelques tuyaux ? Connaissant Édimbourg, j'en avais bien un pour lui : ne laisse pas ces salauds te démolir.

Puis je fis défiler quelques SMS : SOS-Viol sollicitait une contribution ; je répondis oui. Tiffany Drennan m'informait que l'enterrement de Drenno aurait lieu vendredi, et je confirmai également. Viktor m'avait envoyé un message disant qu'il serait de retour de Russie pour assister au match de mardi soir et que Bekim Develi l'accompagnerait ; le diable rouge lui-même m'avait écrit qu'il se réjouissait à la perspective de jouer pour City et qu'il était certain que notre relation serait fructueuse. Je lui répondis par un seul mot : « Bienvenue ». En attendant, sur mon iPad, je regardai rapidement Warwick Square dans Google pour m'apercevoir que l'endroit avait son propre site, avec une association de résidents dynamique et un tableau bien utile des prix de l'immobilier. Les appartements coûtaient la somme stupéfiante de deux millions de livres, tandis que les quelques rares maisons à vendre commençaient à pas moins de huit millions.

On n'est jamais surpris de la valeur de sa propre baraque, mais toujours étonné du prix que les autres demandent de la leur.

« Puis-je vous aider ? »

Un type d'une trentaine d'années, mince, environ un mètre quatre-vingts, m'examinait ; il portait un manteau Crombie marron à col de velours et un casque jaune de chantier.

« Je suis un ami de Zarco, dis-je.

— Oui, je sais. Je vous ai vu à la télé, non ? Dans Une question de sport.

361

— Vous avez bonne mémoire. Y a-t-il un endroit où nous pourrions parler ?

— À quel sujet ?

— Je me suis laissé dire que vous étiez allé voir Mme Zarco. Pour lui réclamer de l'argent qui vous serait dû. Vingt mille livres, pour être exact. »

Tristram Lambton eut l'air hésiter.

« C'est bon. Vous dites vous rappeler m'avoir vu à la télé ? Eh bien, cela devrait suffire à vous convaincre que je n'appartiens pas aux impôts ni au ministère de l'Intérieur. Qui vous employez sur le chantier et de quelle façon vous payez vos ouvriers, c'est le cadet de mes soucis. Je suis venu pour aider Mme Zarco dans la mesure du possible.

— Ma voiture est là-bas. Allons-y. »

Sa Bentley était gris argenté avec toutes les options ; fermer la portière faisait le même bruit qu'entrer dans un club extrêmement fermé. Ça en avait aussi l'odeur ; tout cuir, cigares et moquette épaisse.

« Je ne savais pas que Mme Zarco n'était pas au courant de mon arrangement avec son mari, expliqua Lambton. Je me suis senti très gêné après coup. Puis je me suis dit, veuve ou pas, la meilleure chose qu'elle puisse faire à présent serait de finir les travaux aussi vite que possible pour se débarrasser de la maison et reprendre une vie normale. Ce qu'elle a bien l'intention de faire, semble-t-il. Franchement, tout ce boulot aura été un sacré cauchemar du début à la fin.

— C'est l'impression que j'ai eue. Mais quel était votre arrangement avec M. Zarco ?

— Les Zarco avaient reçu quantité de plaintes des voisins à cause des travaux. Surtout de la part des gens du numéro 13, juste à côté – comme vous pouvez l'imaginer. Ce qui veut dire qu'ils faisaient fortement pression sur moi pour que la maison soit achevée le plus vite possible. Et l'unique façon d'obtenir des gars qu'ils fassent des heures supplémentaires pour effectuer le travail, c'est de les payer au tarif double, en liquide. L'argent est la seule chose qui leur parle. C'était ça, mon arrangement avec M. Zarco. Il payait le double lui-même. Les week-ends aussi. Samedi, il était censé cracher les vingt mille livres, ce qui m'aurait permis de terminer avant fin mars, soit en avance sur la date prévue, je précise. Mais vous savez ce qui s'est passé. C'est vraiment regrettable. Je l'aimais beaucoup. Maintenant, je n'ai pas la moindre idée de ce que je vais faire. Je veux dire, fini les heures supplémentaires et le travail le dimanche.

— Pas nécessairement. »

J'avais prévu ce moment. Dans les toilettes de Toyah, j'avais séparé l'argent du dessous-de-table en deux : vingt mille d'un côté et trente mille de l'autre. Les vingt mille se trouvaient encore dans l'enveloppe matelassée, le reste dans un compartiment de mon sac à dos.

« Tenez, dis-je. Les vingt mille qu'il comptait vous donner.

— Génial ! Je sais que ça paraît beaucoup, mais ces Roumains travaillent dur et en valent vraiment la peine. On peut dire qu'ils en veulent, contrairement à certains des nôtres. Mais je pourrais vous en parler pendant des heures. » Il rit. « Maintenant, si vous pouviez régler le problème avec M. et Mme Van de Merwe au numéro 13, ce serait parfait.

— Qu'est-ce que vous suggérez ?

— Sérieusement ? »

41

Pimlico ressemble à Belgravia, sans les riches. Non que les habitants de Pimlico soient précisément pauvres, mais une grande partie de leur argent est immobilisé dans leurs maisons et leurs appartements.

Le numéro 12 était une propriété mitoyenne en bout de rangée ; la maison voisine, un hôtel particulier en stuc blanc de six étages datant du XIXe siècle, avec un beau portique dorique et une porte noire cirée comme les bottes d'un garde royal ; ou plutôt elle l'aurait été si elle n'avait pas été recouverte d'une fine couche de poussière provenant des travaux. La plaque bleue sur le mur était trop sombre pour que je puisse voir quelle célébrité avait vécu là. Mais je connaissais assez bien le quartier ; Gianluca Vialli avait habité autrefois au coin, à l'époque où il était joueur-manager de Chelsea jusqu'en 2001, et si quelqu'un méritait une plaque bleue, c'était bien lui : les quatre buts qu'il avait marqués contre Barnsley étaient parmi les plus beaux que j'aie jamais vus en Premier League.

Je tirai la sonnette à l'ancienne et l'entendis retentir derrière la porte, mais j'aurais sans doute pu l'entendre à Manresa Road.

Au moins une minute s'écoula, et j'étais sur le point de laisser tomber et de repartir quand la lumière du portique s'alluma ; puis j'entendis tirer plusieurs verrous et tourner une clé de taille non négligeable dans une serrure remontant probablement à l'époque victorienne. La porte s'ouvrit sur un vieil homme vêtu d'un costume en velours côtelé marron. Il arborait une barbe et une moustache dans le style des peintres hollandais, blanches mais tachées de nicotine, et des cheveux poivre et sel en bataille qui semblaient pousser en tous sens, si bien qu'on aurait dit le paysage marin de Maggi Hambling sur mon mur. Il portait des lunettes demi-lune et un foulard beige en soie lâchement noué autour du cou. Son visage était peut-être le plus las qu'il m'ait été donné à voir – crevassé, plutôt que ridé ; on n'aurait pas été surpris de le voir se fracasser en mille morceaux.

« Monsieur Van de Merwe ?

— Oui ?

— Excusez-moi de vous déranger. Je m'appelle Scott Manson. Je me demandais si je pouvais entrer un instant pour vous parler.

— À quel sujet ?

— Au sujet de M. Zarco.

— Qui êtes-vous ? Vous faites partie de la police ?

— Non. Pas de la police.

— Qui est-ce, chéri ? interrogea une voix.

— Quelqu'un au sujet de M. Zarco. Il dit qu'il n'est pas de la police. »

Non moins lasse que son visage, sa voix ressemblait au bruit qu'on fait en cherchant une station sur une radio à ondes courtes. Il parlait avec un vague accent sud-africain.

Une femme, l'air aussi anxieuse qu'un cri de Munch volé, s'avança dans l'entrée ; vieille et petite, avec une montagne de cheveux blondasses et portant un épais pull blanc orné du drapeau de l'Afrique du Sud sur une poitrine de la taille de mon sac à dos.

« Entrez », dit l'homme, qui s'écarta en traînant les pieds, et je vis alors qu'il avait une béquille pour s'aider à marcher.

L'entrée était dominée par une affiche d'un vieux film désuet, *Passeport pour Pimlico,* une comédie Ealing réalisée quelques années après la guerre. Le vieux couple donnait l'impression d'avoir joué dedans. Sur une table trônait une figurine en verre bleu, probablement Lalique, d'une femme à moitié nue ; s'appuyaient contre elle quelques lettres ouvertes destinées à un certain John Cruikshank, titulaire d'une maîtrise ès arts. Dans l'air flottait une forte odeur d'encaustique et sur l'escalier était posée une grande pile de chiffons à poussière jaunes fraîchement lavés.

Ils m'introduisirent dans un grand salon encombré de meubles ayant connu des jours meilleurs, mais sans doute aussi deux guerres mondiales. Il y avait des livres et des tableaux, et tout avait l'air d'être là depuis des lustres. Une fine couche de poussière d'acquisition plus récente recouvrait le dos du long canapé en cuir noir sur lequel ils m'invitèrent à m'asseoir. Une jeune femme, plutôt jolie, en jean et polaire, était assise à l'extrémité opposée. Ayant remarqué que j'essuyais mes doigts sur ma main, elle sortit immédiatement un autre chiffon à poussière jaune et se mit, l'air furieuse, à frotter le canapé.

« Je vous présente ma fille, Mariella, dit M. Van de Merwe. Mariella, voici M. Manson. Il désire nous poser quelques questions sur ce pauvre M. Zarco. »

Mariella poussa un grognement irrité.

« Pas vraiment des questions, dis-je. Il n'y a que vous trois qui habitez ici ?

— Cela ressemble exactement à une question, rétorqua Mariella.

— Ce n'était qu'une banalité. Peut-être trop banale pour d'aucuns.

— Mon gendre, John, habite ici avec nous, dit M. Van de Merwe. Il est absent pour le moment.

— Voulez-vous boire quelque chose, monsieur Manson ? demanda sa femme. Un sherry, peut-être ?

— Avec plaisir. »

Ils quittèrent tous les trois la pièce, me laissant contempler le plafond pendant plusieurs minutes. À travers la cloison, j'entendais le bruit fait par un des ouvriers roumains de Lambton plantant des clous, puis quelqu'un commença à se servir d'une perceuse. On voyait facilement ce qui avait pu pousser les Van de Merwe à se plaindre du bruit ; je serais devenu fou si j'avais dû entendre ça douze heures par jour. Néanmoins, il était difficile de les imaginer harcelant un facteur indolent, sans parler d'une bande d'ouvriers roumains, comme Lambton l'avait laissé entendre.

Ils revinrent en petit trio – M. Van de Merwe portant un unique verre sur un plateau en argent, sa femme une bouteille de sherry et leur fille une assiette de jambon en tranches.

« Est-ce que c'est un Stanley Spencer ? demandai-je en montrant un tableau au mur.

— Oui, répondit le vieil homme.

— Il n'est pas mal, dis-je, ce qui était pour le moins un euphémisme, Spencer étant un de mes artistes préférés.

— M. Zarco appréciait une goutte de sherry, expliqua le vieil homme. En particulier cet Oloroso. Qui va bien avec le jambon ibérique. »

Je goûtai le sherry, il était excellent.

« Quand Zarco est-il venu ici pour la dernière fois ? demandai-je.

— Il y a quelques semaines. Et il y en a eu plus d'une. Il venait présenter ses excuses pour tout le boucan des travaux à côté qui n'arrête pas depuis presque six mois maintenant. D'une façon tout à fait intolérable. Eh bien, vous pouvez juger par vous-même si quiconque peut vivre avec ce vacarme depuis le matin à la première heure jusqu'à 8 heures du soir. À notre âge, on apprécie la paix et le calme. Pour lire et écouter de la musique. Ce ne serait pas si terrible si nous étions sourds, mais ce n'est pas le cas.

— Oui, je comprends parfaitement combien ça doit être exaspérant, dis-je. Et je vous plains. »

Mariella repéra un nouveau nuage de poussière tombant du plafond sur le buffet et le poursuivit férocement avec le chiffon.

« Nous avons essayé de trouver une sorte d'accord avec lui, continua M. Van de Merwe. Mais nous avons échoué, malheureusement.

— Quel genre d'accord ?

— Un règlement financier. Nous avions espéré pouvoir tous retourner en Afrique du Sud pour quelque temps. C'est de là que nous venons, à l'origine.

— De Pretoria, précisa obligeamment sa femme. Il fait un temps magnifique là-bas à cette époque de l'année. Environ vingt-cinq degrés. Tous les jours.

— Mais les tarifs aériens sont très chers, vous savez, continua son mari. Et l'hébergement aussi. Même un hôtel bon marché coûte beaucoup d'argent.

— Connaissez-vous l'Afrique du Sud, monsieur Manson ? demanda Mme Van de Merwe.

— Un peu. J'étais là-bas pour la Coupe du monde en 2010. Mes oreilles ne se sont pas encore complètement remises de toutes ces vuvuzelas. »

Comme le vieux couple me dévisageait d'un air ébahi, Mariella dit :

« Des *lepatata mambus* ». Elle me regarda et haussa les épaules. « C'est le nom en tswana.

— Je vois.

— Pretoria est splendide à cette époque de l'année, répéta Mme Van de Merwe.

— N'auriez-vous pas pu aller ailleurs ? demandai-je. Quelque part de plus proche, peut-être, comme l'Espagne ? Il fait meilleur là-bas qu'ici en cette saison. Et le voyage est moins cher. »

Je commençai à enfourner du jambon, lequel n'était pas moins délicieux que le sherry, et il aurait peut-être pu m'éviter d'avoir à préparer à dîner. Maintenant que Sonja était partie, mon enthousiasme pour faire dans la cuisine autre chose que du café avait beaucoup diminué.

« Nous n'avons jamais vraiment aimé l'Espagne, dit le vieil homme. N'est-ce pas, chérie ?

— Nous ne parlons pas la langue, répondit sa femme. L'Afrique du Sud était la seule véritable possibilité pour nous.

— M. Zarco nous a bien fait une offre afin de couvrir les frais de notre déménagement provisoire, mais elle n'était tout simplement pas suffisante, aussi l'avons-nous refusée. À mon avis, il a cru que nous tentions notre chance. Mais ce n'était vraiment pas le cas, vous savez. Tout cela nous a fortement déçus.

— Écoutez. Puis-je vous demander combien il vous a proposé ? Pour vous dédommager de tout ce que vous avez enduré pendant ces travaux.

— Dix mille livres, c'est bien cela ? » dit le vieil homme. Sa femme acquiesça.

« Oui. Je sais que cela semble beaucoup d'argent, et c'est le cas. Mais les billets d'avion à eux seuls coûtaient trois ou quatre mille livres. »

Je fis un rapide calcul mental, pris mon sac à dos et en sortis quatre liasses de billets. Se montrer généreux avec l'argent des autres est toujours agréable. Non que ce fût entièrement mon idée ; c'est Tristram Lambton qui l'avait fait germer dans ma tête, et ça semblait un aussi bon moyen de me débarrasser du dessous-de-table de Zarco que tout ce à quoi j'aurais pu penser.

« Voici vingt mille livres, dis-je, soulagé de me séparer d'une partie supplémentaire de ce bakchich. Pour couvrir vos dépenses et compenser tout ce que vous avez dû supporter ces derniers mois.

— Quoi ? » La mâchoire de M. Van de Merwe s'affaissa de façon inquiétante, comme s'il avait une attaque. « Je ne comprends pas. M. Zarco est bien mort, n'est-ce pas ?

— Écoutez, ne me demandez pas d'explications, s'il vous plaît, mais je suis sûr et certain qu'il aurait aimé que vous ayez cet argent. »

Les Van de Merwe se regardèrent, perplexes.

« Vingt mille livres ? s'exclama Mme Van de Merwe.

— C'est très généreux à vous, dit le vieil homme. À Mme Zarco. Mais vraiment…

— Vous êtes sérieux ? demanda sa fille.

— Tout à fait.

— Non, vraiment, nous ne pouvons pas, dit M. Van de Merwe. Pas maintenant qu'il est décédé. Ce ne serait pas juste, d'une manière ou d'une autre. Je veux dire qu'à la télévision, ils ont déclaré que cet homme avait été assassiné. Nous ne pouvons pas accepter, n'est-ce pas, chérie ? Mariella ? Qu'est-ce que vous en pensez ?

— Oh, papa, répliqua sa fille avec irritation. Bien sûr que nous pouvons accepter. Ça semble peut-être injuste, mais ça ne l'est en rien. Après tout ce que vous avez subi, c'est exactement ce que vous devriez faire, maman et toi.

— Mais Mme Zarco est veuve à présent, fit observer sa mère. Elle ne peut certainement pas se permettre ce genre de dépense. Ce pauvre homme. Dans quel état doit être maintenant sa femme. Nous devrions en parler à John. Lui demander son avis.

— Nous allons prendre cet argent, monsieur Manson », me dit fermement Mariella.

Ses parents se regardèrent d'un air hésitant, puis Mme Van de Merwe se mit à pleurer.

« Tout cela a été très éprouvant pour mon épouse. Avec ce bruit et le reste. Elle est complètement épuisée.

— Nous allons le prendre, répéta sa fille. N'est-ce pas ? Je pense que nous devrions. Et là, je parle également au nom de John. S'il était ici, il dirait que c'est absolument ce qu'il faut faire. Oui, nous allons le prendre. »

Le vieil homme hocha la tête.

« Si c'est ce que tu penses, ma chérie, alors oui.

— Bien, dis-je. Je crois également que vous faites le bon choix. »

Je me levai pour partir, et M. Van de Merwe me raccompagna jusqu'à la porte.

« Vous avez été extrêmement gentil avec nous, monsieur Manson. Je ne sais vraiment pas quoi dire. Je suis presque sans voix. C'est plus que généreux de votre part.

— Ne me remerciez pas, monsieur Van de Merwe. Remerciez plutôt Mme Zarco. Seulement pas tout de suite, hein ? Peut-être quand les travaux seront finis et qu'elle vivra enfin à côté, vous pourriez alors la remercier.

— Oui, oui, c'est ce que je ferai. »

Il tint ma main pendant une éternité ; il avait lui aussi les larmes aux yeux.

« La plaque bleue dehors, dis-je dans l'entrée, impatient de m'éclipser après ma bonne action. Juste par curiosité, qui est-ce qui a habité ici ?

— Isadora Duncan, répondit-il en montrant du doigt la figurine en verre sur la table de l'entrée. C'est elle.

— La strip-teaseuse ?

— Si vous voulez. » Il sourit avec hésitation. « Oui, je suppose qu'on peut dire ça. »

Isadora Duncan n'était pas vraiment une strip-teaseuse ; pas à proprement parler. Je le savais. C'était juste une façon de l'inciter à avoir une moins bonne opinion de moi. Ce qui semblait nettement plus approprié ; après tout, ce n'était pas mon argent dont je venais de lui faire cadeau.

42

Je n'aurais pas dû être inquiet, mais comme c'était mon premier match dans mes fonctions de nouveau manager de London City, je l'étais quand même. La rencontre du samedi précédent contre Newcastle ne comptait pas ; là, j'avais parlé à une équipe de football choisie par Zarco et qui jouait pour lui. Les joueurs s'imaginaient à tort qu'à un moment donné Zarco ferait son apparition dans les vestiaires pour féliciter ceux qui avaient bien joué et, plus important encore, engueuler ceux qui avaient mal joué. Personne n'avait jamais envie de se faire engueuler par João Zarco.

Mais la rencontre contre West Ham, c'était une autre affaire, et tout le monde le savait. Le premier match d'un manager responsable est déterminant pour l'image que se font de son mandat non seulement le propriétaire et les journalistes sportifs, mais aussi, de façon encore plus significative, les supporters du club, qui sont aussi superstitieux qu'un chariot de gitans. Le frère de mon ex-femme refuse d'aller à un match d'Arsenal sans sa moustache de chat porte-bonheur ;

ce n'est qu'un de ces types sérieux, rationnels, qui suivent le foot, mais qui croient aux mauvais sorts, aux malédictions et aux actes d'un dieu capricieux décidant de la défaite ou de la victoire. Une défaite grave à l'issue de ce premier match serait un terrible fardeau à porter pour la suite. Je ne sais pas quelle était l'opinion de Napoléon sur le football en Premier League, mais il connaissait l'importance du hasard, et je tenais absolument à mettre toutes les chances de mon côté pour mon premier match à la tête du club. En dépit de ce que prétend Geoff Boycott, la chance est le bien le plus précieux dans le sport.

J'avais même réussi à me persuader que la Coupe de la Ligue en valait la chandelle ; si nous battions West Ham, nous serions en finale, et maintenant qu'il ne restait plus qu'une heure avant le match, l'idée de mon premier trophée en tant que manager de City prenait une allure beaucoup plus convaincante. Sa victoire en Coupe de la Ligue n'avait-elle pas forgé la réputation de José Mourinho au début de sa saison comme manager de Chelsea en 2005 ?

Bien évidemment, tout ça ne signifiait pas que j'étais le moins du monde enclin à faire jouer plus de titulaires contre les Hammers ; quoi qu'il arrive, je m'en tenais à mes jeunes talents, avec seulement cinq joueurs de l'équipe première : Ayrton Taylor, Kenny Traynor, Ken Okri, Gary Ferguson et Xavier Pepe. J'avais gardé trois de nos quatre défenseurs – Ken, Gary et Xavier. J'espérais qu'ils stabiliseraient les autres, qui – à l'exception de Kenny et Ayrton – n'avaient pas plus de vingt-deux ans. Je n'étais pas et n'avais jamais été un adepte de la phrase célèbre de Alan Hansen selon laquelle on ne gagne jamais rien avec des gamins.

Notre deuxième plus jeune joueur, Daryl Hemingway, que nous avions acheté l'été précédent à l'académie de football de West Ham pour 2,5 millions de livres, n'avait que dix-sept ans. J'avais regardé Daryl jouer quand il était encore à Hainault Road et je le considérais comme le milieu de terrain le plus prometteur que j'aie vu depuis longtemps ; il me rappelait beaucoup Cesc Fabregas. Il voulait montrer à son ancien club quelle erreur il avait commise en se débarrassant de lui. Daryl jouait aux côtés de notre benjamin, le Belge Zénobe Schuermans, seize ans, et d'Iñárritu, le Mexicain de vingt ans que João Zarco avait acheté à l'Estudiantes Tecos, à Guadalajara.

L'histoire d'Iñárritu était intéressante. Le jeune Mexicain s'était enfui de son pays après que la police l'eut délivré d'un gang de kidnappeurs lié au cartel du Golfe. Il avait frôlé la mort lorsque les membres du cartel l'avaient filmé avec leurs téléphones portables, suspendu à l'extérieur de la fenêtre de son appartement – un immeuble de quatre-vingt-dix mètres de haut à Cuauhtémoc –, dans l'espoir d'obliger son père, un riche banquier de la BBVA Bancomer, à payer une rançon de dix millions de dollars. En fait, les ravisseurs l'avaient laissé tomber accidentellement, et Iñárritu n'avait survécu que parce qu'il avait atterri dans une nacelle de nettoyage de vitres quelques étages plus bas. Le Mexicain se montrait enthousiaste à l'idée de jouer, malgré le fait qu'après une fracture de la jambe contre Stoke City – des spécialistes en la matière –, il s'efforçait encore de retrouver une forme digne d'une équipe première.

Jouer en 4-3-3 exige une énorme résistance de la part des milieux de terrain, mais étant donné que les trois nôtres réunis ne totalisaient que cinquante-trois ans, je me disais qu'ils pourraient probablement tenir le coup pendant tout le match sans trop de problèmes. Même Iñárritu. Je ne m'inquiétais pas vraiment à son sujet non plus. Il avait beaucoup d'affection pour Zarco et avait pleuré ouvertement à l'annonce de sa mort ; je savais que, si quelqu'un devait se donner à fond pour honorer la mémoire du Portugais, c'était bien le jeune Mexicain.

Parmi les trois attaquants, l'ailier Jimmy Ribans se remettait d'une douleur à l'aine. De nombreux joueurs sont droitiers – beaucoup trop, pour être franc –, mais Jimmy était normalement gaucher, ce qui était curieux puisqu'il était en fait droitier de la main. On prétend que les gauchers du pied sont une espèce en voie de disparition, mais ils sont souvent très bons sur le plan technique, et on ne saurait sous-estimer l'importance d'avoir un excellent gaucher dans une équipe ; la plupart des clubs font tout pour les garder. Messi est gaucher, de même que Ryan Giggs, Patrice Evra ou Robin van Persie. Mais Jimmy avait aussi un bon pied droit, et nous le faisions jouer d'habitude à droite, ce qui rendait son pied gauche magique encore plus imprévisible. En tant que défenseur, j'avais toujours trouvé plus difficile de me trouver face à un gaucher de nature, et Giggsy était peut-être le meilleur de cette catégorie.

Sur l'aile gauche, Soltani Boumediene, un Israélien de vingt-quatre ans presque aussi bon du pied gauche que du pied droit. Surnommé le Comique pour des raisons évidentes – il était en effet un peu farceur –, Soltani avait joué précédemment pour Haïfa et avait été le plus éminent footballeur arabe d'Israël avant de rejoindre Portsmouth, à qui City l'avait acheté lors du « vide-grenier » consécutif à la relégation du club en 2010.

Bien entendu, Ayrton Taylor était notre avant-centre. À lire la presse, il avait perdu sa maestria et n'avait plus aucune chance de rejouer pour l'Angleterre, mais même s'il n'avait pas marqué depuis cinq semaines – en tout cas, un but qui n'ait pas été refusé –, je savais qu'il tenait à montrer que les journalistes sportifs s'étaient trompés. J'étais convaincu que ses problèmes disciplinaires étaient derrière lui. Je soupçonnais ceux-ci d'être en grande partie le fruit des taquineries

incessantes dont il avait été l'objet de la part de ses coéquipiers à la suite d'un incident survenu dans une boîte de
nuit de Londres au cours duquel deux filles avaient mis du
Rohypnol dans son verre, puis, de retour à son appartement,
l'avaient filmé avec leur iPad en plein désarroi ; après quoi
elles avaient vendu l'histoire et les photos à un journal du
dimanche. C'était, avaient-elles fait publiquement remarquer,
comme retirer un bonbon à un enfant. Les footballeurs sont
des gens impitoyables, et pendant plusieurs semaines Ayrton
avait trouvé des sucettes et des paquets de Haribo dans les
poches de son manteau d'astrakan. Si quelqu'un devait marquer un but pour nous, je sentais que c'était Ayrton Taylor,
quoi qu'en disent William Hill, Bet 365 ou Ladbrokes, qui le
cotaient à quatre contre un comme buteur.

Une telle cote était trop belle, même pour moi, surtout
alors que j'avais encore dix mille livres du pot-de-vin de
Zarco dans mon sac.

« Tu as intérêt à être prudent, patron, répondit Maurice lorsque je lui dis ce que je comptais faire avec l'argent.
Ce n'est pas un pari à deux balles. Si Sportradar ou la FA
découvrent que tu as misé dix mille livres auprès d'un book-
maker, ils vont t'arracher les tripes. »

Il avait raison : ce que je projetais était strictement interdit par le règlement sur les paris de la FA, mais nous l'avions
déjà fait, bien entendu. Absolument tout le monde dans le
football pariait sur les matchs, semaine après semaine, et à
moins d'être assez tordu pour parier contre sa propre équipe,
il n'y avait aucun mal à ça, à mon avis. Les courtiers de la
City ne faisaient pas autre chose à longueur de journée.

« Ça signifie que tu veux que je contacte notre pote
Dostoïevski », dit-il.

Dostoïevski était le surnom que nous donnions à
un parieur professionnel que nous avions connu en taule.

377

Moyennant 5 % de la somme, il plaçait un pari pour n'importe qui sur n'importe quoi.

« Naturellement. Avec la com habituelle. D'ailleurs, si je gagne, le fric ne sera pas pour moi, mais pour Kenward Trust. Un don anonyme. Ce qui semble approprié, d'une certaine manière, tu ne crois pas ? Que quelques vieux taulards profitent d'un pari douteux ? »

Maurice rit avec indulgence.

« Ah, ton sens de l'humour, patron. Un de ces jours, ça va t'attirer des ennuis.

— Je suis moi-même un vieux taulard, Maurice. Qu'est-ce que tu crois ?

— D'un autre côté, tu devrais peut-être en parler dans ton discours d'équipe avant le match. Ils se décarcasseront peut-être davantage s'ils savent que tu as parié dix mille livres sur Ayrton Taylor.

— C'est le match de Zarco, Maurice, pas le mien. Je peux bien faire la causerie, c'est pour lui qu'ils vont jouer. Il n'y aura aucun doute là-dessus, je te le promets. À l'instant où ils entreront dans les vestiaires, ils sauront exactement ce que ce match signifie. Pas seulement pour moi, mais pour tous ceux qui soutiennent ce club. Celui qui va merder ce soir devra s'expliquer avec Zarco, pas avec moi. Tu vois, Maurice, il sera là. Zarco sera avec nous dans les vestiaires. »

43

Zarco avait beau être mort, j'étais convaincu que le mémoire du Portugais pouvait encore inspirer l'équipe de London City pour remporter la victoire. Et pas seulement sa mémoire. Je ne l'en blâmais pas, mais Maurice pensait probablement que j'étais fou ou, pire encore, que je devenais confit en dévotion – que j'allais lui dire que l'esprit de Zarco serait réellement présent dans les vestiaires. Je n'y croyais pas plus que lui, bien sûr ; cela dit, je voulais bien que les joueurs pensent quelque chose de ce genre, raison pour laquelle, avant leur arrivée – pendant que Manny Rosenberg continuait à disposer le matériel –, j'allai aux vestiaires muni d'un marteau et de clous, et accrochai le portrait de Zarco au mur. Je l'avais apporté exprès de Manresa Road.

Grand et mince, Manny avait d'épais cheveux blancs et de grosses lunettes opaques ; on aurait dit le grand frère de Michael Caine. Il en avait aussi la voix.

Il était sur le point de mettre les brassards noirs sur chaque maillot quand je l'arrêtai.

« Ce soir, je vais les distribuer moi-même si ça ne te dérange pas, Manny.

— Comme tu veux. »

Il me les donna.

« Je souhaite que ce soit un moment d'émotion, expliquai-je.

— Je suppose que ce tableau ne va pas rester là, dit-il, un œil sur le portrait. À ta place, je ne laisserais rien d'aussi précieux ici. Tu connais ces abrutis. Ils risquent de l'endommager en lui expédiant un ballon ou en jetant une chaussure dessus. Leurs farces idiotes habituelles.

— Non, c'est juste pour ce soir.

— Ça vaut mieux. »

Manny hocha la tête et examina longuement le portrait.

« Il a été fait par qui, au fait ?

— Un peintre nommé Jonathan Yeo.

— Je le connais. C'est le fils du politicien conservateur. J'ai lu un article à son sujet dans le journal. C'est un bon portrait, pour sûr. Le gars a du talent. Ce n'est pas facile de saisir avec un pinceau un homme comme João Zarco, mais il a très bien réussi, ma foi. Les yeux marron légèrement pétillants, le grand nez aplati, les lèvres boudeuses avec une pointe de moquerie. Un visage comme un masque africain, quand on y réfléchit. Dur comme du bois, mais aussi plein de malice. Il y avait toujours tellement de choses derrière ces yeux, tu sais ? Comme maintenant. Je veux dire, tu peux regarder ce tableau et deviner ce qu'il a en tête.

— Qu'est-ce qu'il a en tête, Manny ? Dis-moi. Ça m'intéresse.

— C'est facile. Il est en train de penser : si ces connards surpayés ne gagnent pas ce sacré match ce soir par respect pour ma mémoire, je vais les hanter jusqu'à la fin de leurs jours. Je serai dans leurs putains de Ferrari et de Lamborghini ridicules et je leur flanquerai la frousse pour qu'ils quittent la route et se retrouvent dans le fossé. Et ils l'auront bien mérité en plus. »

Je souris.

« Tu devrais peut-être faire la causerie, Manny.

— Ah non. Ils sont d'une telle naïveté qu'ils risqueraient de me croire. D'ailleurs, tu sauras ce qu'il faut leur dire, patron.

— Je l'espère bien. »

J'avais, bien évidemment, réfléchi en long et en large à ce que j'allais déclarer aux joueurs. Chaque mot, chaque inflexion de voix aurait son importance. Je savais qu'ils s'attendaient à quelque chose de spécial de ma part ce soir, un rappel de pour qui et pour quoi ils allaient jouer. Et à cette minute, tandis que je regardais Zarco dans les yeux, je pouvais entendre les conseils qu'il m'avait donnés un jour sur la façon dont un manager doit parler à ses joueurs. J'étais reconnaissant à Manny de m'avoir rappelé ce que Zarco avait dit :

« De mon temps, j'ai entendu pas mal de discours dans les vestiaires, Scott. Toi aussi. La plupart étaient de la blague – David Brent en survêtement, l'air d'un délégué syndical sur une caisse à savon, une parodie de ce que veut dire gérer une équipe. Et tu sais pourquoi ? Parce que, en général, les managers et les coachs sont des types stupides, ignares, n'ayant aucune éducation réelle ni aucune imagination. Est-ce que tu peux te représenter certains de nos joueurs devenant managers ? Bon Dieu, ils n'arrivent même pas à gérer leurs clebs, alors des bonshommes ? Ils ont leur cervelle dans leurs pieds. Ils ne possèdent pas les mots – du moins, des mots de plus de quatre lettres. Je ne sais pas pourquoi, mais un tas de types dans le football se croient obligés de se comporter comme ce sergent instructeur des Marines dans le film *Full Metal Jacket*. Putain de ceci, putain de cela, des coups de pied dans les casiers, des coups de poing dans l'air. C'est grotesque. Inutile. Quand j'étais joueur et que j'entendais ce genre de trucs, ça me donnait envie de rigoler à chaque fois. Ce type de discours va-t-il me motiver ? J'en doute fort. Qu'on me gueule dans les oreilles comme si j'étais à l'armée va-t-il me faire marquer un but ? Jamais de la vie. La plupart du temps, j'ai l'impression que ces managers crient parce qu'ils ne savent absolument pas quoi dire. Qu'ils n'ont aucune solution aux problèmes qu'ils constatent sur le terrain, ce qui les rend furieux.

« Certes, il faut parfois se conduire comme une brute, mais motiver des joueurs, c'est autre chose. Motiver des hommes dans le sport, c'est comme les motiver dans n'importe quel autre domaine. Il te faut deux choses. D'abord, tu dois les comprendre, et tu ne peux le faire que si tu les écoutes ; beaucoup trop de gens parlent sans écouter d'abord. L'écoute est primordiale. Apprends à connaître tes joueurs ; parle-leur doucement et avec respect ; et traite-les comme des individus à part entière. Comme des êtres humains. La seconde chose dont tu as besoin, c'est d'avoir mérité le respect des autres. Tout le monde respecte l'expérience et la plupart du temps, ça signifie l'expérience de la vie elle-même. Bon, je ne connais pas beaucoup de types qui ont autant d'expérience de la vie que toi, Scott. Après tout ce qui t'est arrivé, je vois un homme que les autres hommes écouteront toujours. Bien sûr, tu as été joueur professionnel pendant des années et tu es passé par là où ils sont maintenant, mais c'est bien le moins qu'on peut attendre d'un manager. Qu'il soit passé par là lui aussi. Encore plus important, tu as survécu aux pires choses qui peuvent vous tomber dessus dans l'existence et tu les as surmontées. Tu es un survivant. Ce qui fait de toi quelqu'un que les autres écouteront. Même moi.

« Mais quand tu t'adresseras à eux, qu'est-ce que tu leur diras ? En fait, parler à des joueurs est simple : tu dois en dire beaucoup mais en aussi peu de mots que possible parce qu'ils ont du mal à se concentrer longtemps. Tu dois faire en sorte que chaque mot compte. La simplicité est l'outil de motivation le plus sophistiqué du monde. Savoir *ce qu'il ne faut pas dire* exige une véritable intelligence, tout comme dire ce qui est essentiel. Je ne parle pas de le faire en cent quarante signes, mais franchement, les hommes qui savent dire ce qui doit être dit en moins de mille mots sont les meilleurs dans le football. »

Quelques heures avant le match, Simon Page arriva de Hangman's Wood avec l'équipe. La troupe joyeuse et bruyante des joueurs pénétra dans les vestiaires, toute excitée à l'idée de disputer un match, mais elle devint peu à peu silencieuse en me voyant déjà là, assis sous le portrait de Zarco. Je portais un costume noir, une chemise blanche et une cravate noire, et j'avais probablement l'air d'un entrepreneur de pompes funèbres. Je l'espérais, en tout cas.

Les gars endossèrent leur maillot et attendirent silencieusement que je dise quelque chose. Pour une fois, personne n'avait d'écouteurs sur les oreilles ni de PlayStation à la main ; je pense que si j'avais vu une de ces consoles de jeu imbéciles, je l'aurais flanquée à la poubelle. L'heure n'était pas aux jeux. Mais je n'étais pas encore prêt à parler. Je voulais que mes paroles continuent à résonner à leurs oreilles comme le vacarme de la foule au moment où ils attendraient dans le tunnel. Au lieu de ça, je remis à chacun son brassard noir en lui disant qu'il fallait le porter au bras gauche et en lui rappelant qu'il y aurait une minute de silence sur le terrain avant le match.

Alors que l'équipe s'apprêtait à sortir avec Simon pour l'échauffement, Viktor entra dans le vestiaire, accompagné de Bekim Develi. Ils venaient d'arriver au London City Airport voisin à bord du jet privé de Viktor. Silvertown Dock était le seul terrain dans tout le pays sur lequel on pouvait atterrir et être au stade en vingt minutes. Il était habillé pour le froid russe, en manteau de castor à poils longs, et Develi portait quelque chose de similaire. Barbus tous les deux, ils ressemblaient aux frères Karamazov.

Le vestiaire se figeait toujours quand Viktor faisait son apparition. C'était un homme foncièrement timide et, en dépit de son extrême générosité, il manquait de savoir-vivre. Peut-être parce qu'il était ukrainien ou parce qu'il était parfois mal à l'aise d'être aussi riche, il lui arrivait de s'exprimer avec maladresse.

« Je suis venu vous souhaiter bonne chance pour ce soir et vous présenter Bekim Develi, qui, vous en serez tous d'accord, je pense, est certainement le meilleur milieu de terrain d'Europe. Maintenant que les obstacles à la venue de Bekim dans ce club sont passés par la fenêtre, il vient chez nous du Dynamo Saint-Pétersbourg, auquel, comme le savent bon nombre d'entre vous, il avait été prêté par le Paris Saint-Germain. »

Je ne comprenais pas ce que Viktor entendait au juste par cette remarque. Après tout, il n'était pas censé savoir que j'avais – plus ou moins – découvert la façon dont Zarco avait été réellement tué. Était-il possible qu'il fasse inconsciemment allusion aux circonstances de la mort de Zarco ? Était-ce un lapsus freudien ou quelque chose de cet ordre ? Peut-être même une plaisanterie de mauvais goût ? Sans doute pas. Très vite les paroles de Victor commencèrent à me donner l'impression d'avoir un caillou dans ma chaussure.

« Lors d'une conférence de presse qui aura lieu demain, continua Viktor, Bekim sera présenté au public comme notre dernier et, avec tout le respect que je dois à Kenny Traynor, notre plus important transfert de janvier. Avant cela, je suis certain que vous voulez tous lui souhaiter la bienvenue à London City, tout comme je suis sûr que vous allez l'emporter sur West Ham ce soir. »

Viktor vit certainement son cadeau sur le mur du vestiaire, mais il ne fit pas la moindre allusion à Zarco ; peut-être préférait-il me laisser ce soin. Pourtant, cela me surprit un peu, tout comme le fait qu'il portait le foulard porte-bonheur de Zarco, celui que j'avais cherché dans la loge 123.

Bekim Develi serra la main de chaque membre de l'équipe au moment où tout le monde sortait pour l'échauffement. C'était un grand gaillard – nettement plus d'un mètre quatre-vingts –, solidement bâti et séduisant par-dessus le marché, avec une barbe rousse taillée au carré, et, heureusement, pas aussi gros que le prétendait la rumeur ; mais il dégageait une forte odeur de cigarette, et j'espérais qu'il ne fumait pas. Je lui serrai la main et lui remis un brassard noir.

« Qu'est-ce que c'est ?

— Je suis étonné que tu poses la question. Viktor ne t'a rien dit ?

— Dit quoi ? »

Juste au moment où j'allais répondre quelque chose de désagréable à notre nouvelle acquisition vedette, Viktor s'approcha et se mit à discuter en russe avec Develi. Bien que je ne connaisse pas la langue, il me paraissait assez évident que le joueur n'était pas au courant de la mort de Zarco, ce qui me persuada que, en dépit du fait qu'ils avaient partagé un jet privé de Saint-Pétersbourg à Londres, les deux hommes n'en avaient tout simplement pas parlé. J'étais stupéfait.

« C'est le foulard porte-bonheur de Zarco, fis-je observer en tendant un brassard à Viktor.

— Vraiment ? demanda-t-il avec nonchalance.

— Il vient de chez Savile Rogue, expliquai-je en indiquant les initiales JGZ marquées sur le logo au cas où quelqu'un essaierait de le barboter. Ils font des foulards de football en cachemire.

— En cachemire, hein ? Je me demandais aussi pourquoi il me plaisait autant.

— Peut-être que s'il l'avait porté, il serait encore en vie, dis-je d'un ton plein de sous-entendus. Où l'avez-vous trouvé ?

— Il l'a oublié au restaurant VIP samedi. Je l'ai pris avec moi quand je suis parti le chercher. Je me suis dit que quelqu'un devrait le porter ce soir. Au cas où nous aurions besoin de chance. Eh bien ? Avons-nous besoin de chance ce soir ?

— Bien sûr qu'on en a besoin. Parce que, si jamais nous perdons, la chance, ou son absence, sera la meilleure façon d'expliquer pourquoi l'équipe adverse a gagné. »

44

« À ma sortie de prison, une des premières choses que j'ai faites, c'est de partir en vacances à Nîmes, en France, et durant mon séjour, je suis allé voir une corrida dans l'amphithéâtre romain de la ville. J'en ai savouré chaque sacrée minute. Et pas seulement moi. Je n'avais jamais vu un stade aussi rempli, des spectateurs aussi bouleversés, les yeux pleins de larmes scintillantes et d'émotion. À mon retour, j'en ai parlé à quelqu'un – un petit con de la BBC – qui a réagi de façon très négative, comme le font en général les gens quand il est question de tauromachie. "Ce n'est pas un sport", a-t-il affirmé. Et je lui ai répondu : "Vous avez raison, ce n'est pas un sport, ce n'est pas un truc qu'on regarde ou auquel on assiste, comme un putain de match de tennis ; non, une corrida, c'est quelque chose qu'on sent dans chaque fibre de son corps parce qu'on sait qu'à tout moment le matador peut glisser, commettre une erreur, et qu'il y aura alors un taureau de combat noir de Miura qui mettra tout son poids d'une demi-tonne dans la pointe fine comme une aiguille de sa corne meurtrière tandis qu'elle s'abattra sur la cuisse de l'homme. Bien sûr, ce n'est pas un foutu sport, c'est infiniment plus. C'est la vie ici et maintenant, parce que personne ne sait ce que l'avenir lui réserve".

« Il en va de même pour le football, les gars. Nous faisons juste comme s'il s'agissait d'un sport pour ne pas effrayer nos femmes avec ça, notre passion pour le jeu. La vérité, c'est que le sport est fait pour les gosses un jour d'été, ou pour des imbéciles aux chapeaux ridicules aimant se frotter à des chiffes molles d'aristos affublées de queues-de-pie et, éventuellement, admirer de jolis chevaux. Parce que si jamais vous sortiez demander à n'importe lequel de nos supporters s'il est venu pour se divertir ou pour voir quoi que ce soit de joli, je vous promets qu'il vous prendrait pour le dernier des cinglés. Et il aurait raison. Il vous dirait qu'il n'a pas payé soixante-dix livres la place pour *s'amuser*. Vous êtes un certain nombre à gagner cent mille livres par semaine. Mais le football vaut beaucoup plus que ça pour le public là-dehors. Infiniment plus. Pour la plupart de ces hommes et de ces femmes, cette équipe est toute leur vie, et le résultat d'un match signifie *tout* pour eux ; absolument tout.

« Alors, que les choses soient claires, messieurs ; personne dans ce club ne joue pour cent mille livres par semaine. Vous jouez pour que nos supporters puissent aller travailler demain matin en se sentant fiers que leur équipe ait gagné haut la main. Et celui qui pense autrement devrait demander tout de suite son transfert parce que nous ne voulons pas de lui à Silvertown Dock. Peu importe de qui il s'agit – joueurs ou supporters –, nous voulons des individus qui ont la foi. Des croyants, messieurs : voilà pour qui nous jouons. Et c'est ce que nous sommes nous aussi. Des hommes qui croient.

« Si cela a l'air un peu religieux, c'est parce qu'il s'agit bien de ça ; le football est une religion. Je n'exagère pas. La religion officielle de ce pays n'est pas le christianisme, ni l'islam, c'est le football. Parce que plus personne ne va à l'église. Surtout pas le dimanche. On va voir un match. Promenez-vous un moment autour de ce stade, les gars, et écoutez les prières de nos fidèles. Ce lieu est véritablement leur cathédrale. Leur lieu de culte. Et cette équipe est leur credo. Je suis navré si mon discours vous paraît blasphématoire, mais c'est un fait. C'est ici que les croyants viennent communier avec leurs dieux. Chaque semaine, je lève les yeux du banc de touche et je vois des panneaux dans les tribunes sur lesquels on peut lire : NOUS CROYONS EN ZARCO. Mais pour le moment, leur foi est mise à l'épreuve, messieurs. Cette foi a été sérieusement ébranlée. À l'heure actuelle, ils éprouvent un énorme sentiment de chagrin et de perte. Tout comme moi et, je l'espère bien, vous aussi. Écoutez, je ne vais pas vous débiter des salades à la *Coach Carter* en vous disant que c'est le match le plus important de l'histoire de notre club. Je ne veux pas vous faire injure. Je vous dirai simplement ceci : il ne tient qu'à vous, aux onze joueurs que vous êtes, de rétablir cette foi. Et c'est plus important que tout. »

Je montrai le portrait de Zarco au mur.

« Regardez bien cet homme avant de sortir sur le terrain. Demandez-vous ce que cela signifierait pour lui que vous remportiez ce match ce soir. Regardez-le droit dans les yeux et écoutez sa voix dans votre tête parce que je vous promets que vous l'entendrez aussi clairement que le son d'une cloche. Je suis sûr qu'il vous dira ceci : "Vous n'allez pas gagner ce match pour moi, ni pour Scott Manson, ni pour M. Sokolnikov. Vous allez le gagner pour tous ces croyants dans les tribunes." »

« Certains parmi vous auront du mal ce soir. Certains ne joueront pas au mieux de leurs capacités. Mais vous savez quoi ? Je m'en fous. Ce qui m'importe, en revanche, c'est que vous fassiez tout votre possible et que vous ne capituliez pas. Jusqu'au coup de sifflet final. Au cas où vous ne l'auriez pas remarqué, c'est pour ça que les supporters restent jusqu'à la fin du match, parce qu'ils ne capitulent pas. Et vous ne devez pas le faire non plus. Par conséquent, tous ceux qui joueront ce soir seront là pendant les quatre-vingt-dix minutes complètes, ensemble, comme une véritable équipe, et à moins d'avoir une jambe cassée, ne songez même pas à quitter le terrain. Je ne plaisante pas, messieurs. Il n'y aura pas de remplacement à la mi-temps ni à aucun autre moment. Vous êtes les meilleurs joueurs que ce club puisse présenter ce soir. Alors oubliez tout ce que vous avez lu dans la presse ou entendu à la radio ; je vous ai choisis parce qu'à mon avis vous êtes onze hommes qui avez quelque chose à prouver aux supporters, à Zarco, à moi et à vous-mêmes. Mais je vous ai surtout choisis parce que je suis convaincu que vous allez battre ces types ce soir. Je le crois sincèrement, c'est pourquoi personne ne vous viendra en aide. Ni l'esprit de Zarco, ni Dieu, ni moi. Seulement eux. Les croyants. »

45

Chaque supporter à Silvertown Dock avait trouvé un papier carré scotché à son siège ; orange d'un côté, la couleur ukrainienne du club, et noir de l'autre. Lorsque l'arbitre siffla pour marquer une minute de silence en mémoire de Zarco, tout le monde leva son papier, le retourna, et le stade tout entier d'orange devint soudain noir. On aurait pu entendre un ticket tomber, et je remerciai le ciel que nous jouions contre un club ayant de la classe comme West Ham, sur qui on pouvait toujours compter pour respecter les traditions du football. C'était très émouvant à voir.

Le match put enfin démarrer. Enveloppé dans mon manteau en cachemire, je m'installai sur mon siège chauffant Recaro dans l'abri de touche, Simon Page à côté de moi, et promenai un regard émerveillé sur Silvertown Dock. Comme d'habitude, Colin Evans avait fait un travail fantastique. Malgré une température proche de zéro, le terrain ressemblait à du gazon fleuri un jour d'été, même s'il se révéla un peu plus dur qu'à l'accoutumée. Un message sur mon iPad m'informa que le stade était plein à craquer, ce qui en avait assurément l'air à voir et à entendre les gens. L'ambiance était tout à fait extraordinaire, un mélange étrange de chagrin et d'excitation. Partout on voyait des hommages à Zarco et des photos de lui, et à la fin de la minute de silence nos supporters entonnèrent (sur l'air de la chanson des Beatles *Hello Goodbye*) : « João, João Zarco, je ne sais pas pourquoi tu dis au revoir, nous disons bonjour. » Ils chantèrent aussi *Speedy Gonzales* de Pat Boone (« Speedy Gonzales, pourquoi ne viens-tu pas à la maison ? »).

Les fans des Hammers essayèrent de faire entendre leur voix grâce à une interprétation pleine d'entrain de *Bubbles*, mais leur tentative se solda par un échec.

Ma satisfaction quant à la façon dont les choses avaient commencé dura exactement trente-huit secondes. Tout de suite après le coup d'envoi, Ayrton Taylor se fit déposséder de la balle par Carlton Cole, qui, d'une passe précise, la transmit à Ravel Morrison puis à Jack Collison, lequel lança Bruno Haider sur l'aile droite. Le jeune buteur autrichien leva les yeux comme pour centrer, mais il n'avait qu'une idée en tête. Juste à la limite de la surface de réparation, il dribbla Ken Okri, puis se mit sur son puissant pied gauche. Le tir que Haider enroula dans la lucarne avait une telle force qu'il aurait pu être expédié par Andy Murray. Trahi par une mauvaise défense, le pauvre Kenny Traynor n'avait aucune chance de détourner la balle. 1-0 pour West Ham.

Comme on pouvait s'y attendre, leurs fans derrière notre but déliraient de joie ; autrement, on aurait pu penser qu'une seconde minute de silence était en cours, compte tenu de la réaction des supporters orange. Je levai mon iPad devant mon visage pour que les caméras de télévision suivant tous mes faits et gestes ne puissent pas lire sur mes lèvres et jurai comme un charretier à plusieurs reprises. D'un autre côté, il fallait bien reconnaître que le but du jeune Autrichien était impressionnant, et vu son jeune âge et son peu d'expérience, on aurait pu lui pardonner d'avoir enlevé son maillot bordeaux et bleu et d'avoir couru vers les caméras en exultant. Franchement, si j'avais eu des tablettes de chocolat pareilles, j'aurais enlevé mon maillot moi aussi, mais l'arbitre se sentit obligé de lui infliger un carton jaune, pour lequel il se fit huer à juste titre par tout le monde – y compris nos propres supporters, qui avaient pu apprécier la qualité de la frappe de Haider. En ce qui me concerne, ce n'est pas aux arbitres que j'en veux, mais à cette stupide loi n° 12 de l'IFAB sur les fautes et incorrections, censée veiller à ce que personne ne bénéficie de publicité sans en payer le prix.

« Eh bien, voilà un bon début, dis-je à Simon. Pour être juste, c'était un tir plutôt hasardeux. Le môme autrichien a été aussi surpris que nous que la balle soit rentrée. »

En bon natif du Yorkshire, Simon était doté d'un caractère moins indulgent que le mien.

« À mon avis, cette minute de silence a donné envie de roupiller à nos quatre arrières. Les sales feignasses ! Ça m'étonne que leur numéro 10 ne leur ait pas lu un conte de fées pendant que l'autre marquait son putain de but. »

Le match reprit, et pendant un moment nos joueurs continuèrent à inquiéter le gardien de but ; le seul problème, c'est que ce n'était pas le gardien des Hammers qu'ils inquiétaient, mais le nôtre : une talonnade maladroite de Gary Ferguson obligea Kenny Traynor à courir à travers la surface de réparation pour dégager le ballon avec les deux tibias avant que Kevin Nolan ne puisse se précipiter dessus ; et Xavier Pepe reprit de la tête un corner rentrant de West Ham qui heurta son propre poteau puis faillit rebondir sur la tête d'Ayrton Taylor pour se retrouver au fond des filets. Quand George McCartney perdait le ballon pour West Ham, Nolan, aussi tenace qu'un fox-terrier, le récupérait. Il jouait bas, volait le ballon dans les pieds de Schuermans et Iñárritu, et alertait en profondeur Downing sur la gauche. Combinant avec Mark Noble, Nolan lança à deux reprises Cole et Haider, pour deux occasions arrêtées par Kenny Traynor. Nous étions là à nous mordre la queue, et nous aurions facilement pu accuser trois buts de retard après vingt minutes.

Cole faisait beaucoup plus jeune que son âge ; on avait peine à croire que le joueur qui inquiétait avec un tel acharnement nos quatre défenseurs avait commencé sa carrière à Chelsea en 2001. À chaque minute qui passait, il donnait l'impression d'être un peu plus en jambes et en confiance, pesant sur notre défense avec une détermination accrue. Mais le deuxième but de West Ham fut dû en réalité à une bourde monumentale. Raphael Spiegel, le gardien des Hammers, relança pour Leo Chambers, qui balança vers l'avant dans l'espoir que Cole serait à la réception ; le ballon atterrit à la limite de la surface de réparation, devant Kenny Traynor qui était tellement loin de sa ligne qu'il aurait aussi bien pu être en train de retourner à pied à Édimbourg. La balle rebondit, et Traynor s'attendait sans doute à ce qu'elle lui arrive à hauteur de la poitrine ; malheureusement pour lui et pour nous, elle rebondit sur le terrain gelé, et lorsqu'il finit par se rendre compte qu'elle allait lui passer par-dessus la tête comme un aérostat et qu'il se mit à courir à toute blinde à sa poursuite, il était déjà trop tard. Au moment où il l'attrapa, le ballon avait franchi la ligne. Kenny avait déjà l'air d'un imbécile, mais sa façon de récupérer précipitamment le ballon au fond des filets pour reprendre place sur sa ligne acheva de le rendre ridicule. Leo Chambers avait marqué le deuxième but de West Ham depuis au moins soixante mètres.

« Est-ce que ce connard d'Écossais s'imagine que personne n'a remarqué que c'était un putain de but ou quoi ? » s'exclama Simon.

Je poussai un grognement et m'enfouis la tête dans mon col en essayant de ne pas entendre le rire des fans de West Ham et les jurons des nôtres.

« Kenny a tout fait sauf essayer de cacher le ballon sous son foutu maillot, continua Simon. Il doit se prendre pour Paul Daniels, le magicien.

— Nom de Dieu ! »

Je commençais à sentir le goût amer du désastre au fond de ma bouche.

Se maudissant de sa propre bêtise, Traynor, d'énervement, renvoya le ballon d'un grand coup de botte, et il partit en vrille dans les tribunes.

« Il n'était pas aussi éloigné de sa ligne que de son satané bon sens », dit Simon.

Me levant d'un bond, j'allai jusqu'au bord de ma zone technique dans l'intention de crier quelque chose à Traynor ; mais le temps d'y arriver, je me rendis compte de l'inutilité de la chose. Je savais qu'il se sentait le dernier des crétins, et manifester mon adhésion à une opinion désormais partagée par soixante mille personnes n'aurait guère aidé le jeune Écossais à retrouver confiance en lui. Ce à quoi l'arbitre ne contribua pas non plus en le gratifiant d'un carton jaune pour son dégagement. Peut-être se sentait-il coupable d'en avoir donné un à Bruno Haider et cherchait-t-il un prétexte pour rétablir l'équilibre. Les arbitres sont parfois comme ça.

« Qu'est-ce que c'est que cette connerie ? hurlai-je. Pourquoi ce carton jaune, espèce de débile ? Les gardiens sont censés renvoyer le ballon, pauvre andouille ! »

Le quatrième arbitre s'avança vers moi, les bras écartés, comme s'il s'attendait à ce que je me rue sur le terrain tel un supporter hors de lui et que je mette la main au collet de l'arbitre. Voyant cet « incident », l'arbitre en question, Peter « Paedo » Donnelly, déboula à bride abattue. Prédicateur laïque et ancien sergent de l'armée, Donnelly était, et de loin, l'arbitre le plus célèbre du pays et il avait été récemment élu, à l'issue d'un sondage en ligne, plus mauvais arbitre de Premier League – au cours de la saison précédente, il avait distribué le plus grand nombre de cartons jaunes par match, soit une moyenne de 5,14. J'aurais dû tenir ma langue, mais ce fut plus fort que moi.

« Pourquoi ce putain de carton ? hurlai-je de nouveau. Ça ne peut pas être pour perte de temps. Écoutez, les joueurs de West Ham sont encore hors du terrain là-bas, en train de fêter ça. Ce garçon était simplement énervé et il a botté dans le ballon un peu plus fort qu'il n'aurait dû. Le vent l'a probablement fait s'envoler. Et si le carton jaune n'était pas pour ça, alors où est le problème ? Le pauvre bougre sait bien qu'il s'agit d'un but à la con ! Il n'est pas complètement demeuré.

— Si vous ne surveillez pas votre langage, je vous sanctionnerai pour contestation, répliqua Donnelly, et ensuite je vous enverrai vous asseoir dans les gradins. Étant donné les circonstances particulières de ce match, je veux bien faire preuve d'indulgence à votre égard, monsieur Manson. Mais la prochaine fois ce sera différent. Compris ? »

Je me détournai, furieux, et regagnai ma place.

« Je déteste ce salopard, dit Simon. Il se croit encore à l'armée, pas de doute.

— Le fumier.

— À partir de maintenant, tu as intérêt à faire attention à ce que tu dis, patron. Il t'a à l'œil. Il n'y a rien qu'il aime davantage que faire un exemple en punissant les gens qui blasphèment, comme il appelle le fait de jurer. Il pense que c'est le fléau du jeu moderne. Du moins, c'est ce qu'il a déclaré à Alan Brazil sur TalkSport l'autre semaine. L'enfoiré. »

Je n'étais pas trop inquiet ; pas encore. Nous donnâmes une belle frayeur à Raphael Spiegel lorsque Ayrton Taylor frappa le poteau depuis une quinzaine de mètres ; et Jimmy

Ribbans, suite à un lob habile d'Iñárritu, se présenta seul face à Spiegel, mais fut signalé hors-jeu, alors que le ralenti montra clairement qu'il ne l'était pas. En outre, les matchs de la Coupe de la Ligue sont souvent des rencontres à score élevé – qui a oublié la victoire 6-3 d'Arsenal face à Liverpool en quarts de finale de l'édition 2006-2007 ? – et je me dis qu'on pouvait facilement remonter un déficit de deux buts.

C'est du moins ce que je pensais peu avant la mi-temps, lorsque West Ham marqua pour la troisième fois. Après une faute discutable et un nouveau carton jaune, infligé cette fois à Iñárritu pour avoir fait trébucher Leo Chambers, Cole tira un coup franc vers une masse de corps orange au point de penalty. La balle ricocha sur le genou de Ken Okri pour atterrir dans les pieds de Kevin Nolan, qui la contrôla, puis l'envoya de volée au-dessus des têtes de notre soi-disant mur défensif. Bruno Haider se précipita et marqua d'une tête plongeante quasiment suicidaire rappelant vaguement un kamikaze à Pearl Harbour. Kenny Traynor parvint à toucher la balle, mais uniquement pour avoir le malheur de la dévier dans le coin supérieur de son but. 3-0.

« Ce n'est pas son jour, fit observer Simon.

— Ce n'est le jour de personne jusqu'à présent, répondis-je, la main devant ma bouche. Et surtout pas celui de Zarco.

— Il doit se retourner dans sa tombe. »

Il ne semblait pas nécessaire de mentionner que Zarco n'était pas encore dans sa tombe ; qu'il était probablement sur une table d'autopsie glaciale de la morgue de West Ham, à seulement deux ou trois kilomètres de là où nous nous trouvions ; mais je n'aurais pas été surpris qu'il se soit mis sur son séant et qu'il ait poussé quelques-uns de ses jurons de choix en portugais : *caralho* ou *cona*. Je l'avais souvent entendu utiliser de tels mots.

Je me renversai sur mon siège, les mains sur la tête, et levai les yeux vers le plafond noir qu'était devenu le ciel nocturne. Des flocons de neige commençaient à tomber et, dans la puissante lumière des projecteurs tout autour de l'enceinte du stade de Silvertown Dock, on aurait dit un ticket de pari qu'un dieu en colère avait déchiré en une myriade de confettis, puis jeté en l'air parce qu'il avait misé gros sur notre victoire. Mais pas autant que moi.

« Ce sont les pires quarante minutes que ce club ait jamais jouées, dit Simon. On a été désunis, sans inspiration, ballottés, feignants, sans parler du manque de pot. Et ça, ça concerne nos quatre putains de défenseurs. Parce que les autres, on aurait dit qu'ils souhaitaient que William Webb Ellis joue pour nous ; qu'il rafle le ballon, se carapate avec et disparaisse pour toujours. Je peux te dire une chose, patron, quand on entendra siffler la mi-temps, ça ressemblera bien plutôt à un foutu armistice. Quant à ce connard d'arbitre, il doit s'imaginer qu'il est en train de jouer au bridge, vu le nombre de cartons de merde qu'il a sortis. »

Je ne répondis pas ; le juge de touche avait levé son drapeau, et nous avions un corner. Mais Jimmy Ribbans le tira maladroitement. Le ballon aurait été en béton et se serait balancé au bout d'une grue que nos attaquants n'auraient pas montré plus de réticence à mettre la tête, et Spiegel le cueillit sans encombre, aussi nonchalamment que s'il avait sauté pour attraper une jolie pomme brillante dans un arbre.

« Qu'est-ce que tu vas dire dans le vestiaire ? demanda Simon. Que *peux*-tu dire pour renverser la situation quand on est à 3-0 à la mi-temps ?

— Liverpool y est bien parvenu. Contre l'AC Milan en 2005. » Je haussai les épaules. « D'ailleurs, il me semble que tu viens juste de me dire ce qu'il faut faire, Simon. Renverser la situation. Et je ne pense pas que je vais dire quoi que ce soit. »

C'est alors que l'arbitra siffla la mi-temps. J'aurais poussé un soupir de soulagement, n'eût été le fait qu'il restait encore quarante-cinq minutes et que nos joueurs rentraient tête basse sous les sifflets et les huées, comme s'ils avaient passé la première période à collaborer avec les nazis. Les supporters de West Ham à l'autre extrémité du dock se remirent à chanter *Bubbles*, et cette fois-ci on pouvait entendre toutes les paroles à la con, comme si on était dans la tribune Bobby-Moore d'Upton Park.

46

Je suivis l'équipe dans les vestiaires. Une puissante odeur de liniment, de crème chauffante et de honte plus cuisante encore accueillirent mes narines dilatées. À travers le mur attenant, on entendait le bruit de l'autre équipe se réjouissant de son excellente première période. J'aurais aimé envoyer mon poing dans la cloison en parpaing et montrer ces joueurs aux miens.

« Regardez, avais-je envie de leur dire, les Hammers croient que le match est déjà dans la poche. Et qui pourrait leur en vouloir de penser ainsi vu la façon dont vous autres avez joué ? Certainement pas moi. L'équipe féminine s'en serait mieux tirée face à West Ham que vous ne l'avez fait jusqu'à présent. J'ai honte d'être le manager d'un tel ramassis de nullards. Écoutez, c'est sur vous qu'ils chantent en ce moment, la manière dont ils vous ont avalés tout cru ce soir avant de vous éjecter comme le tas de merdes que vous êtes. »

Au lieu de ça, j'enfonçai mes mains dans mes poches et levai la tête vers le plafond comme pour y chercher l'inspiration.

Mais je n'en trouvai aucune. Et du reste, à quoi bon ? J'avais déjà tout dit avant le match ; ajouter quelque chose à présent donnerait seulement l'impression que j'avais gaspillé ma salive la première fois. En outre, je me serais probablement mis à les injurier ou à bouffer la moquette comme Hitler, ce qui n'aurait servi à rien ; pas ce soir. On prétend que les actes sont plus éloquents que les paroles, et à défaut de jeter des chaussures et de distribuer des horions et des coups de pied aux fesses, je me rendis compte qu'il ne me restait en réalité qu'une chose à faire.

Les gars me regardaient maintenant, s'attendant au numéro d'Al Pacino dans l'*Enfer du dimanche*, centimètre par centimètre, le laïus « Je ne sais pas quoi vous dire » qui allait opérer un miracle dans leur crâne épais et renverser la situation. J'en avais complètement fini avec la motivation. Mais je pouvais peut-être produire un moment de révélation, un simple geste symbolique qui déclencherait une brusque compréhension là où les mots n'avaient servi à rien.

Je m'approchai du portrait de Zarco et l'écartai du mur. Je contemplai un instant le visage, observai l'expression des yeux et hochai la tête ; puis je retournai le tableau sur son cordon et le plaçai à l'envers, face au mur, pour que le Portugais ne soit pas obligé de regarder les joueurs qui avaient jusque-là déshonoré sa mémoire. C'est en tout cas ce que je voulais qu'ils pensent tous. Puis je pris mon iPad et quittai le vestiaire.

Je restai un moment dehors dans le couloir avec tout le bruit du stade dans les oreilles, me demandant où aller. J'étais maintenant la cible de dizaines de regards : officiers de police, officiels, agents de sécurité, ramasseurs de balles, techniciens de télévision et membres du service d'ordre. Je devais leur échapper au plus vite.

Je me souvins que j'avais encore la clé du poste de contrôle antidopage ; je m'y enfermai.

J'allai aux toilettes et bus de l'eau. Puis je m'assis à la table recouverte de tissu noir et fixai mon iPhone et mon iPad avec irritation. Comme d'habitude, l'iPhone ne prenait pas les SMS ni ne recevait d'appels, ce dont je me félicitais ; mais il y avait un bon signal wifi, d'où plusieurs mails sur mon iPad, dont un de Louise Considine s'inquiétant de mon état d'esprit et me disant qu'elle comprendrait parfaitement si je n'avais pas envie de dîner avec elle après le match. Je me rendis compte que j'avais presque oublié la ravissante Louise, assise en haut dans la loge présidentielle, et je lui répondis aussitôt que je me réjouissais fort de passer la soirée avec elle, quel que soit le résultat ; pour fêter la victoire ou, plus probablement, pour qu'elle m'aide à noyer mon chagrin.

Ignorant un message de Viktor laissant entendre qu'il était temps d'envisager des remplacements, je poussai un soupir et ouvris une autre bouteille d'eau en regrettant que ce ne soit pas du whisky. Comme l'a dit un jour Brian Clough, ce sont les joueurs et non la tactique qui vous font perdre un match. J'aurais pu, bien sûr, choisir une équipe différente, mais je ne pensais pas, en toute honnêteté, que j'aurais dû le faire. On entend raconter dans les pubs et les studios de télévision quantité de conneries sur les tactiques, et presque toujours par des gens n'ayant aucune expérience en matière d'entraînement et qui seraient incapables de gérer un compte de courses en ligne. En ce qui me concerne, les stratégies sont ce que ces fumiers de généraux utilisent pour faire tuer un tas de braves types placés sous leur commandement dans le moins de temps possible. Je savais que j'avais pris la bonne décision parce que, quoi qu'on dise, il est sacrément plus facile de le faire dans le football que dans la vie ; raison pour laquelle tant de gens choisissent le football en premier lieu.

Mais tout cela n'avait guère d'importance à présent, dans la mesure où mes doutes au sujet de Viktor Sokolnikov semblaient si sérieux que je ne voyais vraiment pas d'autre solution que de lui remettre ma démission aussitôt le match terminé. Parce que c'est ce qu'il faut faire quand on pense avoir été berné par un escroc. Naturellement, je ne pouvais rien prouver, mais peut-être après le match pourrais-je partager discrètement quelques-uns de mes soupçons avec Louise. Étant donné le résultat probable de la rencontre, ma démission arrangerait non seulement Viktor, mais aussi les supporters. Voyez-vous, ce n'était pas seulement les joueurs qu'on avait conspués à la fin de la première période. Je pouvais encore entendre quelqu'un crier : « Tu devrais avoir honte, Manson ! » au moment où j'étais sorti du terrain.

Cela ne m'inquiétait pas outre mesure ; quand le ciel vous est déjà tombé une fois sur le crâne, vous savez où se trouvent les casques pour vous protéger la fois suivante. Quelques branleurs vous injuriant de la tribune, cela veut dire que vous faites bien votre boulot, car si tout le monde était d'accord avec vous, il est bien évident que n'importe qui pourrait le faire à votre place.

C'était Zarco que je plaignais. J'avais cru sincèrement que ses joueurs auraient voulu honorer sa mémoire par une victoire éclatante. Non que les joueurs de West Ham fussent particulièrement bons ; simplement les nôtres avaient l'air d'une équipe jouant en l'honneur de son manager – quelques VIP et joueurs invités venus taper dans le ballon afin de récolter un peu de fric pour une des vedettes d'hier.

Je me sentais également désolé pour les amis et relations de Zarco – ceux à qui il avait toujours donné des billets gratuits pour les matchs du City. Cela n'avait pas dû être très agréable pour eux d'assister à une si piètre performance. Je savais qu'ils étaient présents car Maurice m'avait fait parvenir la liste des noms ; beaucoup étaient des habitués de Silvertown Dock, qui se trouvaient aussi là le samedi du match pendant lequel Zarco avait été tué. Ses frères, Anibal et Ermenegildo, son oncle, Jacinto, et sa sœur, Branca ; son meilleur ami, Dominique Racine, ancien manager du PSG jusqu'à son renvoi – à en croire la rumeur – pour ne pas avoir su tirer le meilleur de Bekim Develi ; et des joueurs à la retraite comme Paul Becker et Tano Andretti, qui avaient été avec Zarco à Braga. Deux tweets d'Andretti à son sujet avaient été cités dans tous les journaux, notamment parce qu'il était assez inhabituel qu'un footballeur italien choisisse de commémorer la mémoire de son ami portugais par quatre vers du poème *Adonaïs* de Percy Shelley :

Paix, paix ! Il ne dort pas !
Il s'est réveillé du songe de la vie.

Et :

C'est nous qui, perdus dans d'orageuses visions,
Guerroyons sans profit avec des fantômes.

Ce soir-là, contre une équipe de West Ham déchaînée qui promettait de marquer au moins trois autres buts au cours de la seconde période, j'avais à coup sûr l'impression que nous étions en train de guerroyer sans profit.

Je regardai ma montre. Il restait cinq minutes avant la reprise. J'ouvris la porte et regagnai l'abri de touche, où l'humeur de la foule était un curieux mélange d'abattement et de joie : nos propres supporters, silencieux, apathiques et s'attendant au pire ; les fans de West Ham pressentant une écrasante victoire et se prenant peut-être à rêver à leur plus grand succès depuis le 10-0 face à Bury en 1983.

Il semblait que ma carrière dans le management du foot de haut niveau était finie avant même d'avoir commencé, car tout le monde supposerait que je n'avais tout simplement pas été à la hauteur. Je n'y pouvais rien ; j'aurais peut-être une deuxième chance dans un club plus petit, un club où le propriétaire ne serait pas du genre à faire défenestrer son manager, puis à plaisanter à ce sujet.

Un nouveau message arriva sur mon iPad : une liste de noms qui, d'après Viktor, devraient être sur le terrain à la place des « gamins et des demeurés » qui ressortaient déjà par le tunnel. Je ne répondis pas.

D'ailleurs, j'avais en tête une autre liste de noms en m'asseyant à côté de Simon Page. (Il était difficile d'imaginer que Viktor puisse offrir mon poste à cet impétueux natif du Yorkshire une fois que j'aurais démissionné.)

« Où étais-tu passé, bon Dieu ? demanda-t-il. Un manager qui disparaît de ce club, c'est déjà suffisamment regrettable, mais deux, c'est carrément de la négligence ! Au cas où tu ne t'en serais pas aperçu, patron, le ciel est en train de nous tomber sur la tête. Nous sommes foutus à présent. Tu aurais peut-être dû tordre le cou à deux ou trois gars et botter le cul à d'autres. Moi, je sais quels culs j'aurais bottés. À commencer par celui de ce gardien écossais à la con. Il n'aurait jamais dû s'éloigner autant de sa ligne de but. Pas sûr une balle comme ça.

— Nous pouvons encore gagner.

— Tu ne penses pas que tu aurais dû le leur dire ?

— Je l'ai fait. Mais à ma façon. Comme Frank Sinatra.

— Oui, mais lui ne s'est jamais trouvé confronté à un handicap de trois buts.

— Simon ? Ferme ta gueule !

— Oui, patron. »

Les joueurs prirent place à l'intérieur du rond central ; c'était toujours le moment que je préférais dans un match, quand j'avais le sentiment que tout pouvait arriver. Mais pendant quelques secondes, je ne fis pas très attention ; j'avais retrouvé la liste de noms envoyée par Maurice et je la relus sur mon iPad.

Tous les noms figurant sur la liste de billets gratuits de Zarco m'étaient familiers – sauf un.

47

Pour une raison ou pour une autre, la foule de Silvertown Dock réussit à reprendre courage. L'espoir jaillit éternellement dans le cœur de tout fan de football. C'est ce qui est merveilleux dans ce jeu ; il s'agit de beaucoup plus que de football. Ceux qui ne vont jamais voir un match ne peuvent pas comprendre ça. S'il en allait différemment, personne ne se rendrait dans un stade. Alors, quand les supporters des Hammers entonnèrent *Over Land and Sea*, les nôtres puisèrent dans leurs réserves d'optimisme et ne tardèrent pas à couvrir les voix des premiers par une interprétation fougueuse de *Sitting in Silvertown Dock*, sur l'air de *(Sittin' On) The Dock of the Bay* d'Otis Redding. Ce fut un de ces moments de transcendance, quand vous avez le sentiment de faire partie d'un tout qui vous dépasse et que vous vous rendez compte que, finalement, le football est le seul jeu qui compte vraiment. Qui comptera jamais.

L'Angleterre a beaucoup donné au monde, mais c'est le football qui constitue son plus grand cadeau.

Je ne connais pas grand-chose à la schizophrénie. J'avais vu un jour un film intitulé *A Beautiful Mind*, sur John Nash, un économiste lauréat du Prix Nobel qui était schizo. Pendant la moitié de sa vie, c'était un génie et pendant l'autre moitié, un fou à lier. Je ne suis pas sûr de vouloir faire une comparaison entre le *beautiful game* et *A Beautiful Mind*, mais dès le début de la seconde période à Silvertown Dock, il m'apparut clairement que notre équipe « de gamins et de demeurés » montrait une tout autre personnalité que pendant la première période. Je ne dirais pas qu'elle frôlait le génie, parce que c'est un terme qu'on utilise à tort et à travers dans le football, mais, tout comme Nash, elle semblait extrêmement talentueuse, pour ne pas dire exceptionnelle.

En revanche, les joueurs de West Ham donnaient l'impression d'avoir du plomb dans leurs chaussures, et ils ne frappèrent pas au but jusqu'à la quatre-vingt-dixième minute, lorsque Kenny Traynor arrêta un tir foudroyant de Bruno Haider en ce qui ressemblait davantage à un casting pour le rôle du dieu romain Mercure, vu la distance qu'il parcourut et avec quelle rapidité.

Le ton de la seconde période fut immédiatement donné quand Ayrton Taylor marqua un but moins de quinze secondes après la reprise, en faisant trembler les filets adverses d'une volée digne de *Roy of the Rovers*[1], sanctionnant un dégagement raté de Spiegel.

La foule au dock était folle de joie. 3-1.

« Merde alors, fit Simon quand nous eûmes fini d'exulter. C'est ce que j'appelle un putain de but. Ça pourrait être le but le plus rapide de toute l'histoire de la Premier League.

— Non. C'était Ledley King, Tottenham contre Bradford, en 2000. Dix secondes. D'ailleurs, il ne s'agit pas d'un match de Premier League.

---

1. Bande dessinée britannique consacrée au football qui parut de 1954 à 1993.

— Tu sais ce que je veux dire. Dans les trois premiers, alors.

— Ça se pourrait.

— Si Taylor peut encore faire ça deux fois, je veux bien lécher le ballon après le match jusqu'à ce qu'il soit propre. Et ses couilles aussi, s'il me le demande gentiment.

— Je te le rappellerai, espèce de gros cinglé du Yorkshire. »

Mais c'est Zénobe Schuermans qui marqua notre deuxième but au bout de cinquante-huit minutes, et ce n'est qu'après avoir regardé plusieurs fois le *replay* que je compris ce qu'il avait fait exactement. C'était le genre de but sorti du néant que Picasso aurait pu peindre sur une plaque de verre verticale d'un trait unique, simple et ininterrompu avec un pinceau très fin. Un peu plus tard, Sky Sports diffusa le but de Zénobe au ralenti, accompagné par Glenn Gould jouant la première des *Variations Goldberg* de Bach, ce qui ne fit que souligner la qualité prodigieuse et presque plastique de ce qui se passait à l'image. (Aujourd'hui encore, c'est un but que même des joueurs professionnels ne se lassent pas de regarder pour essayer d'analyser ce qui constitue un footballeur parfait.) Xavier Pepe envoie une passe longue et basse à Schuermans, qui a le dos au but. Du pied droit, le jeune Belge réalise un contrôle orienté qui contourne Chambers d'une élégante pirouette, il récupère la balle de l'autre côté du défenseur en même temps qu'il bloque celui-ci avec son bras et sa hanche, puis il impose calmement son corps pour déclencher du gauche une frappe d'une précision chirurgicale, la balle passant juste sous Spiegel pour se loger dans le coin opposé.

Rien de tapageur dans ce but, ni dans la façon dont Zénobe manifesta ensuite son allégresse ; on aurait dit le but d'un joueur expérimenté, sauf que le Belge n'avait que seize ans. Il récupéra la balle au fond des filets et retourna en courant au centre du terrain, tapant dans la main de Jimmy Ribbans puis dans celle d'Ayrton Taylor, et donnant à tout le monde l'impression de vouloir continuer le jeu au plus vite en faisant le moins d'histoires possible. 3-2 pour West Ham.

« Peu m'importe si nous gagnons ou si nous faisons match nul à présent, dis-je à Simon. Je viens de voir un des plus beaux buts de ma vie, marqué par un joueur dans une équipe dont je suis le manager.

— Cent pour cent d'accord. Bon Dieu, je suis censé entraîner ce gosse jeudi. Je crois bien qu'il pourrait nous apprendre deux ou trois petites choses à l'un et à l'autre, hein ?

— Ce garçon pourrait jouer encore quinze ans et ne plus jamais marquer un but pareil. » Je souris en voyant quelques têtes s'incliner dans le camp de West Ham. « Regarde-les. Voilà que leur stratégie est à l'eau. Ils savent maintenant qu'ils sont seulement en train de s'accrocher à leur avantage avec des ongles rongés. »

Au moment où le match reprit, Sam Allardyce, le manager de West Ham, cria à ses hommes – personne ne peut crier aussi fort que le Grand Sam – de conserver la balle. À présent qu'ils avaient perdu le contrôle du rythme du jeu, c'était certainement un bon conseil ; rester groupé et se passer la balle entre eux, nous forcer à courir après était le meilleur moyen de préserver leur avance d'un but. Malheureusement, ils n'avaient pas pris en compte la rapidité de notre ailier gauche. Une simple passe en retrait d'un défenseur maladroit à Spiegel vit se précipiter Jimmy Ribbans, forçant Spiegel à se jeter comme un semi-remorque dans les pieds de l'ailier sur la surface dure et glissante du dock. Il le faucha, emportant ses jambes d'abord et seulement ensuite la balle dans le même mouvement.

L'arbitre n'hésita pas et indiqua le point de penalty.

Le penalty d'Ayrton Taylor fut une leçon de maître en la matière ; une course d'élan longue et rapide, avec des litres de venin dans le tir, tel Mike Tyson donnant un coup de poing à son adversaire, comme s'il espérait réellement que le ballon frappe Spiegel en pleine figure et lui remonte l'os du nez jusque dans le cerveau. Le genre de penalty qui fait qu'un gardien de but préfère ne pas se trouver sur la trajectoire de la balle. 3-3. Il ne restait que cinq minutes avant la fin du match.

Je bondis de mon siège, frappai l'air du poing et marchai jusqu'au bord de ma zone technique, applaudissant comme un forcené.

« C'est comme ça qu'il faut tirer un putain de penalty ! hurlai-je. Bravo, Ayrton ! Fantastique ! Maintenant, montrons à ces salauds de quel bois on se chauffe ! »

Le quatrième arbitre se retourna pour me dévisager.

« Vous avez été prévenu au sujet des jurons, dit-il, et il fit signe à Paedo Donnelly de venir.

— Quoi ? m'écriai-je. Vous plaisantez !

— On vous a déjà demandé de ne pas injurier les joueurs, dit l'arbitre.

— C'était mon propre joueur ! D'ailleurs, je ne l'ai pas insulté, je l'ai félicité.

— Ce soir en particulier, je me serais attendu à ce que vous modériez votre langage, répliqua Paedo. Par respect pour la mémoire de Zarco.

— Je n'ai pas de leçon à recevoir de vous concernant la mémoire de Zarco. Personne au monde ne l'a respecté plus que moi. Alors ne songez même pas à m'éjecter.

— J'en ai assez. J'estime que votre comportement est déplacé, monsieur Manson. Et je vous expulse de votre zone technique. Allez-vous-en. Maintenant. »

Il montra la tribune derrière moi, puis écrivit mon nom sur son carton jaune. Après quoi il pivota et regagna le rond central pour faire reprendre le match.

Je me tournai vers le quatrième arbitre.

« Vous savez quoi ? C'est un enfoiré et vous aussi. »

Entre-temps la foule s'était mise à huer, puis à scander : « Pae-do, Pae-do, Pae-do, Pae-do ».

Un membre du service d'ordre me désigna un siège vacant derrière le banc de nos joueurs et, très contrarié, je m'assis auprès de notre personnel technique. Mais cette place n'était pas suffisamment éloignée pour convenir au quatrième arbitre et, à ma stupéfaction, il me suivit et m'ordonna de quitter ce siège également. À mon plus grand agacement, je dus me lever une seconde fois et aller m'asseoir avec les supporters.

« Ça t'a fait mal quand tu t'es sorti ce carton du cul ? cria un fan à Paedo.

— Superbe match, dit un autre en me serrant la main. Bravo, mon pote.

— Super génial ! dit un troisième.

— T'inquiète pas. C'est juste Paedo qui fait son cirque. »

Je jetai un coup d'œil à ma montre. Le temps réglementaire était à présent écoulé. Je me tournai avec anxiété vers le quatrième officiel pour savoir combien de temps additionnel il y aurait. Si je ne l'avais pas fait, j'aurais sans doute vu notre quatrième but. Et jusqu'à ce que je regarde le *replay* sur le grand écran, je n'avais aucune idée de qui avait marqué. West Ham eut un dernier tir cadré de Haider que Kenny Traynor arrêta avec brio, avant de dégager la balle d'un formidable coup de pied, que Soltani Boumediene récupéra en sprintant. West Ham ne s'était pas replié et le jeune arabe n'était pas hors-jeu ; ce qui fait qu'il parvint à l'entrée de la surface de réparation, fit mine de tirer, de sorte que le malheureux gardien de but anticipa d'un côté, après quoi il fit gentiment rentrer le ballon droit dans le but. 4-3. La foule était en délire, et quasiment tout le monde autour de moi me serra dans ses bras.

411

« Tu es un putain de génie, Manson, dit un supporter. Quelle équipe que t'as choisie ! »

J'opinai. Il était difficile d'imaginer qu'une équipe entièrement composée de nos meilleurs joueurs aurait pu faire mieux. Notre milieu de terrain était aussi bon que celui d'Arsenal ; peut-être même meilleur. J'avais toutes les raisons d'être satisfait.

Dans l'intervalle, le quatrième arbitre leva son panneau électronique pour indiquer que nous jouerions quatre minutes supplémentaires.

C'était le moment que je redoutais. En mémoire de João Zarco, la foule entonna un autre hymne favori de London City : *Auf Wiedersehen Sweetheart*, chanté par Vera Lynn, ce qui semblait particulièrement approprié à cette soirée. Il n'y a pas de supporters plus sentimentaux que les supporters de football, autre raison pour laquelle j'adore ce sport – parce que je suis moi-même un foutu sentimental.

Bien sûr, c'est une chose que de promettre de ne pas verser de larmes, comme dit la chanson ; et c'en est une autre que de tenir une telle promesse quand soixante mille fans se mettent à chanter une chanson de ce genre. Voilà comment je ratai également le cinquième but. Je pleurais à chaudes larmes lorsque la foule bondit comme un seul homme ; et je dus une fois de plus attendre le *replay* sur le grand écran pour le voir.

Déjà auteur d'un but magnifique, Zénobe fut cette fois un merveilleux passeur décisif, s'échappant sur l'aile en attirant deux défenseurs. Les laissant sur place, il envoya un superbe centre de l'autre côté de la surface de réparation, pour trouver Iñárritu qui arrivait comme l'Aston Martin de James Bond dans *Casino Royale*. Dire que le jeune Mexicain reprit sèchement la balle de volée ne rend qu'incomplètement compte de ce qui se passa ; il la catapulta, avec une telle force que la balle tournoya dans l'air, comme douée de vie, à croire qu'elle voulait réellement éviter les mains du gardien.

5-3. La déroute de West Ham était complète. Le match reprit, la foule scandant « six ».

Une minute plus tard, l'arbitre sifflait la fin du match, et le dock explosa. J'avais l'impression de n'avoir jamais été aussi fier de ma vie. En matière d'hommage à João Zarco, on n'aurait pas pu faire mieux.

Et ce sentiment était en outre accru par la prise de conscience que j'avais presque sûrement deviné l'identité du meurtrier de Zarco.

48

« Et que devient notre dîner ? » s'enquit Louise Considine au moment où nous quittions à toute vitesse le dock à
bord de ma Range Rover.

Les supporters célébraient la victoire et continueraient à
le faire jusqu'au petit matin. Il y aurait quelques maux de tête
demain au travail, pensai-je.

« Je suis désolé, mais nous n'aurons pas le temps de
dîner. Nous avons une affaire beaucoup plus pressante.

— Quelle affaire ? J'ai faim. Qu'est-ce qui peut être
plus important que de me nourrir ?

— Vous verrez.

— Eh bien, vous, vous n'y allez vraiment pas par
quatre chemins.

— Que voulez-vous dire ?

— Voyons voir ; nous nous dirigeons vers l'ouest. Il se
fait un peu tard pour aller dans un restaurant du West End.
Et comme je suis censée être détective, je présume que nous
retournons à votre appartement à Chelsea. Où j'imagine que

vous n'envisagez pas de me donner à manger, mais de m'amener au lit. »

Je ne répondis pas. L'idée était agréable, et pendant un instant je laissai libre cours à mon imagination. C'était une chic fille ; intelligente, drôle et très jolie, et quand j'étais avec elle, j'avais du mal à croire qu'elle appartenait à la police. Et encore plus de mal à croire combien elle me plaisait malgré ça. Faire l'amour avec Louise Considine était une idée très séduisante et qui me tiendrait probablement éveillé le reste de la nuit. Surtout maintenant qu'elle m'avait donné l'impression de ne pas y être hostile.

« Je suppose qu'après un tel match, vous êtes beaucoup trop excité pour manger, ajouta-t-elle. Et que vous voulez profiter de toute cette excitation. À votre âge, il faut battre le fer pendant qu'il est chaud. »

Je souris.

« Le football comme Viagra ? Oui, je subodore qu'il doit y avoir quelque chose de cet ordre. Je ne suis pas sûr que mon cœur puisse supporter un tel choc. Mais je me sens assez survolté après ce qui s'est passé ce soir. Et à mon âge, ça n'arrive pas très souvent.

— Comprenez-moi bien. L'idée de vous voir en sueur, excité et pressé de marquer un but n'est pas pour me déplaire. »

Je ris.

« C'est ce que vous pensez ?

— Évidemment. Je présume que c'est pour ça que vous nous avez fait partir en catastrophe alors que tous les gens présents tenaient à faire la fête. Mais je suis contente. En fait, j'ai moi-même hâte de marquer un but. Et après un match comme celui-ci, je suis partante pour tout. Même pour des prolongations.

— Et comment est-ce que ça marcherait ?

— Je me suis dit que vous vouliez peut-être que je reste pour le petit déjeuner.

— Vous aimez bien mon café, n'est-ce pas ?

— En effet. Même si j'imagine que ce n'est que la seconde meilleure chose que j'ai envie de mettre dans ma bouche une fois là-bas. »

Je ris de nouveau ; c'était une sacrée fille.

« Quel âge avez-vous, à propos ? demanda-t-elle.

— Quarante. Ce n'est pas si vieux.

— Pour moi, si. Je n'ai jamais fait l'amour avec quelqu'un de plus de trente ans. Cela dit, j'aurais une question, d'abord.

— Allez-y.

— J'avais l'impression que vous aviez déjà une petite amie, monsieur Manson.

— Oui, j'en avais une. Sonja m'a plaqué dimanche soir.

— Vous a-t-elle donné une raison ?

— Elle a dit que, quand elle finit son travail le vendredi, elle tient à avoir un vrai week-end.

— Oui, je connais ce problème, moi aussi. Je veux dire, j'ai eu des petits amis qui n'appréciaient pas beaucoup mes horaires atypiques.

— Elle voulait quelqu'un pour faire les boutiques après une semaine de boulot. Ce genre de trucs. Un samedi ou un dimanche à lire les journaux qui ne traitent pas de football.

— Et maintenant, vous avez besoin d'une remplaçante. C'est bien ça ? » Louise haussa les épaules. « Eh bien, pourquoi pas ? Ça ne me dérange pas, je pense. Tant qu'il ne s'agit pas de copinage sexuel ou de ce genre de choses.

— Vous n'êtes pas tout à fait une copine. D'ailleurs, je vous l'ai déjà dit, je n'aime pas beaucoup la police. »

Elle eut un grand sourire.

416

« Alors comment se fait-il que ça accroche entre nous ?

— Étrangement, ça ne semble pas me déranger tant que ça.

— Je suis ravie de l'entendre.

— Et maintenant, il faut vraiment que je vous présente mes excuses.

— Pourquoi ?

— Parce qu'il se peut que je vous aie induite en erreur. En fait, je ne vous emmenais pas du tout chez moi à Chelsea.

— Oh. Je vois. »

Elle avait l'air déçu, ce qui me fit plaisir. Je pris sa main et l'embrassai.

« Non, vous ne voyez pas. Pas encore. J'aimerais beaucoup passer la nuit avec vous, Louise. Je ne peux rien imaginer de mieux. Et j'espère sincèrement que ça se fera. Dans les plus brefs délais. Mais il se trouve que j'ai moi-même enquêté sur la mort de Zarco ; et maintenant je vous emmène voir la personne qui l'a tué, je pense. Ce qui vous permettra d'obtenir du galon. »

Louise retira sa main et la porta à sa bouche.

« Vous plaisantez.

— Non, pas du tout. Je n'ai songé pratiquement à rien d'autre qu'à la mort de Zarco depuis samedi soir, et maintenant je crois avoir trouvé le coupable. »

Elle se tourna vers moi et laissa échapper une exclamation de surprise.

« Oh, mon Dieu, vous êtes sérieux ? Nom d'un chien, Scott ! Vous êtes sûr de savoir ce que vous faites ? »

Je lui racontai une petite partie de ce que je savais à présent ; elle n'avait pas besoin d'être au courant du dessous-de-table et du délit d'initié ; seule une fraction de l'histoire lui était nécessaire à ce stade.

« Ça me semble assez convaincant, admit-elle. Et maintenant je me sens un peu gênée.

— Pour quelle raison ?

— Parce que vous avez fait mon boulot à ma place, voilà pourquoi. Comment vous sentiriez-vous dans le cas inverse ?

— N'importe qui peut faire mon travail. Un manager de football ne fait que mettre les bons œufs dans le même panier.

— Je ne comprends pas.

— Ça n'a pas d'importance. Écoutez, vous ne voulez pas de ces galons ? Je pensais que cela ferait une belle plume à votre chapeau.

— Eh bien, oui. Bien sûr. Mais…

— Je préfère et de loin que ce soit porté à votre crédit plutôt qu'à celui de la peau de vache pour qui vous travaillez. J'aimerais mieux n'en parler à personne que de le lui dire.

— Jane Byrne ? Ah oui, elle est un peu vacharde, n'est-ce pas ? Mais vous savez, il faudrait absolument que je l'informe de ce qui se passe. Sinon, elle risque de m'étriper.

— Pourquoi ne pas attendre que nous ayons confirmé mes soupçons ? Vous pouvez lui dire que vous ignoriez ce que j'allais faire avant que j'agisse. Que vous n'aviez pas d'autre choix que d'attendre que j'aie mis mon plan à exécution. »

Elle réfléchit un instant, puis acquiesça.

« D'accord. C'est vous, le manager.

— D'ailleurs, vous me devez bien ça après la façon dont vous m'avez annoncé que c'était Mackie, l'ami de Drenno, qui avait violé Mme Fehmiu.

— C'est vrai. » Elle grimaça. « Merde !

— Pardon ?

— On dirait que je travaille ce soir, en fin de compte. » Je souris.

« Vous aviez d'autres projets ?

— Oui, j'en avais en montant dans cette voiture. Maintenant ils devront attendre. C'est décevant.

418

— C'est aussi mon opinion.

— Bien. Je suis contente.

— Mais je dois aller au bout de cette affaire. Pour Zarco.

— Ne vous inquiétez pas. Je comprends tout ça. Mais vous devrez me récompenser.

— Comment ?

— J'y ai pensé. » Elle opina. « Oui. Quand cette affaire sera finie, j'aimerais que vous m'emmeniez dans votre bel appartement et que vous fassiez tout ce que vous voulez de moi durant vingt-quatre heures. Je dirais bien quarante-huit heures, mais je sais que vous avez un match à l'extérieur contre Everton samedi.

— En voilà une proposition, Louise !

— Je suis contente qu'elle vous plaise.

— Tout ce que je veux ?

— Absolument.

— Seigneur Dieu ! Personne ne m'a jamais dit ça. »

Je tournai dans une petite rue et arrêtai la voiture.

« Que faites-vous ? demanda-t-elle. Pourquoi vous arrêter ?

— Je suis un peu vieux jeu. Je ne peux pas m'imaginer faire quoi que ce soit avant de vous avoir embrassée.

— Moi non plus. »

Et elle se laissa embrasser ; elle me permit même de mettre la main sous sa jupe.

« Mets ton doigt en moi, dit-elle au bout d'un moment. Je veux que chaque fois que tu te toucheras le visage, tu saches exactement ce que tu auras manqué cette nuit. »

49

Je me garai devant la grande maison blanche de Toyah Zarco à Warwick Square et éteignis le moteur. Les feux clignotèrent comme un flipper, et les arbres des jardins communautaires remuèrent avec inquiétude dans la brise. Le policier toujours en poste nous observait patiemment. Avec son épais manteau et son gilet pare-balles, son corps paraissait trop grand pour ses jambes ; il aurait pu faire un bon gardien de but. Les journalistes étaient partis ; il y avait probablement ailleurs une autre veuve éplorée qu'ils voulaient filmer et harceler de questions. Un homme promenant son chien tira l'animal avant qu'il ne pisse sur les pneus de ma voiture. La pleine lune éclairait une rangée bien nette de Vélibs devant l'église à proximité ; elle ressemblait à une série de machines de musculation dans une salle de gym étrange, ouverte vingt-quatre heures sur vingt-quatre, comme si le vitrail de saint je-ne-sais-qui pouvait à tout moment se transformer en un écran géant de télévision. Mais l'église me rappela que j'allais à l'enterrement de Drenno vendredi et que j'appréhendais beaucoup ce moment.

« Est-ce que la famille de Drenno sait ce qu'a fait Mackie ? demandai-je. Et que Drenno a aidé à le couvrir ?

— Non. Pas encore.

— Laissons les choses ainsi, d'accord ? Au moins, jusque après la cérémonie. »

Elle acquiesça.

« Merci.

— C'est bizarre.

— Quoi donc ?

— Que ce soit toi qui essayes d'obtenir des aveux et pas moi.

— Du calme. J'ai déjà eu un résultat ce soir. J'ai le vent en poupe. D'ailleurs, j'espère que je n'aurai pas à dire grand-chose. La présence du flic debout derrière nous devrait fortement nous aider.

— Fais attention. C'est tout ce que j'ai à te dire. Ce n'est pas un jeu.

— Quoi, parce que tu penses que le football en est un ? Après un match comme celui que tu viens de voir, tu devrais être plus avisée.

— Tu as peut-être raison. Que veux-tu que je fasse ?

— Tu as ton insigne ?

— Bien sûr.

— Montre-le-lui et place-le sous ton autorité. J'espère que tu feras la même chose quand tu viendras chez moi. J'aime les femmes dominantes. »

Nous descendîmes de voiture et nous approchâmes du policier. Franchement, il avait l'air content de nous voir, comme un chien qu'on a laissé trop longtemps devant le supermarché.

« Bonsoir, monsieur, dit-il. Bon résultat cet après-midi. M. Zarco aurait été très fier. »

J'avais oublié que le flic était un supporter de London City. Ça tombait bien.

« Merci, monsieur l'agent, répondis-je. Je pense en effet qu'il l'aurait été.

— 5-3. J'espère seulement que mon Sky Plus a tout enregistré.

— Faites-moi savoir si ça n'est pas le cas, et je vous enverrai un DVD. »

Je lui donnai ma carte ; je m'adoucissais avec l'âge. Ça devait être l'effet de Louise Considine sur moi : elle était la preuve vivante que tous les flics n'étaient pas des salauds. Peut-être y avait-il encore de l'espoir que je devienne un jour un honnête citoyen respectueux des lois.

Elle lui montra son insigne.

« Je suis l'inspecteur Considine, de la police du Brendt. Votre nom ?

— Agent Harrison, madame. Du poste de Belgravia.

— Qui eut cru que c'était nécessaire à Belgravia, fis-je remarquer.

— J'ai besoin de vous, agent Harrison, dit Louise. Venez avec nous, voulez-vous ?

— Oui, madame, répondit-il du tac au tac. De quoi s'agit-il ?

— Je préfère ne pas le dire pour le moment. »

Je les conduisis en bas de la rue, de l'autre côté du square.

La peinture murale devant le numéro 12 se ridait dans le vent de janvier, comme si un mouvement sismique allait se produire dans les rues tranquilles de Pimlico ; et en un sens, c'était bien le cas, au moins pour les habitants de la maison d'à côté. Toutes les lumières étaient allumées. Avec les vingt mille livres que je leur avais données, ils pensaient peut-être qu'il n'était pas nécessaire de se soucier de la facture d'électricité. En montant les marches du perron, je jetai un coup d'œil par l'entrebâillement des rideaux tirés devant la grande fenêtre et vit Mme Van de Merwe et sa fille en train de lire, pendant que, sur le canapé, un homme regardait la télévision. Mais ce n'était pas M. Van de Merwe ; c'était un type plus jeune, en meilleure forme, qui suivait sur ITV les temps forts du match à Silvertown Dock. C'est curieux à quel point un match qu'on a vu sur place peut avoir l'air différent à la télévision.

J'actionnai la sonnette antédiluvienne, et il s'écoula un moment avant qu'on tire les verrous et que la porte s'ouvre sur M. Van de Merwe. À la vue du policier derrière moi, sa pomme d'Adam bougea sous son col comme une petite créature insomniaque.

« Ah, fit-il sur un ton de douce résignation. Entrez, je vous prie. »

Nous pénétrâmes tous les trois dans le vestibule. L'agent Harrison referma la porte derrière nous, et la maison sembla aussitôt plus petite. Il y avait plusieurs valises par terre, signe que les Van de Merwe allaient quelque part – en Afrique du Sud, probablement –, mais si mes soupçons étaient justes, un passeport pour Pimlico était tout ce dont ils allaient avoir besoin pour le moment.

Nous allâmes au salon, où l'apparition de l'agent Harrison fit se lever tout le monde. Mariella croisa les bras et se détourna immédiatement, tandis que sa mère étouffait un rapide gémissement avec le dos de sa main et se rasseyait ; elle sortit un délicat mouchoir brodé et se mit à pleurer.

« Voici l'inspecteur Louise Considine, de la police du Brendt, expliquai-je. Et voici l'agent Harrison. L'inspecteur Considine enquête sur la mort de João Zarco survenue à Silvertown Dock samedi dernier. »

Je n'utilisai pas le mot meurtre ; pour moi, on avait plus de chances d'obtenir des aveux complets tout de suite si je faisais en sorte de minimiser la gravité des événements.

« Comme vous le savez, je suppose, monsieur Cruikshank. »

Je m'adressais à l'homme qui regardait la télévision. Dans les trente-cinq ans, un mètre quatre-vingts environ, de forte carrure, avec des cheveux brun clair et des yeux verts, portant un jean et un épais pull-over bleu qui donnait l'impression d'avoir été tricoté par sa belle-mère.

« Vous êtes bien monsieur Cruikshank ?

— Oui », répondit-il d'un ton morne. Il poussa un soupir, puis ferma les yeux quelques secondes. « C'était un accident, ajouta-t-il. S'il vous plaît, croyez-moi quand je vous dis que ce n'était pas mon intention.

— Vous feriez mieux de nous raconter ce qui s'est passé exactement », dis-je.

Il hocha la tête.

« Oui, je suppose.

— Est-ce qu'on peut s'asseoir ?

— Bien sûr, je vous en prie. »

Il montra le canapé vide, où nous nous installâmes, Louise, l'agent Harrison et moi, puis il éteignit la télévision.

« Désirez-vous quelque chose à boire ? » demanda-t-il.

Nous secouâmes la tête.

« Ça vous dérange si j'en prends un ? Je crois que j'en ai besoin.

— Allez-y », dis-je.

Il se servit un grand whisky d'une bouteille de Laphroaig, vida son verre, puis s'en versa un autre.

« Ça me donnera du courage, dit-il en s'asseyant devant nous.

— Dommage que vous n'en ayez pas eu samedi, répliquai-je.

— N'est-ce pas ? À propos, comment avez-vous… ?

— Vous étiez sur la liste des billets gratuits de M. Zarco. Bien sûr, ça n'aurait pas été en soi une preuve que vous l'aviez tué. Mais le fragment de la moulure du plafond que vous lui avez donné lorsque vous vous êtes vus était encore dans sa poche quand on a retrouvé son corps. »

Je levai la tête vers le plafond, puis sortis de ma poche une photo prise à la morgue d'East Ham du morceau de moulure.

« Il correspond au bout qui manque à ce plafond. Celui que vous lui avez remis quand vous vous êtes plaint de ses ouvriers. Ce sont eux qui ont provoqué les dégâts, n'est-ce pas ? »

Il acquiesça.

« Vous ne pouvez pas imaginer les souffrances que ces travaux ont causées aux parents de ma femme. Jour après jour. Ils sont âgés. Ils ont le droit de profiter tranquillement de leur retraite. »

M. Van de Merwe alla s'asseoir à côté de son épouse sur un autre canapé ; ensemble, ils donnaient assurément l'impression de deux personnes âgées essayant de profiter tranquillement de leur retraite.

« Je peux comprendre ça, dis-je.

— Vraiment ? s'exclama amèrement Mariella. Ça m'étonnerait beaucoup. Toute cette triste histoire nous a rendus complètement fous, je peux vous le dire.

— S'il te plaît, Mariella, dit son mari. Laisse-moi régler ça moi-même. Comme j'aurais dû le faire avant.

— Zarco vous a donc donné des billets, repris-je. Pour le match de samedi et celui de ce soir, Comme preuve de sa bonne volonté, peut-être. Un petit gage pour aider à poursuivre le dialogue que vous aviez déjà eu dans l'espoir de régler votre différend.

— Quelque chose de ce genre, dit Cruikshank.

— Tu parles…, grogna Mariella. Il a essayé de se débarrasser de nous avec ces billets, c'est plutôt ça !

— Ce n'est pas juste, dit son mari.

— C'est ce que tu penses ?

— S'il te plaît, Mariella. Ça ne va pas nous aider. Je l'aimais bien, monsieur Manson. Je veux dire, la plupart du temps.

Il savait que j'étais un supporter de London City – depuis assez longtemps, en fait – et comme vous l'avez dit, il pensait que si on continuait à discuter, on arriverait à résoudre le problème. D'où les tickets. Et on aurait peut-être pu trouver une solution, je ne sais pas. Quoi qu'il en soit, il m'a dit de venir dans une des loges VIP samedi, avant le match, pour qu'on en parle. La numéro 123. Elle appartenait à des hommes d'affaires du Qatar qui, selon lui, n'y mettaient jamais les pieds. Il a dit aussi qu'il allait faire une proposition plus intéressante – pour que mes beaux-parents puissent partir d'ici jusqu'à la fin des travaux. J'y suis donc allé. Et nous avons eu une discussion. Nous étions dans la cuisine, buvant un café. Dans un premier temps, tout s'est passé de façon cordiale. Puis je lui ai signalé que cette maison aurait besoin d'être remise en état une fois que ses ouvriers en auraient terminé chez lui. Comme vous pouvez le voir, tout est couvert de poussière à cause des vibrations produites par le percement continuel. Pour preuve, je lui ai donné un morceau de la moulure du plafond qui était tombé sur la tête de ma belle-mère la semaine dernière. J'ai dit un prix – d'après un devis que nous avions demandé à un peintre-décorateur. Vingt mille livres. En plus des dix mille qu'il nous avait déjà proposés. C'est alors qu'il m'a accusé d'essayer de l'escroquer. Il songeait, a-t-il dit, à une somme qui permettrait à Marius et Ingrid – M. et Mme Van de Merwe – de partir en vacances. Et maintenant, je demandais trois fois plus pour la remise en état.

« Bref, la conversation s'est échauffée, hélas. Il m'a injurié en portugais. Voyez-vous, je parle un peu cette langue – j'ai travaillé au Brésil. Il m'a traité de *cadela*. Puis de *cona*. Vous pouvez facilement imaginer le genre de chose que ça signifie sans que j'aie besoin de traduire. Bon, je me suis mis en colère et je l'ai poussé. Juste bousculé, c'est tout. Je ne l'ai même pas frappé. Il est tombé contre la fenêtre, qui s'est ouverte en pivotant derrière lui sans que je comprenne pourquoi, et il a basculé dans le vide, la tête la première. Je veux dire que cette foutue fenêtre s'est ouverte toute seule quand il l'a heurtée en tombant. J'ai essayé de le rattraper – il me semble que j'ai saisi sa cravate – et il m'a peut-être empoigné, je n'en suis pas sûr. Au moment où sa cravate m'a glissé de la main, j'ai perdu l'équilibre, et ensuite il avait disparu.

« J'ai entendu un énorme fracas métallique quand il s'est cogné contre quelque chose au passage. J'ai regardé par la fenêtre, mais je ne le voyais même pas. Il devait y avoir près de quinze à vingt mètres de hauteur. Et je me suis immédiatement rendu compte qu'il était impossible qu'il ait survécu à une telle chute. En tout cas, c'est ce que je me suis dit à ce moment-là. Parce que j'ai paniqué et fichu le camp. Je suis rentré chez moi, j'ai réfléchi et j'étais sur le point d'appeler la police pour expliquer ce qui s'était passé quand j'ai vu aux informations qu'il avait été assassiné. Ensuite, je n'ai pas eu le courage de dire quoi que ce soit. Sans ça, je pense que je me serais dénoncé. Honnêtement. Je ne suis pas un meurtrier, monsieur Manson. Comme je l'ai déjà dit, j'aimais bien cet homme. Je suis tellement, tellement désolé !

— Je comprends ça, monsieur Cruikshank.

— Qu'est-ce qui va m'arriver maintenant ? demanda-t-il à Louise.

— Je ne peux pas vous le dire, monsieur.

— Mais ce que j'ai un peu plus de mal à comprendre, dis-je, c'est la raison pour laquelle vous avez pénétré par effraction à Silvertown Dock pour creuser une tombe au milieu de mon terrain et mettre la photo de Zarco dedans. Ce n'était pas gentil du tout ; et on peut difficilement appeler ça un accident. Vous voulez que je vous dise comment je le sais ? Malheureusement, vous avez laissé quelques outils derrière vous, monsieur Cruikshank. Et il y avait les initiales LCC sur le manche de l'un d'eux. Pendant un certain temps, j'ai pensé que ça voulait dire London County Council, l'ancêtre du Greater London Council. Mais tout cela est bien loin maintenant, même pour une pelle. Puis j'ai vu le nom des entrepreneurs de M. Zarco sur la peinture murale à côté : Lambton Construction Company. J'ai en fait parlé à un des ouvriers l'autre jour, qui m'a dit que des outils avaient été volés. C'était vous aussi, n'est-ce pas ? »

Cruikshank acquiesça.

« Un juste retour des choses, en quelque sorte. Je voulais qu'il connaisse le genre de désarroi que nous avons éprouvé ; de voir quelqu'un mettre votre vie sens dessus dessous. Franchement, j'ai été époustouflé par la vitesse à laquelle vous avez réussi à réparer le terrain.

— Était-ce votre idée ? Creuser un trou dans le terrain ? Ou celle de votre épouse ? »

Je regardai la femme aux bras croisés qui fixait à présent les rideaux avec une telle rage que ses yeux auraient pu y mettre le feu. Pour la première fois depuis notre rencontre, je sentis nettement l'étendue de la haine qui l'habitait.

— Alors, madame Cruikshank ? Vous l'avez aidé, n'est-ce pas ? Je ne vois aucune autre raison pour laquelle votre mari se serait donné la peine de dérober deux pelles chez le voisin. À mon avis, vous vouliez que ces pauvres Roumains soient accusés du vol. »

Elle ne répondit pas.

« Ne vous méprenez pas, monsieur Cruikshank, repris-je. Essayer d'endosser l'entière responsabilité de cette affaire est très noble de votre part. Vous avez toute ma sympathie ; j'ai fait une fois quelque chose du même ordre. Mais ça n'avance à rien, vous savez. Dans mon cas, ça n'a fait qu'aggraver les choses.

— Désolé, mais je ne sais pas de quoi vous parlez, monsieur Manson, répondit-il.

— Bien sûr que si. Voyez-vous, d'après les tourniquets de Silvertown Dock, les billets que vous avait donnés Zarco ont tous deux été utilisés. Mais j'ai du mal à imaginer M. Van de Merwe marcher jusqu'au stade. Pas avec sa jambe.

Ni Mme Van de Merwe. Ce qui veut dire que vous étiez là, n'est-ce pas, Mariella ? Vous étiez dans la suite 123 avec Zarco et votre mari. Pour aider aux négociations. »

À ce point de la discussion, son silence était suffisamment éloquent.

« Oui, c'est ce que j'ai pensé. Vous savez, je parie que c'est vous qui avez eu la présence d'esprit de fermer la fenêtre et de mettre les trois tasses à café dans la machine. La petite touche féminine, hein ? Ou bien était-ce juste pour vous assurer que votre présence à tous les deux ne serait jamais découverte ? »

Se détournant des rideaux, la femme me regarda avec dégoût. Elle n'était pas mal du tout ; et sportive avec ça. Comme si elle faisait beaucoup de gym. Le fin débardeur en coton qu'elle portait moulait étroitement son torse : épaules musclées, biceps puissants et des mamelons bien dessinés. Mais ce n'est qu'au moment où elle se pencha par-dessus le canapé pour prendre son cardigan et le mettre que je compris ce qui avait dû réellement se passer dans la suite 123 à Silvertown Dock.

« Vous vous croyez très malin, pas vrai ? dit-elle d'un air sarcastique. Mais en fait, vous ne pouvez rien prouver de tout ça.

— Vraiment ?

— Vous naviguez à vue, monsieur Manson.

— À vrai dire, continuai-je, je ne pense pas que ce soit vous qui avez poussé João Zarco par la fenêtre, monsieur Cruikshank.

— Comme si nous n'avions pas déjà assez souffert à cause de ces foutus travaux à côté ! De quel droit venez-vous ici détruire nos vie comme ça ?

— Je pense que c'est votre femme qui a poussé Zarco par la fenêtre, monsieur Cruikshank. N'est-ce pas, madame Cruikshank ? Peut-être au moment où Zarco vous a traitée de salope.

— John ? Ne dis plus rien. Pas sans la présence d'un avocat. Tu m'entends ?

— C'est ce que veut dire *cadela*, n'est-ce pas ? Moi aussi je parle un peu le portugais, vous voyez. Alors, si je peux facilement comprendre pourquoi il vous aurait traité d'enculé, monsieur Cruikshank, je ne vois vraiment pas pourquoi il vous aurait traité également de salope. Sauf si Mariella était dans la pièce.

— Sortez !

— Je ne vous connais pas depuis très longtemps, mais j'ai l'impression que ce n'est pas vous qui êtes coléreux, mais votre épouse. C'est vous qui avez poussé Zarco par la fenêtre, n'est-ce pas, madame Cruikshank ? C'est votre mari qui l'a empoigné et qui a essayé de l'empêcher de tomber, mais c'est vous qui l'avez poussé en premier lieu.

— Sortez d'ici, vous m'entendez ?

— Bien sûr, je ne peux rien prouver de tout ça. Cela dit, je n'en ai pas besoin. Je vais laisser à l'équipe médico-légale le soin de comparer cette petite égratignure sur votre cou à la minuscule quantité de peau et de sang qu'ils ont trouvée sous les ongles de Zarco. Mais vous savez quoi ? Je ne serais pas du tout surpris si vous aviez poussé Zarco par la fenêtre exprès, Mariella. Après tout, ce serait une bien meilleure explication quant à la raison pour laquelle vous n'avez pas essayé de lui porter secours après sa chute. Parce que vous espériez qu'il était mort et que tous ces affreux désagréments que vous aviez connus à cause de quelques travaux de rénovation à côté disparaîtraient à jamais. N'est-ce pas ? »

Je n'avais jamais entendu de banshee[1], et franchement, je ne sais pas à quoi elle ressemble, mais j'imagine que Mariella Cruikshank en fit une assez bonne imitation au moment où, en hurlant quelque chose en afrikaans, elle s'élança à travers la pièce, les mains tendues vers mon cou.

Heureusement pour moi, je n'étais pas devant une fenêtre ouverte.

---

1. Créature du folklore irlandais dont le cri effrayant annonce une mort imminente.

50

« Que va-t-il leur arriver ? » demandai-je à Louise.

Mon rapprochement avec la police progressait vraiment très bien. Nous étions le lendemain soir, et Louise était rentrée depuis peu de temps du commissariat de Greenwich ; on était au lit chez moi à Manresa Road, et je venais de passer une heure à lui faire l'amour avec fougue. J'avais de plus en plus de considération pour la police et son travail, surtout quand elle revêtait les formes de Louise Considine, à présent nue dans mon lit, les cuisses encore autour de ma taille et mon sexe se rétrécissant lentement en elle.

« Aux Cruikshank ?

— Oui.

— Tout dépend des services du procureur de la Couronne. Mais pour parler comme quelqu'un ayant fait des études de droit, il me semble que l'homicide involontaire risque d'être beaucoup plus facile à établir que le meurtre. L'égratignure sur le cou de Mariella Cruikshank et les fibres de son pull-over retrouvées sous les ongles de Zarco suffiront certainement à prouver qu'elle l'a poussé, mais pas qu'elle voulait qu'il se tue en tombant. Jusqu'à présent, elle n'a pas été très facile. Elle ne lâche pas grand-chose pendant les interrogatoires. Je ne suis pas sûre qu'elle sache elle-même si elle avait l'intention de le tuer ou pas. Franchement, c'est une garce encore pire que Jane Byrne.

— Je ne suis pas loin de le croire. Est-ce que Jane t'a fait des reproches pour ce qui s'est passé ?

— Un peu.

— Désolé.

— Ne le sois pas. Ce n'est pas grand-chose. Rien que je ne puisse gérer. »

J'acquiesçai d'un air sombre.

« C'est le vieux couple que je plains. Je veux dire, si les Cruikshank vont en prison, ce sera plutôt dur pour M. et Mme Van de Merwe. »

Louise haussa les épaules comme si elle s'en moquait.

« Tu ne penses pas ?

— Je ne les plaindrais pas trop non plus, répondit-elle. Ils sont partis en Afrique du Sud ce matin.

— Tu plaisantes.

— En première classe. Il semble que, pour eux, leur fille et leur gendre arriveront bien à faire face tout seuls aux événements. La perspective d'une température de 25 °C en janvier était trop tentante, j'imagine.

— Sauf que nous sommes maintenant en février.

— C'est vrai ?

— Crois-moi, je le sais. Nous sommes le premier février. Le mercato de janvier vient de fermer, et Viktor ne peut plus acheter d'autres joueurs. Ce qui n'est peut-être pas plus mal parce que je ne suis pas convaincu par celui que nous venons de recruter. »

Louise gémit un peu au moment où je me retirai ; puis elle roula sur moi et m'embrassa sur le front.

« De toute façon, dit-elle, les Cruikshank ne comparaî-
tront pas devant un tribunal avant plusieurs mois, et les Van
de Merwe seront de retour d'ici là. Les travaux et la saison de
football seront probablement finis.

— J'imagine.

— Et tu seras confirmé dans tes fonctions de nouveau
manager de City.

— C'est déjà fait. J'ai parlé à Viktor Sokolnikov après
t'avoir quittée hier soir et je l'ai mis au courant à propos des
Cruikshank. Je signe un nouveau contrat vendredi. Il a donc
tenu parole.

— Tu lui as dit que tu l'avais soupçonné pendant un
moment d'être le meurtrier de Zarco ?

— Euh, non. Mais je lui ai demandé de m'expliquer ce
qu'il entendait au juste par la remarque qu'il a faite, à savoir
que tous les obstacles à l'arrivée de Bekim Develi étaient passés par la fenêtre. Il a répondu qu'il faisait allusion au ministère de l'Intérieur. Apparemment, dans un premier temps,
le ministère était contre le transfert de Develi parce que le
Russe avait également prévu d'ouvrir une boîte de nuit, ce
qui constitue une infraction aux règlements pour quelqu'un
qu'on appelle un migrant sportif de niveau 2. D'ailleurs, il a
renoncé à cette idée et il va se contenter de jouer au football.
Ainsi soit-il. Le football passe avant tout. Le football passe
toujours avant tout. Sans football, la vie n'aurait pas de sens.

— Ce n'est pas exactement du Aristote.

— En fait, tu te trompes. »

Louise fronça les sourcils.

« Aristote pensait bel et bien que le football renfermait
le sens de la vie.

— Des foutaises.

— Non, vraiment. Écoute. C'est ce qu'il écrit dans son
livre *L'Éthique à Nicomaque.* »

433

Je marquai une pause, le temps de me souvenir de la citation.

« Ça doit être une blague, hein ?

— Au contraire. À mon avis, il savait exactement ce qu'il disait et il avait raison, comme d'habitude. Aristote déclare ceci : "Tout art et toute recherche, de même que toute action et toute délibération réfléchie, tendent vers quelque bien. Aussi a-t-on raison de définir le bien comme ce à quoi on tend en toutes circonstances. Tout est fait dans un but et ce but est bon." » Je haussai les épaules. « Alors, tu vois ? Un but change tout. »

Eh bien, c'est ce que j'appelle une vérité philosophique.

Rejoignez Scott Manson et ses joueurs
pour une nouvelle enquête dans les coulisses
du club de football de London City :

LA MAIN DE DIEU

Scott Manson et son équipe quittent Londres pour leur match de la Ligue des Champions qui les verra affronter le club d'Olympiakos à Athènes. La population grecque est en grève et la température monte en ville comme dans le stade.

Mais rien n'aurait pu préparer Scott Manson à ce que la mort frappe pendant le match…

À venir en automne 2016
aux Éditions du Masque

> « Un peu grâce à la tête de Maradona,
> un peu grâce à la main de Dieu. »

> *Diego Maradona, après son premier but contre l'Angleterre,*
> *lors de la Coupe du Monde 1986.*

Oubliez Mourinho, le « Special One », l'unique. Si j'en crois la presse sportive, moi, je suis le « Lucky One », le chanceux.

Après la mort de João Zarco (lui, c'était le malchanceux), j'ai eu de la chance, en effet, celle de décrocher le poste de manager par intérim du club de London City, et, plus encore, celle de le conserver jusqu'à la fin de la saison 2013-2014. Le club a bel et bien été jugé chanceux de finir quatrième de la Premier League britannique, et tout le monde a considéré que nous avions eu de la veine d'atteindre la finale de la Coupe de la Ligue et la demi-finale de la Coupe d'Angleterre, que nous avons toutes les deux perdues.

Personnellement, j'estimai que nous avions été malchanceux de ne rien gagner, mais le *Times* n'était pas de cet avis :

Considérant tout ce qui s'est passé à Silverstone Dock ces six derniers mois — un entraîneur charismatique assassiné, la carrière d'un gardien de but talentueux tragiquement écourtée, une enquête encore en cours des services fiscaux de Sa Majesté sur ce que l'on a appelé le scandale 4F (Free Fuel For Footballers, une sombre affaire de pleins d'essence gratuits), il est certain que London City a eu une chance insolente de réaliser un tel parcours. La bonne fortune du club peut être attribuée pour une large part au travail acharné et à la ténacité de son entraîneur, Scott Manson. L'éloge funèbre éloquent, appuyé, qu'il a tenu à faire de son prédécesseur est vite devenu viral sur les réseaux sociaux et a incité un magazine, le Spectator, *à le comparer à Marc Antoine l'Orateur en personne. Si José Mourinho est le « Special One », alors Scott Manson est sans nul doute le « Clever One », Scott le Malin, et peut-être même aussi le « Lucky One », Scott la Chance.*

Je ne me suis jamais considéré comme un veinard, surtout pas à l'époque où je purgeais une peine de dix-huit mois à la prison de Wandsworth pour un crime que je n'avais pas commis.

Et, du temps où j'étais footballeur professionnel, je n'ai cédé qu'à une seule superstition : chaque fois que j'obtenais un penalty, je frappais dans la balle, aussi fort que possible.

D'une manière générale, je ne sais si la nouvelle génération de joueurs est plus crédule que nous ne l'étions, nous autres, mais à en croire leurs tweets et leurs messages sur Facebook, les gars qui évoluent aujourd'hui sur les terrains sont aussi attachés à cette notion de bonne étoile que des sorciers-guérisseurs dans un colloque de magie blanche à Las Vegas. Comme ils sont très peu à fréquenter l'église, la mosquée ou la shul, il n'est peut-être pas si surprenant qu'ils entretiennent autant de superstitions. En réalité, il se pourrait que la superstition soit la seule religion à la portée de ces âmes bien souvent ignorantes. En tant qu'entraîneur, j'ai fait de mon mieux, et toujours avec doigté, pour gentiment dissuader mes joueurs de céder à ces superstitions, mais c'est un combat complètement perdu d'avance. Qu'il s'agisse d'un rituel d'avant-match, toujours aussi vétilleux que mal venu, d'un numéro de maillot propice, d'une barbe porte-bonheur ou d'un T-shirt providentiel à l'effigie du duc d'Édimbourg – mais si, je vous le jure –, la superstition dans le foot fait autant partie du jeu moderne que le pari, les maillots à compression ou les bandes de contention.

Si le football est pour une bonne part affaire de croyance, il y a des limites : certains actes de foi vont bien au-delà du simple geste de toucher du bois et vous font entrer au royaume de l'illusion et de la pure dinguerie. J'ai parfois l'impression que, dans ce milieu, les seuls à avoir les pieds sur terre sont les pauvres types qui viennent assister aux matchs ; malheureusement, je crois que ces pauvres types sont eux aussi plus ou moins gagnés par le même syndrome.

Prenez Iñárritu, notre milieu de terrain, un garçon extrêmement doué qui évolue actuellement au sein de son équipe du Mexique, dans le Groupe A. D'après ce qu'il vient de tweeter à ses cent mille followers, c'est Dieu qui lui souffle comment marquer des buts, mais quand tout le reste échoue, il sort s'acheter une botte de soucis, quelques morceaux de sucre et allume une bougie devant une petite poupée-squelette habillée d'une robe verte mexicaine typique. Ah, oui, je vois tout à fait comment ça pourrait fonctionner.

Ensuite, vous avez Ayrton Taylor, actuellement à Belo Horizonte avec l'équipe d'Angleterre. Apparemment, la véritable raison de sa fracture du métatarse, lors du match contre l'Uruguay, serait due à une étourderie : en partant de chez lui, il avait oublié de mettre dans sa valise son petit bouledogue porte-bonheur en argent et de prier Saint Luigi Scrosoppi, le saint patron des footballeurs, ses Nike Hypervenom à la main, comme il le fait en temps normal. Et non, vraiment, cela n'avait à peu près rien à voir avec le sale abruti qui, sans vergogne aucune, s'était essuyé les crampons sur le pied de notre Taylor.

Bekim Develi, notre milieu de terrain russe, lui aussi du voyage au Brésil, annonce sur Facebook qu'il ne voyage jamais sans son stylo porte-bonheur. Interviewé par Jim White pour le *Daily Telegraph*, il a aussi parlé de son petit Peter, son bébé qui vient de naître, et avoué qu'il avait interdit à sa fiancée, Alex, de montrer Peter à des inconnus avant quarante jours parce que ses parents, soucieux de ne pas voir leur rejeton habité par l'âme ou l'énergie d'un autre en une période aussi cruciale, « attendaient que l'âme du nouveau-né rejoigne son corps ».

Et, comme si tout cela n'était pas déjà assez grotesque, l'un des Africains de London City, le Ghanéen John Ayensu, est allé raconter à un journaliste d'une station de radio qu'il ne pouvait bien jouer que s'il se glissait un bout de fourrure de léopard dans le slip, imprudent aveu qui lui a attiré une vague de protestations de la part des militants de WWF, soucieux de la préservation des espèces, et autres défenseurs des droits des animaux.

Dans la même interview, Ayensu annonçait son intention de quitter London City dans le courant de l'été, et c'était pour moi une fâcheuse nouvelle vue depuis Londres. Tout comme ce qui est arrivé à notre buteur allemand, Christoph Bündchen, qui s'était fait prendre sur Instagram dans un bar sauna gay, au cœur de la riante cité brésilienne de Fortaleza. Christoph, qui reste encore un gay non déclaré, a affirmé qu'il était entré au Dragon Health Club par erreur, mais sur Twitter, naturellement, on n'est pas de cet avis. Avec une presse – en particulier un torchon comme le *Guardian* – qui meurt d'envie de voir au moins un joueur faire son coming-out tant qu'il est encore footballeur professionnel (sagement, je crois, un Thomas Hitzlsperger, milieu de terrain allemand du Bayern et d'Aston Villa, a attendu, lui, la fin de sa carrière), la pression qui pèse sur le pauvre Christoph paraît déjà insoutenable.

En attendant, l'un des deux joueurs espagnols de London City en tournée au Brésil, Juan Luis Dominguin, vient de m'envoyer par e-mail une photo de Xavier Pepe, notre meilleur arrière central, dînant dans un restaurant de Rio avec certains des cheikhs propriétaires de Manchester City, suite au match de l'Espagne contre le Chili. Sachant que ces personnages sont plus riches que Dieu en personne – et certainement plus fortunés que notre propriétaire, Viktor Sokolnikov –, c'est encore une autre source de tracas. Aujourd'hui, il y a tellement d'argent dans le foot que les joueurs se laissent facilement monter la tête. Il suffit du bon chiffre sur un contrat, et il n'y en a pas un seul qui n'entrera pas en transe façon Linda Blair dans *L'Exorciste*.

Comme je l'ai déjà dit, je ne suis pas superstitieux mais, en janvier dernier, quand j'ai vu dans les journaux ces photos de la main du fameux Christ Rédempteur qui se dresse sur les hauteurs de Rio de Janeiro frappée d'un éclair, j'aurais dû comprendre qu'au Brésil quelques désastres nous attendaient. Peu après cet éclair, comme de juste, des manifestations de protestations contre les dépenses engagées par le pays pour la Coupe du Monde échappèrent à tout contrôle et dégénérèrent en de violentes émeutes qui éclatèrent dans les rues de São Paulo. Il y eut des voitures incendiées, des boutiques vandalisées, des vitrines de banques fracassées et plusieurs victimes abattues par balles. Je ne peux pas dire que j'en tienne rigueur aux Brésiliens. Dépenser quatorze milliards de dollars pour accueillir la Coupe du Monde (une estimation de la chaîne Bloomberg) quand Rio de Janeiro n'est même pas desservie par un réseau d'assainissement, c'est juste incroyable. Mais à l'exemple de mon prédécesseur, João Zarco, je n'ai jamais été très fana de la Coupe du Monde, et pas seulement à cause des pots-de-vin, de la corruption et de la politique du secret pratiquée par cet enfoiré de Sepp Blatter – sans parler de la main de Dieu, en 1986. Je ne peux m'empêcher de trouver que le petit bonhomme élu meilleur joueur du tournoi à l'issue de la Coupe du Monde argentine était un tricheur, et le fait qu'il ait même pu figurer dans la liste des nominés en dit suffisamment long sur ce tournoi vitrine de la FIFA.

À mes yeux, la seule raison d'un tant soit peu apprécier la Coupe du Monde, c'est à peu près la seule occasion, les États-Unis étant archinuls au foot, de voir le Ghana ou le Portugal démolir les Américains, au moins sur un terrain. À part ça, le fait est là : je déteste tout ce qui a trait à la Coupe du Monde.

Je déteste, à cause du niveau de jeu presque toujours merdique, des arbitres qui sont toujours nuls, et les hymnes, c'est encore pire, je déteste à cause de leur foutues mascottes (Fuleco l'Armadillo, la mascotte officielle de la Coupe du Monde 2014, est un mot-valise façonné à partir de *futebol* et *ecologia* – non mais, je rêve !), de toute la brochette d'experts d'Argentine et du Paraguay (et, oui, c'est aussi valable pour toi, le Brésil), de toutes les rodomontades de l'Angleterre sur le mode « cette fois-ci, on peut aller au bout », et de tous les nullards qui, ne connaissant rien au football, ont subitement sur ce jeu un avis parfaitement débile, mais que vous êtes tenu d'écouter. Je déteste tout particulièrement les politicards, avec leur manie de grimper dans l'autocar officiel et d'agiter l'écharpe de l'équipe d'Angleterre en débitant leurs salades habituelles.

Mais surtout, comme la plupart des managers de Premier League, je déteste la Coupe du Monde à cause de tous les désagréments purs et simples qu'elle engendre. Dès la fin de la saison de championnat, le 17 mai, et après moins de deux petites semaines de vacances, les joueurs retenus pour accomplir leur devoir sur la scène internationale ont rejoint leurs équipes respectives au Brésil. Le match d'ouverture de l'édition brésilienne étant programmé pour le 12 juin, la très lucrative compétition de la FIFA ne laisse guère de temps aux joueurs pour récupérer des tensions et des pressions d'une saison entière de Premier League, et leur offre en revanche quantité d'opportunités de récolter de graves blessures.

Ayrton Taylor, apparemment hors jeu pour deux mois, paraissait assuré de manquer le premier match de London City de la nouvelle saison, contre Everton, le 16 août. Pire encore, il allait sûrement louper nos matchs éliminatoires du Groupe B contre l'Olympiakos d'Athènes, la semaine suivante. Avec notre autre buteur désormais exposé à d'intenses conjectures sur la véritable nature de sa sexualité, c'est exactement ce dont nous avions besoin.

C'est dans des périodes pareilles que j'aimerais avoir quelques Écossais et quelques Suédois de plus dans l'équipe, sachant bien sûr que ni l'Écosse ni la Suède ne sont qualifiées pour la Coupe du Monde 2014.

Et je ne saurais dire au juste ce qui est pire : s'inquiéter de la « légère élongation des adducteurs » qui empêcha Bekim Develi de jouer pour la Russie leur match du Groupe H contre la Corée du Sud, ou craindre que Fabio Capello, le manager des Russes, n'aligne Develi contre la Belgique avant de lui avoir laissé une possibilité de se rétablir convenablement. Vous voyez ce que je veux dire ? On se fait du souci quand ils ne jouent pas, et on s'en fait quand ils jouent.

Comme si ce n'était pas assez pénible comme ça, j'ai un propriétaire de club aux poches aussi profondes qu'une mine d'or de Johannesburg qui est actuellement à Rio, où il cherche à « renforcer notre équipe », à racheter un joueur dont nous n'avons pas réellement besoin, et loin d'être aussi bon que le prétendent tous les experts du Baratin et autres commentateurs patentés. Tous les soirs, Viktor Sokolnikov m'appelle sur Skype et me demande mon avis sur un trou du cul de Bosniaque dont je n'ai jamais entendu parler, ou sur le dernier prodige africain que la BBC présente comme le nouveau Pelé (si la BBC le dit, c'est forcément vrai).

Le prodige s'appelle Prometheus Adenuga, et il joue dans l'équipe du Nigéria. Je viens de regarder un montage diffusé dans Match of the Day qui montre les buts et les talents de ce garçon, avec Robbie Williams beuglant « Let Me Entertain You » en fond sonore, ce qui ne fait que tendre à prouver ce que j'ai toujours suspecté : la BBC ne pige tout simplement rien au foot. Le football, ce n'est pas du divertissement. Si vous voulez du divertissement, vous allez voir Liza Minnelli tourner de l'œil et tomber de la scène, mais le foot, c'est autre chose[1]. Écoutez, si vous vous crevez le cul à gagner un match, vous n'en avez rien à foutre de divertir les foules. Le football, c'est trop sérieux pour ça. Cela n'a d'intérêt que si ça compte vraiment. Regardez un match amical de l'Angleterre, et dites-moi si je me trompe. D'ailleurs, maintenant que j'y pense, c'est pour ça que le sport américain n'a aucun intérêt, c'est à cause des chaînes de télévision américaines, qui saupoudrent le tout pour rendre les matchs plus attrayants aux yeux des spectateurs. C'est des foutaises. Le sport n'est divertissant que si ça compte vraiment. Et, franchement, ça ne compte que si c'est du lourd.

Cela dit, le football tel qu'on le joue au Nigéria n'a rien de très honnête. Prometheus n'a que dix-huit ans, mais étant donné la réputation de tricherie de son pays sur l'état-civil de ses joueurs, il pourrait avoir quelques années de plus. L'an dernier, et l'année précédente, il faisait partie de l'équipe nigériane qui a remporté la Coupe du Monde des moins de 17 ans. Le Nigéria a remporté cette compétition quatre fois d'affilée, mais uniquement en alignant une flopée de joueurs qui ont bien plus de dix-sept ans. Selon de nombreux blogueurs des quelques sites les plus fréquentés du Nigéria, Prometheus a en réalité vingt-trois ans. Chez certains joueurs africains de Premier League, ces écarts d'âge sont encore plus importants. Selon ces mêmes sources, Aaron Abimbole, qui joue maintenant pour Newcastle United, a sept ans de plus que les vingt-huit

---

1. En 2007, en concert à Stockholm, Liza Minnelli s'effondrait et tombait de la scène, rattrapée par le directeur de production.

mentionnés sur son passeport, alors que Ken Okri, qui jouait pour nous jusqu'à ce qu'il soit racheté par Sunderland fin juillet, aurait même pu avoir la quarantaine. Tout cela explique certainement pourquoi certains de ces joueurs africains n'ont aucune longévité. Ou aucune endurance. Et pourquoi ils sont si souvent revendus. Au bout du compte, personne n'a envie de rester avec de tels poids morts sur les bras.

C'est justement l'une des raisons pour lesquelles je ne deviendrai jamais sélectionneur de l'équipe d'Angleterre. La Fédération anglaise n'a aucune envie d'un type – même d'un type comme moi, qui suis à moitié noir – qui finira par déclarer que le football africain est dirigé par une bande d'enflures, de menteurs et de tricheurs.

Mais pour l'heure, ce n'est pas l'âge véritable de Prometheus, joueur de l'AS Monaco, qui intéresse les journalistes en mal de copie occupés à gratter la terre du Brésil – c'est son animal de compagnie, une hyène qu'il gardait avec lui dans son appartement de Monte Carlo. Selon le *Daily Mail*, elle avait planté ses crocs dans la tuyauterie de la salle de bains, inondant tout l'immeuble et causant pour des dizaines de milliers d'euros de dégâts. Une hyène en guise d'animal de compagnie, voilà qui, par comparaison, fait paraître bien raisonnables la peinture camouflage de la Bentley Continental de Mario Balotelli et l'aquarium de treize mètres de hauteur dans la maison londonienne de Thierry Henry.

Je pense parfois qu'un nouvel Andrew Wainstein aurait toute sa place pour lancer un jeu intitulé Football Fantasy Folie, où les participants forment une équipe imaginaire composée de vrais joueurs, avec un barème de points basé sur le prix de leurs maisons et de leurs voitures, sur la fréquence de leurs parutions dans les tabloïds, et des points de bonus attribués pour les épouses et les fiancées les plus extravagantes, les animaux de compagnie les plus fous, les mariages dignes de Cendrillon les plus somptueux, les prénoms de bébés les plus ridicules, les tatouages les plus mal orthographiés, les coiffures les plus loufoques et autres séances de baises à la carte.

J'ai acheté le bouquin de sir Alex dès sa sortie, bien sûr, et les pages où il dit sa piètre opinion de David Beckham m'ont fait sourire. Fergie raconte qu'il a balancé sa fameuse chaussure à crampons à la tête de son numéro sept après le refus de Beckham de retirer un bonnet en laine qu'il portait sur le terrain d'entraînement du club, à Carrington, parce qu'il n'avait pas envie de révéler sa nouvelle coupe de cheveux à la presse, préférant garder le secret jusqu'au jour du match. Je dois dire que je comprends très bien le point de vue de sir Alex. Les joueurs devraient toujours s'efforcer de ne pas oublier que tout dépend des supporters qui contribuent à leur payer leur salaire. Il faut qu'ils gardent un peu plus souvent à l'esprit ce qu'est la vie de ces gens massés dans les gradins. J'ai déjà suspendu des joueurs de London City pour avoir débarqué sur notre terrain d'entraînement de Hangman's Wood en hélicoptère, et je m'attache toujours à réagir de la même manière quand ils arrivent dans des voitures qui valent le prix moyen d'une maison. À l'heure où j'écris ces lignes, on parle d'un montant de 242 000 livres. Cette restriction peut paraître bien timide, jusqu'à ce que vous songiez que la Lamborghini Veneno, le haut de gamme de la marque, coûte la somme astronomique de 2,4 millions de livres, soit plus de 3 millions d'euros. Pour des joueurs qui gagnent quinze millions par an, c'est presque de la menue monnaie. J'ai eu cette idée de fixer un plafond au prix des voitures de nos joueurs la dernière fois que j'ai inspecté notre parking et que j'y ai vu deux Aston Martin One-77s et une Pagani Zonda Roadster, au prix catalogue supérieur à un million pièce.

Entendons-nous bien, le football est une entreprise et les footballeurs travaillent dans cette entreprise pour gagner de l'argent et profiter de leur richesse. Je ne vois aucun inconvénient à payer des joueurs trois cent mille livres par semaine.

La plupart d'entre eux triment très dur pour les gagner, qui plus est, les gros salaires ne durent pas si longtemps, et seule une poignée d'entre eux gagnent de telles sommes. Je regrette juste de ne pas avoir été payé ce genre de pognon quand j'étais moi-même joueur. Mais si un club de football est une entreprise, il incombe alors aux membres de cette entreprise de soigner leurs relations publiques. Après tout, regardez ce qui est arrivé aux banquiers, qu'aujourd'hui tout le monde ou presque tourne en ridicule et présente comme des rapaces et des parasites. Tout est dans l'image, et je n'ai aucune envie de voir des supporters prendre les grillages d'assaut pour protester contre les inégalités de richesse qui existent entre les footballeurs professionnels et eux. À cet égard, j'ai invité un conférencier du Centre londonien pour l'éthique de la culture d'entreprise à venir parler à nos joueurs de ce qu'il appelle « la sagesse d'une consommation discrète ». Ce qui n'est jamais qu'une autre manière de leur déconseiller de s'acheter une Lamborghini Veneno. Si je fais tout ça, c'est parce que protéger les gars de mon équipe contre toute publi-cité indésirable devient de plus en plus un moyen impor-tant de s'assurer qu'ils livrent le meilleur d'eux-mêmes sur le terrain, puisqu'en réalité je ne vise rien d'autre. J'aime mes joueurs comme s'ils faisaient partie de ma famille. Vraiment. C'est en tout cas dans cet esprit que je m'adresse à eux, même si le plus souvent je me contente d'écouter. C'est de cela que la majorité d'entre eux a besoin : d'un interlocuteur qui com-prenne ce qu'ils essaient de dire, ce qui, je l'admets, n'est pas toujours facile. Bien sûr, modifier leur manière de gérer leur fortune et leur célébrité ne sera pas toujours facile non plus. Je crois qu'encourager tous ces jeunes messieurs à agir de manière plus responsable est sans doute aussi compliqué que d'éradiquer leurs superstitions de joueurs. Mais il faut que ça change, et vite, sans quoi ce sport risque de se couper des gens ordinaires, si ce n'est déjà le cas.

Vous avez entendu parler de football total. Eh bien, ici, nous entrons peut-être dans l'ère du management total. Une bonne partie du temps, je dois cesser de parler football aux joueurs et aborder toutes sortes d'autre sujets. Cela se résume parfois à convaincre des types ordinaires de savoir se conduire en types doués. Dans ce métier, j'ai appris à être psychologue, comédien, à être l'épaule sur laquelle on vient pleurer, un prêtre, un ami, un père et, quelquefois, un détective privé…

CET OUVRAGE A ÉTÉ COMPOSÉ
PAR PCA

ET ACHEVÉ D'IMPRIMER
PAR CAYFOSA-BARCELONE
POUR LE COMPTE DES ÉDITIONS J.-C. LATTÈS
EN MAI 2016

LE MASQUE
s'engage pour l'environnement
en réduisant l'empreinte carbone
de ses livres.
Celle de cet exemplaire est de :
503 g éq. CO$_2$
Rendez-vous sur
www.lemasque-durable.fr

PAPIER À BASE DE
FIBRES CERTIFIÉES

N° d'édition : 02
Dépôt légal : mai 2016
Imprimé en France